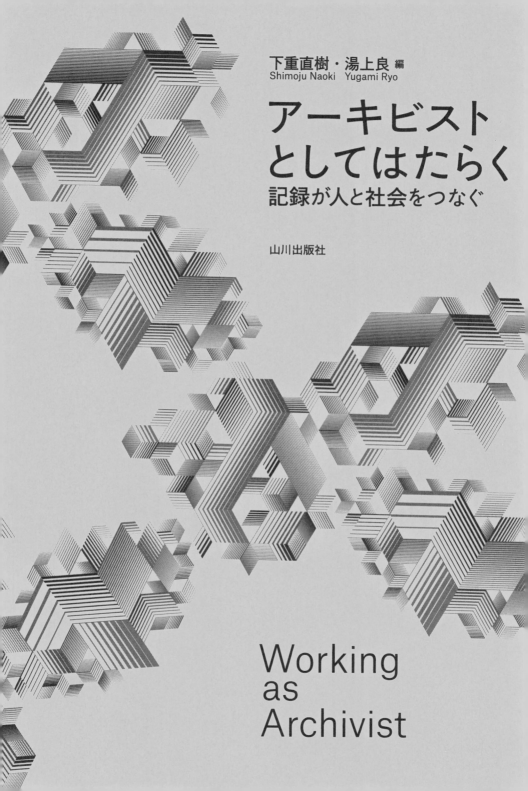

下重直樹・湯上良 編
Shimoju Naoki　Yugami Ryo

アーキビストとしてはたらく

記録が人と社会をつなぐ

山川出版社

Working
as
Archivist

はしがき

　私たちは毎日大量の情報を生み出し、受け取り、何らかのかたちで記録している。なかにはずっと保存しておきたいと考える記録もあるだろう。そのようにして選び出された記録である「アーカイブズ（Archives）」について、最近では多くの人がおぼろげなイメージならもっているかもしれない。

　しかしながら、その「アーカイブズ」を維持し、将来にわたって利用ができるように管理していく「アーキビスト（Archivist）」という存在を具体的に語るのは難しいのではないか。2020年度から独立行政法人国立公文書館による「認証アーキビスト」という公的な資格制度がようやくスタートしたばかりであり、これが職業として生活の糧を得られるものであることすら、まだ充分に知られていないかもしれない。

　「アーキビスト」となるには、大学院（修士課程）修了程度の教育や実務経験に基づく専門性が必要とされているが、日本ではこれを学ぶことができる場所もまだまだ少ない。さらに大学院進学の前提になる学部レベルの教育システムも整っていないのだから無理もないだろう。「アーキビスト」をめざして大学受験をするような人は極めてまれである。

　そうすると、必要な知識や技能を学び、習得していくために教科書をひろげる以前の問題として、まずは「アーキビスト」なるものについて知ってもらい、自ら考えることをとおして、価値ある仕事として若い読者の皆さんに選択してもらうことが不可欠であろう。本書はそのためのガイドブックとして使われることを期待するものである。

　現在、「アーキビスト」としてはたらく人たちは、さまざまな学部での学習や社会経験を基盤として活躍している。つまり「アーカイブズ」の世界への「入口」は一つではないのだ。第Ⅰ部では、「アーカイブズへの誘い」として、「アーカイブズ」を保存し、利用していく意義やそこから拓かれる可能性、さらに学びが「アーキビスト」の活動にどのようにつながっていくのかについて、代表的な「入口」から紹介することで、読者がイメージをつくりやすいように心がけた（だから読む順番は自身の関心にしたがって決めてもよい）。

　次に、第Ⅱ部「アーキビストをめざす」では、国立公文書館による公的な資格認証の基盤である『アーキビストの職務基準書』（2018年12月）を素材として、仕事の内容、必要な知識と技能を紹介するとともに、海外での「アーキビスト」に

も視点を拡げて、それらが一定の普遍性を備えていることを確認していく。その気になれば国境を越えてはたらくこともできるかもしれない。もちろん「リアル」として、どのような生活設計のもとでキャリアを進めていくのかについても気になるところであろうから、日本とイタリアを事例に可能な限り実態に迫ってみたい。

　学ぶべき内容やキャリアデザインについてのヒントを手にしたうえで、第Ⅲ部「アーキビストの「仕事場」から」では、さまざまな領域で活躍している「アーキビスト」が、それまでにどのような学習や経験を積み重ねてきたのかを、それぞれの動機やキャリアのステップもふまえながら紹介していく。「仕事場」からのレポートを通じて、読者が「アーキビスト」の仕事について「等身大」のイメージをもち、「出口」としての将来を確信できる材料になればと考えている。

　最後に、書名にある「はたらく」という言葉に込めた意図について簡単に触れておきたい。

　専門職の要件として、その能力に見合った明確な報酬を得ているかどうかという点がある。これを得ない者は「プロフェッショナル」に対する「アマチュア」とされる。しかしながら、充分な知識と技能を備えながら、失われつつある記録を守り、未来に伝えるために、自らの意思で報酬を受け取らないボランティアも存在する。学ぶことと職業として労働の代価を得るかどうかは必ずしも直結するものではないのだ。確かに報酬は責任の反面ではあるけれど、社会を支え、さらに豊かにする付加価値をもたらす役割として、広く「アーキビスト」の存在を捉えるのであれば、報酬の有無は大きな問題にならないのではないか。本書が「はたらく」という表現を選択した理由はここにある。

　なお、本書では入門のためのガイドブックという性格を考慮して、できる限り平易な表現と説明になるように努め、特に脚注は設けなかった。各章の末尾に参考文献を示すとともに、概説・入門書を中心に「学びのための文献案内」を掲げておくので、これを手がかりとして本書の読者が「アーカイブズ」の世界へさらに一歩踏み出すことを願っている。

　2021年9月6日

下重　直樹

目　次

アーキビストとしてはたらく

記録が人と社会をつなぐ

序　章

アーカイブズとアーキビスト

1　アーカイブズとは何だろうか

▶アーカイブズということば

　日本で「アーカイブズ」、あるいはこれを支える専門職である「アーキビスト」の存在を語ろうとする場合、そのことばの定義や意味から説明するのが通例になっている。そもそも外来語であり、収まりのよい訳が定まっていないのだからやむを得ないが、国の公文書館が1971年に誕生して50年を経過した今日では、さすがに何とかしたいものである。

　もっとも、最近ではカタカナ語の「アーカイブズ」が若い世代に違和感なく定着し、それなりのイメージをもつことができる人が増えてきているように思われる。インターネットメディアでも過去の情報や記事を「アーカイブズ」と称してまとめるようになってきているのだから、感覚としてもおおむね正確なようだ。私たちが抱く素朴なイメージどおり、過去の文書や写真、動画、音声といった情報、あるいはこれを記録した媒体そのものが現代の「アーカイブズ」ということばの最も基本的な意味である。

　ところで、このような「モノ」としての「アーカイブズ」を保存し、ときには修復するなど、将来も利用できるよう維持するには、多くの「ヒト」の関与が必要であるし、これらを包み込む空間である「ハコ」（＝施設・設備）も関係してくる。だから「アーカイブズ」はこれら「ヒト」の活動や、「ハコ」それ自体を意味する場合もある。NGO組織であるICA（International Council on Archives：国際アーカイブズ評議会）がオンラインで提供している用語集を手がかりに、「アーカイブズ」なるものを、次のような要素から説明することも可能だろう。

　①業務遂行の過程で個人または組織により作成・収受されて蓄積され、ならびにその持続的価値ゆえに保存された記録
　②アーカイブズを保存し、利用できるようにする建物
　③アーカイブズを選別、取得、保存、提供することに責任をもつ機関またはプログラム

多義的な意味を含む「アーカイブズ」について、以後は特にカギ括弧をつけずに使っていくが、それぞれの意味を強調する場合には、①を「記録アーカイブズ」、②は「アーカイブズ施設」、③を「アーカイブズ機関」ないし「アーカイブズプログラム」と表現したい。もちろん、デジタル技術が大きく進歩した今日では、文書館や資料館といった施設を訪れずとも、ウェブをとおしてその情報サービスを受けられる場合もある。だが、記録アーカイブズを生み出し、保存・利用する営為は、物理的な空間の有無にかかわらず将来も存続し続けるのだから、人間とアーカイブズの関係の本質は変わらない。

　記録アーカイブズを保存し、持続的なアクセスの実現に必要な一連の活動に従事するのが、アーキビストと呼ばれる専門的知識と技能を備えた存在である。これも相当する訳語がないのが現状だ。日本の後進性に帰してしまえば説明としては実に簡単なのだが、自覚的ではなかったにしても、過去の記録を保存し、現在だけでなく将来も活用していこうという発想や文化が存在しなかったわけではない。その国や社会の性格に応じて、アーカイブズが独自の歴史的展開を遂げてきた側面に眼を向けておく必要があろう。

▶「後進国」としての日本

　日本のアーカイブズは欧米の先進国はもちろん、アジア諸国のなかでも大きく立ち遅れているという厳しい評価がされることが多い。代表的なアーカイブズ機関である公文書館の体制や規模、地方自治体への普及状況をみれば、確かにその差は歴然だし、政府や大企業での記録管理にかかわる不祥事の続発が国・社会の意識の低さのあらわれとして批判的に受け止められていることも事実である。

　ところで、「遅れている」ということは、何らかの絶対的もしくは普遍的な価値や理念型が前提として存在し、これに対する「落差」から現状を推しはかる必要があるはずだ。今日の日本では、市民・社会に対して情報を公開し、いわゆる「説明責任」を果たすための公共財である記録アーカイブズが適切に管理されておらず、世代を超えて継承されるしくみも充分ではない点が大きな問題とされている。

　だが、アーカイブズの価値を情報公開や「説明責任」に直接的に結びつける考え方が一般化したのは、人類の歴史のなかでは、それほど古いものではない。日本でも政府が国民に対して「説明する責務」を果たす義務を負うことを認めた「行政機関の保有する情報の公開に関する法律」（情報公開法）が施行されたのは2000年代のはじめであった。これは20世紀後半から情報の自由について法整備を進めてきた先進国—これらは冷戦構造下ではいずれも西側に属していた—と比較

4

しても極端に遅いものではない。さらに、アカウンタビリティの実現を記録管理の目的として明確に位置づけた国際規格であるISO15489-1が認められたのは2001年だから、公開のしくみを整えるという点に限っては国際的水準に追いついていたといえるだろう。

　日本の後進性は、公開の対象となる記録がそもそも作成されていなかったり、保管のプロセスで紛失、あるいは誤って廃棄してしまったり、はなはだしきは改ざんや隠蔽といった不適切な事例に象徴的なように、公開制度に実体を与える記録管理のためのプログラムが未熟である点に求めることができる。

　アーカイブズを維持・運営するという動機を生み、人や組織に行動を促すインセンティブとなるのは、記録アーカイブズのもつ価値に対する期待である。もっとも、人間とアーカイブズの歴史を俯瞰すると、その価値認識が時代性や社会性を強く帯びたものだったことがわかる。まずは私たちが無意識的に投影してしまう価値観を解きほぐしたうえで、モノ、ハコ、ヒトによって構成されるしくみの本質を捉えてみよう。

▶記録とアーカイブズの価値をめぐって

　2009年に制定された「公文書等の管理に関する法律」（公文書管理法）では、行政機関で作成取得された公文書のうち、永久に保存すべきものの価値を「歴史資料として重要」であるか否か、という点に求めている。国立公文書館等が保存の対象とするこの「歴史公文書等」が、法令上の概念ではアーカイブズの訳語だ。

　「歴史資料」であることは、政府機関での保存期間が満了し、業務上必要ではなくなった状態—これを非現用段階という—を意味し、アーカイブズは行政活動からは分離された、異質な存在として扱われることになる。公権力を行使する政府機関の職員にとって、自由な学術研究に供される「歴史資料」を扱う公文書館の活動と、自分たちの職務は切り離すのが適切であるし、研究活動への貢献についてまで個々の役人に責任感をもたせること自体に無理がある。行政はあくまでも「全体への奉仕者」であって、特定の研究分野のための素材を生産することを期待された組織ではないのだから当然であろう。

　ところが、同法の目的規定をみると「歴史資料」であるアーカイブズとしての公文書は、「健全な民主主義の根幹を支える国民共有の知的資源」であり、「主権者である国民が主体的に利用し得るものである」とも記している。「学術資料」ないし「歴史資料」が民主主義の根幹にかかわるというのは、よく考えると実は木に竹を接いだような表現であることにも気が付くのではないだろうか。

　「歴史資料」と民主主義という、本来は直接結びつけることが難しい価値は、

過去の情報が現在および将来の国民に対して時を貫いた「説明責任」を果たすという点で、かろうじて関連性を保っている。もちろん、その価値が「歴史資料」から情報公開制度の延長に位置する「民主主義の根幹を支える国民共有の知的資源」までの、大きな「幅」をもつに至ったと積極的に解釈すれば、これはおかしなことではない。公文書を例にみても、記録アーカイブズの価値認識は、「歴史資料」としてのイメージと、「説明責任」の手段としてのイメージとに双極化しつつ、ときに混交して語られている。後者はまだ新しい観念だから、日本という「土壌」に根づき、成熟するにはもう少し時間が必要なのかもしれない。

　では前者の「歴史資料」としての認識は、どのように醸成され、記録アーカイブズの保存、利用のしくみと結びついてきたのだろうか。

2　アーカイブズの歴史を振り返る

▶記録を管理するということ

　人類とアーカイブズの関係を振り返っていくと、これを歴史的な価値から捉えるという発想自体も、時代や社会に規定された相対的なものであることがわかる。近代の日本がアーカイブズをもっぱら「歴史資料」として認識したのも、当時のオーソドックスな理解を前提としているのであり、決して誤った選択をしていたわけではない。

　そもそも人類はいつから記録を管理するようになったのだろうか。考古学の成果によると、それは紀元前3000年頃の古代メソポタミアのウルク（シュメール人の都市国家）にさかのぼるとされる。さらにシリア北部のエブラ遺跡では、紀元前2400〜前2300年頃の大量の粘土板が出土し、ここに「文書庫」があったことがわかっている。そこでは記録が内容に応じて木製の棚に分類され、識別のために日付や主な内容が追記されるなど、何らかの管理組織も存在していたらしい。時代はくだるものの、同じくシリア北東部のテル・タバン遺跡では粘土板を保護するためにさらに粘土の「封筒」をつけ、長期保存のために固く焼成したと推定される紀元前1800年代の「文書」も発見されている。

　これらを安易に太古のアーカイブズ機関やアーキビストだといい切ってしまうのは乱暴かもしれない。だが、紀元前から記録の整理と選別を経て長期に保存していく発想と行為、すなわち「モノ」とこれを管理する場所（ハコ）と組織（ヒト）の原初的な関係がすでに成立していたことは確認できる。注目すべきは、出土した公的な記録と考えられている粘土板の多くは、食糧の備蓄や貢納、神々への捧

げもの、裁判や交易、さらには契約（領土や財産のやり取り）にかかわるものがほとんどだという事実である。「文書庫」は社会の格差や支配階級の出現と無縁ではない。アーカイブズは、文明の黎明期からあくまでも統治や権力者の利益・財産保護の手段、すなわち「支配の道具」の一つとして機能し続けたことを見落とすべきではなかろう。

　今日の私たちが到達した「歴史資料」としての価値、あるいは広く国民や社会へ公開され、民主主義の根幹である「説明責任」を保証するといった現代的な価値は、アーカイブズに備わる普遍的な性格としてはじめから存在していたわけではないのだ。

▶近代的なアーカイブズシステムの萌芽

　記録アーカイブズを保存し、利用するしくみが現在につながるかたちで整ってくるのは、西欧諸国では16世紀から18世紀にかけての絶対王政と啓蒙主義の時代であった。中世初期にその機能を負っていたのは主に修道院や教会であったが、11世紀後半のローマ法の復興とともに封建領主や都市が独自に記録アーカイブズを保存する施設を設けるようになったといわれる。

　近世に入るとヨーロッパの領域を越えて世界的に進出する国々もみられ、支配機構の発達も進んだ。それにともないアーカイブズ機関もより集約的なものとなっていく。たとえばハプスブルク家治下のスペインでは1540年代にシマンカス王立文書館が設けられた。一方、教皇庁でも17世紀前半に図書館から記録アーカイブズの部門が独立した。

　絶対君主の権力基盤は、旧封建領主層であった貴族や高位の聖職者に免税などの特権を付与し、官僚機構や軍事力に組み込んでいくことで強化され、有産階級（＝ブルジョワジー）に経済活動での独占的地位を認めることで維持されていた。これら中世以来の秩序を体現した記録は新旧を問わず、土地や人の支配に利用され続ける限り存在価値をもち、支配者層が特権や利益を相互に確認するために共有されればよい。1778年にフランスで出版された辞書では、「アルケイオン」ないし「アルキウム」を語源とする「アーカイブズ」の意味は、古い権利書や認可状（Chartes）のことであると記載されるようになっていた。

　そのフランスの中央文書館制度が整ったのは、18世紀後半のフランス革命以降のことであるが、今日のアーカイブズ学では1794年の国立公文書館の発足をもって近代的なアーカイブズシステムの嚆矢として位置づけるのが通説となっている。すなわち、君主、裁判所、教会、貴族らが独自のアーカイブズ施設をもつことで分断されていた文書館組織を中央集権化するとともに、一般の「市民」に対する

記録の「公開の原則」を打ち立てた点を画期として、その近代的性格を評価したものである。

　教科書的な説明では、フランス革命は「市民革命」により絶対王政が打倒され、国民主権のもとでの国家が生まれる契機だとされる。この国民国家の成立を支える要素の一つに、国や社会に対する帰属意識を担保するナショナリズムの存在があるが、1790年に革命議会がまとめた国立公文書館設立のための構想をもってナショナリズムやその醸成を促す歴史意識の高揚とみなすのはやや早計であろう。

　アンシャン・レジームという「過去」を否定した革命において、「歴史」なるものに対する視線は冷ややかであった。当時の国立公文書館が保存対象としたアーカイブズは、過去の歴史的資料ではなく、革命が生み出している「現在」を将来の「歴史」として記憶するために必要な議会の議事録や法令・通達、国有財産や個々の所有権にかかわる証書の類だった。近代的なアーカイブズシステムは、歴史学をはじめとする学術研究を支える場ではなく、そもそも極めて政治的な要請に基づいて誕生した装置であったといえる。

▶**フランス革命とアーカイブズ**

　そのシステムはアーカイブズの存在から利益を受けるステークホルダーに強く規定されていた。フランス革命の引き金となったバスティーユ襲撃をきっかけに全国に拡大した農民蜂起では、領主の館や修道院が標的となり、封建的な権益を規定していた土地台帳などの証書類が焼かれた。農民も実にしたたかであり、自由（＝土地）を求めて自分たちに都合のよいものを選別して残していったという。記録は、うっかりするとつねに「疑わしい」ものになりかねない存在であり、この点だけをみれば人類とアーカイブズとの関係は今日でもそれほど大きく変わっていないのかもしれない。

　一方、国外へ逃亡する必要もなく、かろうじて断頭台の露と消えずに生き延びた旧領主層も必死であった。1789年8月の「人権宣言」に先立ち、国民議会では封建制廃止の宣言が決議されていたが、これは身分的特権の否定や領主による裁判権などを廃止するものであり、土地に対する所有権の放棄を意味するものではなかった。かつての支配者層の残滓と新たに台頭してきた階級—ブルジョワジーとしての「市民」—が、近代的なアーカイブズシステムの最初のステークホルダーであり、彼らが現在の権利・利益を確認し、証明できる記録アーカイブズは、いかに過去のものであろうとも公共財として国家によって保護され、秩序への挑戦者に対して公開される必要があった。

　したがって、この段階での「公開の原則」を、今日の国民主権や民主主義、ま

してや「知る権利」やアカウンタビリティにまで安易に結びつけて拡大解釈するのは、実は非歴史的な発想である。近代的なアーカイブズシステムは、革命後の極めて不安定な政情・社会不安のなかで、暴力的な民衆から、あるいは反革命から、所有権に代表されるような新たな秩序を擁護するという意図をもっていた。

さらに、西欧でこうしたシステムが早期に発展していった背景は、フランス革命という「瞬間」にのみ着目するのではなく、16〜17世紀の絶対王政確立期から19世紀前半にかけて、これを促す知的な環境と人材供給のしくみが整備されていった事実にも目を向ける必要がある。それは裏を返せば、日本がアーカイブズの「後進国」となった歴史的な背景を理解するために有効な視座を提供してくれるはずだ。

3 システムを支えた知的な環境

▶「文書主義」の展開

近代国民国家の骨格は、貴族や高位聖職者らが歴史的経緯から保持していた特権が、絶対王政の段階を経て中央集権国家に回収・再編成されるなかで形成されたものであった。だが軍事力を行使する一方では、君主も大きな反発を受けることになる。そこで格好の材料となったのが、領地の所有権や租税の免除、徴税権などの既得権を主張する根拠となる過去の記録であった。高度な行政能力を備えるに至った国家(=君主)はそれらの記録の真正性に疑いをかけ、満足に証明のできない特権を回収しようと試みるが、相手も従順ではない。より古く、真正な記録(=権利書や認可状)を探し出し、ときにはもっともらしい技術を用いて古文書の偽造すら試み、懸命に抵抗していたという。

砲火銃声にかわる記録の真贋をめぐる争いは、既得権に守られた者と、もたざる者とのあいだでも発生していた。フランス王家の篤い保護を受けていたベネディクト会のサン・ドニ修道院(パリ北部)も、新興のイエズス会から論難を受け、いわゆる「サン・ドニ論争」が起こることになった。ベネディクト会の修道士であったジャン・マビヨン(1632〜1707)が修道院の古い記録を詳細に分析し、その真正性を科学的に論証してみせることで、この論争はベネディクト会の勝利に終わった。マビヨンは1681年に『古文書学』(De Re Diplomatica)を著し、ヨーロッパの古文書学の始祖として知られる人物である。なお、彼の生まれた年には、ヴェネツィアでバルダッサーレ・ボニファッチョが『アーカイブズ学』(De archivis liber singularis)を著していたことも特筆される。ちなみに「古文書学」

ということばの意味には両国で違いがある。フランスで「diplomatique」を「古文書学」、「paléographie」を「古書体学」とするが、イタリアでは「diplomatica」を文書の真贋を見極める「公文書学」、「paleografia」を「古文書学」としている。

　さて、近代的な学知としての古文書学は、のちに歴史学と密接に結びつくことになるが、その揺籃期には、歴史的事実の探究と叙述の手段としてよりも、記録をめぐる現在進行形の社会的需要を満たす、実践的な知識や技能としてヨーロッパ中に浸透していった。法的な証拠能力のある記録にのみ基づいて、権利や利益を証明し、主張するという「文書主義」が、法慣行として旧大陸を中心に強く根づいていったことが、近代的なアーカイブズシステムの形成を促す大きな社会的要因であったと考えられる。

▶専門家の養成システム

　さらに、君主や貴族らが既得権を守り、拡大させるために記録の整理や保存、内容の吟味ができる人材を競って抱え込むようになった点も見逃せない。17世紀前半に三十年戦争で疲弊していたドイツもその一つである。封建的支配階級の没落、ユンカー（＝地主貴族）層の台頭など、国土の荒廃と秩序の混乱のなかで効力をもったのは正当な権利や財産を証明する記録だった。有力な領邦国家として成長したプロイセンでは、17世紀後半に判事の試験制度が整備され、18世紀前半になると行政部門にも導入された。大学では「官房学」（Kameralwissenschaft）の講座も開設され、軍隊や官僚機構の活動や財産管理を支える記録の管理が重視された。第2章で紹介するように、現在のドイツのアーカイブズ学やアーキビスト教育の体系はこの「官房学」の系譜と関係が深いといわれる。

　ところが、本来は統治や秩序を支える記録を管理する手段であったアーカイブズ施設は、しだいに歴史研究のための素材である「史料」を保存する場に変貌していくことになった。発足当初のフランス国立公文書館は、歴史や学芸にかかわるために国立図書館に移すべきとされた各地のアンシャン・レジーム期の証書の選別作業に着手していた。その作業には旧体制下で活躍した法学者や古文書学者（特にマビヨン以来の学知を備えたベネディクト会の修道士）が動員されたという。作業は困難を極めたようで、1800年には選別を断念し、古記録群は改めて国立公文書館に一括保管されることになり、翌年には同館に「歴史部門」が新設されることになった。1830年にその主任に就いたジュール・ミシュレ（1798～1874）は、『フランス史』を叙した歴史学者として知られている。同国では古文書学者を養成する機関として、1821年に国立古文書学校（École des chartes）が設立されてい

たが、初期の教育内容は中世の歴史や学芸分野と密接にかかわる膨大な未整理の古記録を対象としたものに重点がおかれていた。

▶アーカイブズをめぐる学知

　このように、19世紀初頭にアーカイブズ機関の担い手や教育と供給のシステムが変化し、活動の重心が歴史研究へ移り変わっていくことになった背景として、ロマン主義の台頭とその後に登場した実証主義史学の発展を指摘できる。

　ロマン主義とは、フランス革命の支柱であった啓蒙思想の個人主義的な側面や、理性の偏重、合理性の追求という思潮に対して生じた精神運動で、民族意識の高揚や歴史への憧憬を通じて、国民国家の形成や統合強化を促したものと理解されている。歴史、特に中世への憧れと探究心は、過去の記録の研究によりさらに高まっていった。フランスではそのような需要を満たすために1834年から史料集の編さん、刊行事業とともに、過去の証書類の目録整備が始まったとされる。

　オーストリア帝国の影響下におかれ、国民国家としての統一と独立をいまだに勝ち取っていなかったドイツでも、ロマン主義の思潮の強い影響を受けながら、プロイセンでゲルマン史のための史料編さんが1819年に始まり、のちに古代ドイツ歴史学協会の設立に結実した。過去の民族の諸活動から、現在の国の成り立ち、社会を規定する価値や規範を見極めるために不可欠な素材の探究は、歴史研究の方法論を大きく発展させた。歴史家のレオポルト・フォン・ランケ（1795〜1886）の登場によって、科学的な史料批判に基づいて、過去をありのままに叙述しようとする実証主義史学、すなわち近代的な知としての歴史学が確立したのは、そのような時代精神を反映したできごとなのである。

　実証主義史学は、欧米や日本の歴史学にも影響を与えることになるが、アーカイブズをめぐる理論と実践の発展にも大きな貢献を果たした。ドイツ統一後の1875年にプロイセンの国立公文書館長に就任した歴史学者ハインリッヒ・フォン・ジーベル（1817〜1895）に注目したい。ランケの高弟であったジーベルは、1881年に記録アーカイブズを「出所原則」（Provinienzprinzip）に基づき取り扱い、整理と目録の記述にあたっては「原秩序（原配列）尊重の原則」（Registraturprinzip）を採用するという、今日のアーカイブズの活動でも極めて重要な基本原則を定めて実践したとされる。

　「出所原則」はフランスで「フォーンの尊重」（Respect des Fonds）としてすでに提唱されていたが、「官房学」以来の伝統のもとで高度に整えられた記録管理のシステムを備えたドイツでの実践を経て、これらの考え方はオランダへ普及した。各国のアーカイブズ機関やアーキビストの活動を支えることになる初の手引

書『アーカイブズの編成と記述のためのマニュアル』（いわゆる「ダッチ・マニュアル」）が刊行されたのは1898年のことである。

　開国後に急ピッチで近代国家としての歩みを進めようとしていた日本が最初に出会ったアーカイブズなるものは、まさに文明の装置として、近代的な知としての歴史学を支える「史料」を保存し、提供するための場として、その装いを新たにしつつある段階に達していた。

▶アーカイブズとの邂逅

　日本とアーカイブズなるものの邂逅（かいこう）は、不平等条約の改正を主要な目的として1871年12月に派遣され、約1年10カ月ものあいだ、政府の首脳部が欧米の文物・制度に直接触れた岩倉使節団がはじめとされる。その公式記録である『特命全権大使　米欧回覧実記』（久米邦武編、1878年）には、一行がフランスやロシアの「大書庫」に加え、ヴェネツィアの「アルチーフ」を視察した一節があり、これまでも繰り返し紹介されてきた（**写真1**）。

　随員としてこの記録をまとめ、のちに歴史学者となった久米邦武（1839〜1931）は、欧米では過去の事象や記録が軽視されず、むしろそこに宿る「理蘊」（りうん）（原理や知識、技術）を基盤に物質・精神両面での「文明」が展開しているさまに驚嘆した。アーカイブズ学の概説としてはこの一節を紹介しつつ、使節が同様に博物館や図書館を視察しながら、なぜ文書館のみが日本で制度や社会的なシステムとして定着しなかったのかという問いを立て、過去から今日までの日本の政治指導者や官僚たちの無理解を嘆くのが定石である。たしかに、ハコ（施設）としてのアーカイブズ（＝文書館）については、1971年に至るまで実際に国立公文書館が存在しなかったのであるから、そのような批評もあたっているのかもしれない。

　だが、ときには明治政府の役人側の目線から、なぜ文書館が魅力的な存在ではなかったのかを妄想してもよかろう。欧米の「文明国」に対し、発展途上にある極東の「半開」国の小さな政府にとって、限られたリソースをどこに振り分けるのかは極めてシビアな問題であった。まともな産業のなかった明治の日本において、博物館は殖産興業政策を体現し、産業の発展を促す「文明」の「陳列

写真1　現在の国立ヴェネツィア文書館（湯上良撮影）

場」として認識されていた。知らぬ間に「国民」となった民衆を教育し、「開化」へと導くための施設として、図書館も一定のポジションを認められていった。物質・精神両面での「文明」に到達するための手段として、博物館と図書館はその有用性を認識されたのである。

　これに比べて文書館は、18世紀後半から19世紀前半のヨーロッパが経験したような革命や大きな分断、秩序の混乱のなかった日本社会では、はるか過去にまでさかのぼって国民国家の統合を促すイデオロギー装置として、必ずしも有効に機能するものとしては考えられなかったように思われる。

▶近代日本のアーカイブズ認識

　明治維新は政治体制の転換という意味では、劇的な変化であったかもしれないが、末端の地域支配の構造や秩序を根底から崩壊させるものではなかった。近世期の旧村役人による支配構造は1871（明治4）年に戸籍法が定められたことで戸長による人民の把握に変化していった。戸長は自らの住まいを執務のための空間＝「役宅」として行政事務の拠点とすることが多く、これを「戸長役場」という。戸長を務めた人物の家より、近世期から近代初期の行政記録が境目なく発見されることがあるのは、実はこのような事情を反映している。第3章でも触れるように、記録アーカイブズの存在は二つの時代が「地続き」であったことを物語っている（**写真2**）。

　封建的な支配構造からの権力移行が割合にスムーズに進んだ明治政府にとっては、天皇を国民統合の中心とするための単一の「歴史」＝「正史」があればよいのであって、「歴史」は国家の修史事業を通じて「官」に独占されるべき存在であった。知的エリートである官僚が「半開」の民を指導する、つねに「上から」を所与のものとする、いわゆる「官尊民卑」の思想が官民双方の認識の根底にある。国の活動や社会のあり方に疑問を抱き、記録アーカイブズの保存と情報の公開を「国民」の主体的な権利として求める発想がめばえたとしても、そのような社会に根づくことは難しかったであろう。

　日本でも、歴史研究を支えるための施設としてのアーカイブ

写真2　戸長役場の例（結城三百石記念館、茨城県つくばみらい市観光協会提供）

ズをめぐる議論が、ランケの弟子であるルートヴィヒ・リース（1861〜1928）の指導を受けて定着した実証主義史学において展開されていったことはよく知られている。1887年に帝国大学文科大学に着任したリースは、89年6月に増設された国史学科の目的について、総長の求めに応じて意見書を提出した。リースは日本固有の「文書ノ種類ヲ識別シ、之ヲ分彙（分類整理すること—引用者注）スルノ学科ニシテ、其真成ノ性質ヲ確知センカ為メ文書ノ外貌及記載ノ事実ヲ批評シ、且文書ヲ歴史ノ徴証ニ供用スルノ方法ヲ指教」する「古文書学」の形成が必要であることを力説しながら、卒業生の第一の進路として、公私の「記録局」（＝アーカイブズ機関）の「主任」となることを期待していた［東京帝国大学編『東京帝国大学五十年史』1932年、1299〜1300頁］。

　だが、政府が日々生み出す大量の文書の整理・保存の実務と、もっぱら僥倖により兵火や災害などの難を逃れて伝わったにすぎない古文書を対象とする歴史研究の方法とは、必ずしも整合的なものではない。彼の構想もむなしく、現実には国として「急務」であった修史事業の編修者や、国史の教員を養成することが研究教育の中心とならざるを得なかったのである。

　アーカイブズに対する認識と、日本社会への導入をめぐる議論は、主に海外の「古文書館」やその所蔵資料についての事例紹介を中心としながら、大正から昭和戦前期を経て細々と歴史学界で展開されていった。それこそが戦後に記録アーカイブズを「歴史資料」としての側面から認識する発想を根づかせる「地下水脈」であったわけであるが、筆者はそれがまったく誤った選択であったとは考えない。

　それぞれの時代や社会空間においてアーカイブズのかたちを規定してきたのは、そのステークホルダーであり、アーカイブズの活動を支えるアーキビストであった。重要なのは、それまでの認識や理解を前提としながらも、移ろいゆく現状を正確に捉えて自分たちのすがたを自在に変えていくことができる、その知的基盤が準備できているかどうかである。

4 記録アーカイブズの保存とアクセスのために学ぶ

▶私たちはなぜ学ぶのか

　日本がアーカイブズ「後進国」を脱することができないのは、機関やプログラムの運営にあたる中核的な専門職であるアーキビストの育成や、これを支える知識と技能、学術の体系がいまだ確立に至らず発展途上にあるためだ。さらにその

対象である記録アーカイブズも、人や組織あるいは集団の営為のなかで発生するものであり、自然の造形物ではない。したがってこれほどに不確かで、頼りにならないものはないのだが、現在ではおおむね次のような側面からその価値が説明されることが多い。

①業務の適正性や効率性の確保

②説明責任やコンプライアンス、権利義務の挙証

③歴史的または文化的な機能

業務の遂行過程で参照して意思決定や判断の連続性と整合性を確保し、同様同種の課題にはエビデンスに基づくことで結果が予見でき、検討と実施にかかる業務コストを抑制するという側面を強調したのが①である。また、行為が法令や社会的規範から逸脱していないかどうか、その説明を求められることがある。②は具体的な証拠を示しながら説明し、透明性を確保することで対外的な信頼を保ち、理性的な解決をはかる手段としての側面に注目したものである。訴訟など係争に際して、個人や組織、集団の権利や義務を証明する場合もある。最後の③は学術資料としての側面に注目したものである。記録が発生した時点での価値は①や②に限定されていた場合であっても、時間の経過や事態の推移、社会的価値観の変化にともなって、発生段階では意図しなかった価値が生ずることがある。

これらは先に触れたISO15489-1をもとにした説明だが、その発想は人類とアーカイブズとの関係のなかから経験的に導き出されてきた。もちろん記録アーカイブズから得られる便益をどのように認識するかは、国や社会によって重点が異なるし、100年後の未来も同じであるという保証はどこにもない。アーカイブズという存在はどこまでも相対的であって、人間がよりよいかたちを追求していくものである。

だが現実に挑戦し、そのかたちを変えていくためには正確な知識や理解が欠かせない。人間の生物学的な寿命には限りがあるから、記録アーカイブズを未来のために永続的に保存し、しかもアクセスが可能な状態を維持して社会の共有を実現していくには、関係する組織や集団、専門職との共同作業、ときには属するコミュニティや国境をも越えた協力が前提になる。個人的な感覚や判断にのみ基づいて取り組んでいたのでは、認識や理解のズレによりかえって混乱をまねき、目的を達成することはできないだろう。

私たちは他者との対話のなかから多くのものを獲得し、その学びの成果に基づいて、はたらくプロフェッショナルであるアーキビストとして成長していく必要がある。

▶何から学んでいくのか

　ではアーキビストとしてはたらくためには、具体的に何を学んでいく必要があるだろうか。日本で求められている現在の水準については、第5章でも詳しく紹介するが、ここでは、①記録アーカイブズそれ自体の成り立ちや性質を認識するとともに、②さらにその固有性を維持しながら持続的な保存とアクセスを実現するための知識と技能を得ることが基本となることを強調しておきたい。

　今日の日本のアーカイブズ学では、①を「認識論」、②を「管理論」という研究領域として設定し、これらを相互に関連させることでアーキビストの専門的な職務を支える知的基盤を築くという発想に立っている。もちろんアーカイブズ学がアーキビストへの唯一の道ではないが、この「認識論」と「管理論」を結びつけるのが、これまでのアーカイブズをめぐる理論と実践の試行錯誤から導き出された「原秩序尊重の原則」と「出所原則」という基本原則である。

　卓越した好奇心の持ち主でない限り、多くの人間は、得体の知れないものを保存したり、間違っても使ったりすることはない。記録アーカイブズを管理していく行動は、まずはそれ自体が何ものなのかを洞察するところから始まることになるだろう。

　記録アーカイブズには、生み出した人間や組織、集団の活動に関連したプロセス、ことにその機能が情報として構造化されている。同じく情報の集約体である図書との違いは、よほど注意深く意図的に作成されていない限りは、決して自己説明的なものではない点にある。だから記録アーカイブズから情報を読み取り、その機能を発生の段階にさかのぼって解明するのが、最も基本的なステップになるのだ。

　では、機能はどのように認識できるだろうか。即物的に知覚可能な形態に注目するのも一つの方法だ。ドキュメントにはタイトルや見出し、本文など一定の形式や書体があるし、物理的な特徴としてもさまざまな媒体に記録されている。たとえばコンビニエンスストアのレシートは感熱紙に印字された簡易なものであるが、不動産など高額な商品の売買にかかわる書類には、コピーによる偽造防止の処置が施されるなど、専用の用紙に認証性の高い押印や署名がなされるものがある。売買という点では同じ契約行為であるにもかかわらず、機能の違いによって発生するドキュメントはまったく異なる形態を備えている。

　さらに踏み込んで、記述された内容に注目すれば、ドキュメントはコミュニケーションのための手紙やメール、権利義務にかかわる証書、報告書や議事録などに分類していくことができる。議事録にも、その場でとった議事の走り書き程度のメモや録音源、これを構成した議事録の案、参加者に確認をとって誤りを訂正

し、浄書された正本など、記録としての段階と役割があり、当然ながらその信頼性や真正性といった性質にも違いが生じてくる。

▶「原秩序尊重の原則」と「出所原則」

　ここまでは認識の対象が図書であっても、実は同じように適用していくことができるアプローチである。記録アーカイブズを取り扱う際に、特に注目しなければならないのは、必ずしも文字としては読み取ることのできないドキュメント間の内的な関係である。

　少し身近な例で考えてみよう。交際相手と旅行に出かけて遂にプロポーズするという展開を想像して欲しい。誘いのメール、旅行先やスケジュールを決めるためのプラン、チケットの半券、さらに忘れてはいけない小道具である婚約指輪の領収書、食事した雰囲気のよいレストランの品書き、そして各所で撮影した写真データ。さまざまな記録が多様なフォーマットでバラバラに存在するが、すべてにプロポーズという活動にかかわる一連の記録として内的な関係が成立している。なかには数十年後に思い出の品となるものもあるかもしれない。

　ドキュメントの「かたまり」ないし「群」としての結合体である記録アーカイブズの構造には、このような活動のプロセスが反映されることが期待されている。その構造が「原秩序」であり、これを別に記録をとるなどの方法で保全して再現可能性を確保しながら、不用意な変更を避けることが、記録アーカイブズの価値を維持し続けることと同義とされる。これが「原秩序尊重の原則」である。

　さらに、記録アーカイブズがどこから生じてきたのか、どのような場所で、いかなるかたちで保管されてきたのかも、その性格を理解するためには欠かせない要素だ。

　たとえば、文字情報としては同じようなことが記述されていても、関係する部署がたんに参考のために取得した写しと、責任をもつ部署が合意と決定の根拠として事実を記録するために保有した正本では、組織活動における重要性がまったく異なる。また、保管場所が不特定多数の人間が自由にアクセス可能で、監視されていないような場合には、それまでのあいだに何者かが構造に変化を与えたり、内容を書き換えたりしていることも疑っておかねばならない。記録アーカイブズの発生源である「出所」が異なるものを混在させず、確実に識別できる状態に保つことを「出所原則」という（「フォンド尊重の原則」と表現する場合もある）。

　これらの原則は、いずれも記録アーカイブズの構成要素が相互に備える内的な関係を認識し、その性格を説明することが目標であり、これを保存し、利用者に提供するプロセスでも守られるべきものとされる。「原則」ということばからは、

絶対的な原理や教条であるかのような印象を抱くかもしれないが、現実にあてはめた場合にはそこまで単純ではなく、むしろ望ましい技法や実践上の慣行と考えたほうがわかりやすい。

　というのも、それが過去のものであればあるほど、さらにきちんとした管理がされていたかどうかも疑わしいようなときには、「原秩序」や「出所」は容易に解明ができるものではないからだ。首尾よく把握できても、「出所」はアーカイブズ機関に受け入れる直前の管理者を示すものでしかなく、秩序も最終段階でのすがた（＝現秩序）であることが多い。記録アーカイブズの調査分析をとおして構造や機能を特定し、時間の経過にともなう変化を可能な限りトレースしていくことで、記録された情報が信頼できるものであるか、散逸や書き換えによって欠けた部分のない、真正で完全性を維持したものであるのかについて、ようやく確証をもつことが可能となる。

　記録アーカイブズがはたして何ものであるのかを説明できなければ、これを整理して目録をつくり、その性質を失わない適切な媒体で保存・維持し、公開が適当であるかどうかを判断するのもおぼつかなくなる。具体的な対象に対する考察をとおして実践面での課題を解決できる固有の知識と技能を、学びと経験から獲得することがアーキビストとして不可欠なのだ。

▶動きだした日本のアーキビスト育成

　2021年1月、日本ではじめてとなるアーキビストの公的認証制度がスタートした。独立行政法人国立公文書館長が認証者となり、公的機関で公文書の管理に携わる人材を念頭に、一定の要件を満たす者を「認証アーキビスト」として認めるというものである。その対象範囲を含めて本格的な国家資格化はこれからの課題だが大きな前進である。初年度には248名の申請があり、190名の「認証アーキビスト」が誕生した。

　資格については民間での活動が先行し、2012年に創設された日本アーカイブズ学会「登録アーキビスト」や、NPO法人日本デジタル・アーキビスト資格認定機構の「デジタル・アーキビスト」など近年になってその「すそ野」が拡大してきていた。特に「登録アーキビスト」は、所属の官と民とを問わず、専門職の活動を支援し、国家資格の実現を促すべくスタートしたもので、「認証アーキビスト」制度の整備にあたっても、その基本的な骨格になった部分が多い。

　もっとも「登録アーキビスト」の登録要件では大学等の高等教育機関で単位取得が要求される知識や技能と、現場での具体的な職務の対照関係がみえにくく、教育カリキュラムの整備や、学習者が自らの能力開発とキャリアデザインを考え

表1　アーカイブズについて学ぶことができる主な高等教育機関（2022年3月現在）

[大学院]
学習院大学大学院人文科学研究科アーカイブズ学専攻
九州大学大学院総合新領域学府ライブラリーサイエンス専攻
法政大学大学院人文科学研究科史学専攻アーキビスト養成プログラム
駿河台大学大学院総合政策研究科メディア情報学専攻
筑波大学大学院人間総合科学学術院人間総合科学研究群情報学位プログラム
大阪大学大学院アーキビスト養成・アーカイブズ学研究コース
島根大学大学院人間社会科学研究科認証アーキビスト養成プログラム
昭和女子大学大学院生活機構研究科生活文化研究専攻（プログラムは2022年4月開講予定）
東北大学大学院文学研究科認証アーキビスト養成コース（同上）
中央大学大学院アーキビスト養成プログラム（同上）

[学部]
別府大学文学部史学・文化財学科日本史・アーカイブズコース
学習院大学文学部史学科「アーカイブズ学概説」ほか

るうえでも課題が多かった。

　すなわち、なぜそのような知識や技能が必須になるのか、専門的な職務領域とどのようにかかわるのか、より高い水準で遂行するためのオプションもわかりにくく、アーキビストの仕事について、多くの人々がはっきりとしたイメージを描くことが難しかったのである。国立公文書館が2018年12月に策定した『アーキビストの職務基準書』は、資格認証と教育活動を大きく前進させるものとして期待されている。

　高等教育機関でのカリキュラムやコースの整備はまだこれからである。最初の認証にあたって単位取得が申請要件として認められたのは、アーカイブズ学の研究とアーキビスト養成を目的として2008年に設置された学習院大学大学院人文科学研究科アーカイブズ学専攻の授業科目のみであった。現在、日本でアーカイブズについて学ぶことができる主な教育機関は**表1**のとおりである。このうち、大阪大学や島根大学が2021年度に追加指定され、昭和女子大学や東北大学、中央大学も新たに認証アーキビスト資格に対応することをめざしており、今後も一層拡大していくだろう。

▶アーカイブズへの「入口」に立つ

　ところで、これらはいずれも大学院レベルの教育であり、学部で学ぶことができる場所はさらに限られている。その意味では、日本でアーカイブズについて学び、アーキビストをめざす人間は、誰もがゼロからスタートするといってもよい。

　これまでの歴史を振り返っても、アーカイブズの価値は国や社会、時間軸のな

かで移ろいゆくものであり、これを保存し、将来のアクセスを確保しようという目的や動機も多種多様であったことが理解できるはずだ。アーカイブズ学のみが唯一の「入口」ではなく、さまざまな「入口」から多彩な人材がこの世界にかかわり、アーカイブズを支える知的基盤をより豊かなものにしていくことに積極的な意義がある。

　人間が日々生み出す情報は膨大であり、デジタル技術が躍進した今日ではその総量が加速度的に増えつつある。アメリカのとある企業の調査によれば、地球上で生成されるデジタルデータ—これを「デジタル・ユニバース」と称している—の年間総量は2013年に4.4ゼタバイト（1ゼタで1兆ギガ）であったものが、2020年には10倍の44ゼタバイトになると予測されていた。近年の新型コロナウイルス感染症のパンデミックを背景として、私たちの生活のあらゆる局面でのデジタル化が浸透していることを考えると、想像を超えた急膨張は止まることはあるまい。もちろん、このうち記録として再度活用されるような情報はだいぶ限られる。さらにデジタルデータであっても無尽蔵に維持し続けることはできず、アーカイブズとして永続的に保存していくためには、どうしても取捨選択が避けられない。

　記録アーカイブズの価値は絶対的なものではないし、選別する側の人間の認識や価値観も本来は多様である。画一的ないし同質的な思考の枠組みや過去の行動様式にのみ捉われた集団では、これからの時代の変化に追いつくのは難しい。多彩な人材がアーキビストとして社会のなかではたらくことで、はじめて現状を変えていくことができるのではないだろうか。

　アーキビストは、モノである記録アーカイブズの保存とアクセスをとおして、人や組織の主体的な選択を援ける存在であり、つねに人間とのかかわりのなかで成立する仕事でもある。

　では、アーキビストとしてはたらくことの意義や目的は何か。次章からはそのヒントとして、アーカイブズの実践に深くかかわり、既存の学術領域のなかから大学で学ぶことができる代表的な「入口」を紹介していく。各分野で記録アーカイブズの保存とアクセスの実現にどのような意義があるのか、個人からスタートし、集団や社会、デジタル空間での情報資源の活用にまで視点を拡げ、アーキビストという存在の可能性を考え、展望してみよう。

【参考文献】

安藤正人『記録史料学と現代—アーカイブズの科学をめざして—』（吉川弘文館、1998年）

歴史人類学会編『国民国家とアーカイブズ』（日本図書センター、1999年）

青山英幸『アーカイブズとアーカイバル・サイエンス—歴史的背景と課題—』（岩田書院、

2004年）

記録管理学会・日本アーカイブズ学会共編『入門・アーカイブズの世界―記憶と記録を未来に―』（日外アソシエーツ、2006年）

高埜利彦編著『近世史研究とアーカイブズ学』（青史出版、2018年）

ブリュノ・ガラン（大沼太兵衛訳）『アーカイヴズ―記録の保存・管理の歴史と実践―』（白水社文庫クセジュ、2021年）

大阪大学アーカイブズ編『アーカイブズとアーキビスト―記録を守り伝える担い手たち―』（大阪大学出版会、2021年）

下重　直樹

第 I 部

アーカイブズへの誘い

個人の存在証明としての記録
―特別養子縁組に関する記録管理と開示の課題―

---

1 わたしであることの証明
―どこから来て、どこに行くのか―

　あなたは、自分の身元をどのように証明するだろうか。または、どのようにして自分であると証明することができるだろうか。この問いは何人かの人にとっては、簡単すぎる問いかもしれない。しかし、この問いに対して、答えに窮する人たちもいる。これは、遠い国の話でなく、日本の話である。

　本章では、近年、日本でも注目されている養子縁組に関する記録管理と記録の開示について取り上げる。特に、国内外の養子縁組記録を取り巻く実態や課題を取り上げつつ、個人の存在の証<ruby>証<rt>あかし</rt></ruby>としての記録管理のあり方について考えていきたい。

　2020年7月、海外や日本国内で養子縁組をあっせんしていた団体が突然、養子縁組に関する事業を閉鎖し、その後、連絡が取れなくなるという事件が起きた。日本では、2018年4月1日に、「民間あっせん機関による養子縁組のあっせんに係る児童の保護等に関する法律」（養子縁組あっせん法）が施行された。この法律は、「業務の適正な運営を確保するための措置を講ずることにより、民間あっせん機関による養子縁組のあっせんに係る児童の保護を図るとともに、あわせて民間あっせん機関による適正な養子縁組のあっせんの促進を図り、もって児童の福祉の増進に資すること」を目的としている。それまで、養子縁組を行う団体は、届出をすれば事業を行えていたのに対して、法律の施行後は、悪質な養子縁組あっせん団体を排除するため、都道府県からの許可がなければ、養子縁組あっせん事業を行うことができなくなった。この閉鎖した団体は、養子縁組あっせん法施行後に、一度都道府県への申請を出していたものの、自ら申請を取り下げて事業を閉鎖した。しかし、そのときまでに、多くの子どもを海外や国内で養子縁組していたのである。

　養子縁組のあっせん団体には、生みの親や養子となる子どもを養育する家族

（養親）の記録など養子縁組に関する多くの記録や情報が残される。2016年に、筆者がこの団体に対して、「養子縁組に関する記録管理と記録へのアクセス調査」を行った際に、団体では、養子となる子どもの生みの親から、養親と子どもへの手紙を預かっていた。そして、養親への手紙は養子縁組後すぐに渡されていたようだが、養子となる子どもへの手紙は、子どもが成長するまで団体で管理していく方針だとしていた。事業閉鎖後、団体が管理していた一部の記録は事業を管轄していた東京都に送られたようであるが、果たして、残りの記録とこれらの手紙はどこに行ったのだろうか。

　かつての養子縁組では、養子を家庭に迎えて育てる際に、養子だということを本人には伝えずに、育てる家庭も多くあった。しかし、近年では、子どもに養子であることを告げることが一般的になりつつある。養子として養育された子どもに「生い立ちについて」尋ねた日本財団の調査では、実際に以下のような養子の思いが示されている。

> 生みの親のことを知りたいと言われた時には悲しい顔はしないでほしい。子どものその気持ちは、生物学上の「親」を知りたい、見たいというよりも、「自分」のことを知りたいという気持ちによるものだと思うから。そして会えないのであれば、その理由や養子縁組についてわかりやすく制度の決まり等を教えてほしい。
>
> ［日本財団、2019年］

　親のことを知りたいというよりも、親や家族を含めた「自分」のことを知りたいと望む気持ちは、自分のルーツを探す人たちに共通する思いなのではないだろうか。このように、養子の知りたいという願いに応えるために、記録は重要な情報源となる。日本は、特別養子縁組を推進する方針を打ち出す一方で、こうした養子の出自に関する情報や記録管理体制は統一的に整備されているとはいい難く、さまざまな場所に分かれて管理されている。養子たちは、「自分」のことを知りたいとき、どこに行き、どんな記録を手にすることができるのか。また、それにはどんな課題があるのだろうか。

2 子どもの出自を知る権利

　日本では、約4万5000人の児童が虐待などを含むさまざまな理由で、家庭から離れ、公的な責任のもとで生活しており、その多くが乳児院や児童養護施設などの施設で生活をしている。その一方で、施設、家庭、養子縁組という環境におけ

る子どもの養育者に対するアタッチメント（愛着）形成を調査した結果、施設で養育されるよりも養子縁組された子どもの方が、その後の結果（アウトカム）が良好であったことがあらわしているように［日本財団、2016年］、子どものメンタルヘルスにとって家庭的な環境で安定した人間関係を構築できる養子縁組は利点がある。このように家庭的な環境で養育していく利点などにかんがみ、現在日本でも養子縁組や里親を含めた家庭的な環境での養育を推進していく方針がとられている。

　国際連合の児童の権利に関する条約（子どもの権利条約）の第7条1項では、「児童は、出生の後直ちに登録される。児童は、出生の時から氏名を有する権利及び国籍を取得する権利を有するものとし、また、できる限りその父母を知りかつその父母によって養育される権利を有する」と定められ、第8条1項では、「締約国は、児童が法律によって認められた国籍、氏名及び家族関係を含むその身元関係事項について不法に干渉されることなく保持する権利を尊重することを約束する」ことと言及されている。この条約の第7条や第8条に定められていることは、家族と一緒に住む子どもたちには、ただ当たり前の事実として、誰に聞かずとも理解していることかもしれないが、生まれた家族から離れて養子となった子どもたちにとっては、正確な記録とその管理が下支えすることによって、はじめて成り立つ権利なのではないだろうか。

　日本では、第二次世界大戦後、多くの子どもたちが国際養子として、海外に渡っていったが、行政機関では何人の子どもが海外で養子縁組されたのか、その数を把握していない。そのため、民間の養子縁組のあっせん団体に保管されている個別のケースの記録は、養子として海外に渡った子どもが日本で生活していたことの証明となる。また、日本では、戸籍のほかに、家庭裁判所が出す養子縁組の成立に関する審判書にも養子縁組に関する情報が記載される。しかし、これらの記録は、自治体の児童相談所や養子縁組あっせん団体が保管している記録と比べると実親の名前や本籍地、住所や養子縁組した理由などわずかな情報が記載されているだけである。そのため、どういった内容の記録をどこに行けば入手できるのか、当事者たちに示す方法も考える必要があるだろう。

▶スウェーデンにおける養子縁組記録の現状

　養子縁組に関する記録がいかに重要であるかと考えさせるケースは、日本だけにとどまらない。近年では、スウェーデンにおけるチリからの海外養子の問題に関連して、記録が注目されている。

　スウェーデンは、国際養子縁組の受入れ数ではアメリカに及ばないが、人口10

万人に対する養子縁組の割合はノルウェー、アイルランドに次いで高い［出口、2011年］。スウェーデンの養子縁組を事例として、家族形成について研究する出口顯によれば、1960年代後半から始まったスウェーデンの国際養子縁組では、当初は不妊の夫婦だけでなく、戦争や貧困で親のいなくなった子どもたちを救おうという人道的な立場から、すでに実子のいる夫婦も養子縁組をしていた。今日では、不妊治療の代替策として定着しており、国内養子ではなく国際養子が代替として定着してきたのは、国内で養子に出される子どもが極めて少ないからであると分析している［出口、2015年］。こうした背景から、スウェーデンでは、国際養子を受け入れる環境があった。

　一方で、スウェーデンに多くの子どもを送りだしてきたチリでは、アウグスト・ピノチェト政権時代(1974～1990)に子どもの貧困を解消する名目で、子どもを誘拐し、海外に送り出していたことが明るみになった。そのなかには、先住民マプチェ族の子どもも含まれていた。また、スウェーデンの約6万人の国際養子の多くは、出生した家族を探す際に、養子縁組ファイルの情報が不足しているか、間違った情報が含まれていることを発見した。そして、一部の人々の養子縁組が違法であったことも確認された［Bergsten、2021年］。こうした状況をかんがみて、2020年8月にスウェーデンの議会に提出された動議では、国家間の養子縁組の調査、養子縁組の厳格な監督、すべての養子縁組ファイルの政府機関への移管を要求している。子どもの権利条約の第7条で記されているとおり、子どもは、出自を知る権利を有している。しかし、この前提となる記録が正確に作成されず、管理されていない環境であれば、出自を知ることは難しくなるであろう。

▶ノルウェーにおける養子縁組記録の現状

　ノルウェーでは、2018年7月1日に施行された養子縁組法（The Adoption Act）の第38条において、養父母に対して、養子であることを子どもに伝える義務を明記した。そして、同法の第39条では、養子が18歳に達した場合、養子縁組あっせん機関は、情報に対する権利と情報へのアクセス権について養子に通知しなければならないことが定められている。このノルウェーのケースで明らかになったことは、養子自らが記録や情報を探すという時代から、養父母に対して、養子であることを伝える義務を課すという新たな時代に突入してきたということである。しかし、養子であるという事実だけでなく、その背景を知りたいと望む人は多い。そのなかで、どのような記録を作成し、どこまでの情報を伝えるかということは、ある程度決められた指針を必要とするであろう。

　子どもの最善の利益を考えたとき、記録を残すだけの議論だけではなく、どの

ような情報を残し、誰が管理をしていくのか、また、その情報にアクセスできるのは誰なのかという議論も必要である。

▶韓国における養子縁組記録の現状

　韓国では、養子の知る権利という形式では法律に明記していないが、2012年に施行された養子縁組特例法の第21条で養子縁組機関の義務として、父母がわからない場合には、父母を含む直系尊属を探すための努力が求められるようになった。養子縁組情報の公開については第36条で、養子となった者は、中央養子縁組院（現在は児童権利保障院）または養子縁組機関が保有している養子縁組情報の公開を請求することができると定めている。この法律で適用される開示請求の対象は、実父母の情報（名前、生年月日、住所、連絡先）と養子縁組の背景に関する事項（養子縁組当時の実父母の年齢、養子縁組された日およびその理由、実父母の居住地域）、養子となった者の情報（養子縁組前の名前、住民登録番号、住所、出生時、出生場所）、および養子縁組前に保護されていた施設、または養子縁組団体の名称・住所・連絡先、そのほか保健福祉部長官が必要であると認める情報である。

　養子となった者は情報開示を請求する場合、児童権利保障院や養子縁組あっせん団体に対し、養子縁組情報開示書（Adoption Information Disclosure Form）と身分証明書（ID）の写しを提出しなければならない。しかし、養子となった者が開示請求をしても実親に関する情報は、実親の同意を得て公開しなければならず、同意が得られない場合は、公開ができない。そのため、実親へ確認を取るという作業が不可欠になってくる。

　2020年9月9日に韓国では、第1回養子縁組の真実の日（The 1st Adoption Truths Day）の国際会議が開催された。会議のテーマは、「養子縁組の正当性：記録とアイデンティティの課題（Adoption Justice：Issue of Records and Identity）」であり、政府関係者、海外で養子縁組された人、研究者などさまざまな立場の関係者が集まった。「養子縁組の真実の日の宣言」は、養子や元々の家族から集められた証言や記録から得られた韓国の養子縁組の状況を我々に提示している。それによれば、①家族のメンバーによる子どもの誘拐、②孤児院に入れるための誘拐、③不明瞭な縁組の方法、④個人記録の虚偽の記述、⑤個人の養子縁組の記録の矛盾した情報、⑥家族登録の改ざん、⑦市民権の虚偽記述、⑧身分証明の偽造が養子縁組のなかで行われていた。そのため、宣言では、政府に対して過去の不正行為を徹底的に調査する真実和解委員会の設置や国の歴史的記録の訂正と国家の関与の事実の認定、政府や養子縁組機関からの公式な謝罪、養子縁組記

録と口頭証言の写しを含む記録保存のための公的に管理されたアーカイブズシステムなど、七つの要求が提示された。過去を見直すために記録管理の整備は欠かすことはできない。こうした当事者たちの証言や過去を検証するための記録管理の徹底は、これまでもアパルトヘイト政権下で起こった人権侵害の真実を調査し、和解を推進するための南アフリカの真実和解委員会などでも指摘されてきた。今後、真実和解委員会の設立も含めた韓国の養子縁組の記録管理が当事者の視点を交え、どのように進展していくのか。その進展から日本は、当事者の基礎的なニーズを学ぶことができるのではないだろうか。

3　日本における特別養子縁組という制度

　日本の養子縁組は民法のなかで定められており、「普通養子縁組」と「特別養子縁組」がある。「特別養子縁組」とは、子どもの福祉の増進をはかるために、養子となる子どもと実親（生みの親）との法的な親子関係を解消し、実子と同じ親子関係を養親と結ぶ制度のことで、従来からあった「普通養子縁組」と区別される。日本では、近代以前から家や家業の跡継ぎのため、養子縁組が行われてきた。普通養子縁組は、養子となる子どもや養育者となる養親の年齢制限はなく、養子縁組後も親権が産みの親である実親に残り、法律上の親子関係は継続される。この場合、戸籍の表記は「養子」「養女」となる。こうした養子縁組は、しばしば家系の存続などでみられてきた。

　そして、もう一方の「特別養子縁組」は1987年の民法改正により導入されるようになった。子どもの年齢を原則15歳未満と制限し、養親の年齢も25歳以上と定められている。さらに養子縁組の成立条件についても、家庭裁判所に申し立てをし、審判を受けることになり、戸籍は「長男」「長女」などと表記され、産みの親である実親との関係は断絶し、親権も実親から養親へと移ることになる。

　この制度はそれまでも国会で議論されてきたが、1987年まで法改正に至らなかった。この成立に影響を与えたとされている人物が、医師の菊田昇（1926～1991）である。東北の産婦人科医であった菊田は、中絶しようとする女性を説得し、中絶手術を思いとどまらせる一方で、地方紙に養親を求める広告を掲載し、生まれた赤ちゃんを養子として無報酬であっせんした。だが、当時は現在の「特別養子縁組」に相当する法制度がなかったために、偽の出生証明書を作成し、引き取り手の実子としていた。この問題により、菊田は医師会から除名処分を受けることになる。日本の養子縁組制度を研究するピーター・ヘイズと土生としえによれば、

菊田の行動によって口火を切られた論争は、児童福祉、子どもの保護や子どもの権利のあり方を見直すきっかけをつくり、しだいにそれは養子縁組に関する法律を改正することにつながっていったと指摘している［ヘイズほか、2011年］。しかし、こうした養子縁組制度はあくまで制度上の話であり、ヘイズらによれば、実際には、未婚の母で父親が不在の場合など、こうした合法的手続を回避し、養親が自分の子どもであると届け出てしまうことも行われていたようである［同前］。

　日本の養子縁組を論じるうえで、忘れてはならないのが国際養子と呼ばれる、海外に養子に行った子どもの存在である。第二次世界大戦後の日本には、戦争で養育者を失った孤児やアメリカをはじめとする連合国軍の兵士とのあいだに生まれた混血児が多くいた。これは主に宗教関係等の篤志家の手により、個々に外国人との養子縁組のあっせんが行われたもので、サンフランシスコ講和条約の前後からしだいに組織化され、活発化していった。

　貧しさや望まない妊娠によって、どのくらいの数の子どもを海外へ養子に出したかについて、姜恩和や森口千晶は、厚生省児童局が1959年に刊行した『児童福祉十年の歩み』を引用し、日本政府が戦後の混乱期にどれほど海外養子縁組が行われていたかを把握していた様子はないと結論づけている［姜ほか、2016年］。日本では海外への国際養子を規制するための法律は存在せず、海外への養子の送り出しのハードルが低いため、現在も以前よりは少ない数ではあるが海外での養子縁組が行われている。それは、いくつかのケースで、障がいがある子どもの養子縁組が国内で難しく、海外に養親を求めたケースも含まれている。

4　特別養子縁組に関する記録

▶児童相談所に保管される特別養子縁組に関する記録

　日本では、特別養子縁組をするためには、都道府県の児童相談所に登録し養子縁組を行うか、民間のあっせん団体から養子縁組を行う方法がある。2019年における日本の特別養子縁組の数は、711件であり、その多くは児童相談所からの養子縁組となっている。

　児童相談所を通じて特別養子縁組される子どもの記録は、児童記録票として作成され、児童相談所で保管される。児童記録票とは、子どもの氏名・生年月日・住所、保護者の氏名・職業・住所、学校、家族状況、具体的な訴え、過去の相談歴などが記載されており、児童相談所で対応する児童の処遇なども記される、ケ

ース記録の根幹をなすものである。

　養子縁組に関する児童記録票の保存期間は、厚生労働省が定める「児童相談所運営指針」のなかで、養子縁組が成立した事例や、棄児・置き去り児の事例など、将来的に児童記録票の活用が予想される場合は長期保存するものとされていた。ここでは、将来的な児童記録票の活用が想定されてはいるものの、「長期保存」ということで、特に保存期間を統一的に定めることはしていなかった。「長期保存」は、大変耳障りのいい言葉のように聞こえるが、多くの自治体では、「長期保存」を最長の30年としているところも多い。そのため、自治体の児童相談所を通じて、生後まもなく養子縁組をされた場合、記録は養子が30歳になるまでしか、児童相談所に保管されないことも多くあった。これは、養子となった子どもが、30歳までに記録を開示するかの選択を迫られることを意味している。

　2018年の養子縁組あっせん法の施行にともない、上記の指針は、法律に則したものへと変更された。特に児童記録票の保存期間については、養子縁組が成立した事例は永年で保存することとなった。しかし、法律施行以降は、記録を永年で残すことになったものの、2018年以前の記録については永年保存ではなかったために廃棄された記録もあると推測できる。また、永年で保管されることが決まった記録ではあるが、記録の当事者利用の面では、まだ充分な整備がされているとはいい切れない部分もある。それは、「記録がどういう方法で利用できるのか」「記録をみることで何が分かるのか」、また「記録をみたことで、どういう影響があるのか」、こうした説明を記録を探す人たちへのガイドとして提供することも求められる。

▶民間の養子縁組あっせん団体が保管する特別養子縁組に関する記録

　養子縁組に関する記録を管理しているのは、裁判所や児童相談所だけにとどまらない。先に述べたように2018年の養子縁組あっせん法の施行により、民間の養子縁組あっせん団体は事業を行うために、これまでの届け出ではなく、自治体からの許可が必要になった。2020年に養子縁組あっせん事業者として許可されたのは、22団体（「養子縁組あっせん事業者一覧」〈同年11月12日現在〉、厚生労働省家庭福祉課調べ）で、産婦人科医院を含む医療法人や社会福祉法人、非営利活動法人（NPO）など、多くは、同法が施行される前より養子縁組あっせん事業を行ってきた団体である。民間の養子縁組あっせん団体が養子縁組を行ったケース記録については、紙媒体や電子媒体で定められた様式もなく、各団体がそれぞれの様式の記録を作成し、保管している。基本的には、養子からの記録をみたいという希望についても各団体で対応している。しかし、なかには同法施行以前に活動し、

すでに閉鎖された団体の記録で、所在が不明になっているものも多い。

　日本では、第二次世界大戦後から、民間の養子縁組あっせん団体を通じて、海外養子や国内の養子縁組を行ったケースも多く報告されている。たとえば、1950年代、岩国の米国空軍関係者などを中心に約400人の養子縁組を成立させた「広島ベビー救済協会」という団体や1970年代から養子縁組を行っていたとされる愛知県産婦人科医会も、閉鎖されるまでに国内、国外合わせて1255件に及ぶ養子縁組を成立させたといわれているが、その後の記録は行方しれずとなっている。その背景には、養子縁組のあっせんに携わってきた人たちの強い意思もはたらいている。

　「広島ベビー救済協会」を設立した景山浄子と関係があり、自身も養子縁組の支援や里親として子ども養育している大羽賀秀夫は、景山との会話を以下のように振り返っている。

　「活動の記録も相当な量があり、かつて家内がそれらの整理を申し出た時に「私が死ぬ時はすべて処分する」と云われた。個人情報の散逸を恐れる事よりも、存在すること自体を消し去ろうとする事は、今の私には理解できる」［堀、2011年］。そして、自らも養子縁組あっせん団体の代表を務めていた大羽賀は、こう続ける。「私も、特別養子縁組3人と里子2人の5人の親である。個人情報の最たるものとしての「記録」が存在する事は実に嫌なものである。私も養子縁組の活動をライフワークとしている。私もこの活動を止めるとき、景山さんと同様に考えるであろう」［堀、2011年］。

　これはあくまでも、特別養子縁組あっせん法が施行される以前のことで、この10年ほどで真実告知に対する考えも大きく変化してきている。しかしながら、現在においても各団体で特別養子縁組に関する記録の開示に対する考えは、必ずしも一様ではない。養子縁組あっせん団体の責任者それぞれに記録に対する考え方があり、また、養子への記録の開示への考え方も異なる。だが、この特別養子縁組の記録は、果たして養子縁組のあっせんを行ってきた人たちだけのものなのだろうか。一方で、その記録を保存するのか、廃棄するのかという選択ができるのは、記録の物理的な所有者となっている民間の養子縁組のあっせん団体である。養子縁組のあっせんされた団体によって、養子縁組の記録のアクセスに差異がでてもよいのだろうか。

　「民間あっせん機関が適切に養子縁組のあっせんに係る業務を行うための指針（2017年厚生労働省告示第341号）」において、養子縁組あっせんを受けて養子となった児童の出自を知る権利について、「民間あっせん機関は、児童が、自らが養子であること等について確実に養親から告知されるよう必要な支援を行うとと

もに、養子となった児童から、自らの出自に関する情報を知りたいとの相談があった場合には、丁寧に相談に応じたうえで、当該児童の年齢その他の状況をふまえ、自らの出自に関する情報を提供するのに適当なタイミングであるか否か等について、適切な助言を行いつつ、対応しなければならない」とされている。一方で、法律や指針において、養子となった子どもの出自を知る権利を担保するために、具体的にどのような情報を記録すべきか、実父母を含む家族の個人情報をどのように提供すべきかなどについて定められていない。特に民間あっせん機関に対しては、帳簿の備えつけ義務や帳簿への概括的な記載事項（児童・実父母・養親に関する情報、養子縁組の経緯および養子縁組が成立後の状況）、帳簿を永年保存すべき旨は定められているものの、出自を知る権利に照らして保存すべき情報の詳細な内容は規定されていないのである。

　子どもの権利条約では、子どもは「できる限りその父母を知りかつその父母によって養育される権利を有する」とされており、養子となった子どもが自らのアイデンティティの確立や心理的安定を確保するうえで、自らのルーツを知ることは極めて重要である。他方で、養子となった子どもの実父母などの個人情報を保護することにも留意が必要である。

▶特別養子縁組に関する記録に含まれる要配慮個人情報

　個人情報のなかでも、「要配慮個人情報」は、記録を探す当事者らが、得たい情報の一つかもしれない。要配慮個人情報とは、2020年改正の「個人情報の保護に関する法律」（個人情報保護法）によれば、「本人の人種、信条、社会的身分、病歴、犯罪の経歴、犯罪により害を被った事実その他本人に対する不当な差別、偏見その他の不利益が生じないようにその取扱いに特に配慮を要するものとして政令で定める記述等が含まれる個人情報」をいう。たとえば、養子縁組された子どもが実父母の情報を取得したい場合においても、あらかじめ本人の同意を得ないで、要配慮個人情報を取得してはならない。

　「民間あっせん機関による養子縁組のあっせんを受けて養子となった児童に関する記録の保有及び当該児童に対する情報提供の留意点について（子家発0326第1号、2021年3月26日）」という厚生労働省の通知では、障害、健康障害、既往歴等の要配慮個人情報（個人情報保護法第2条第3項）の取得にあたっては、原則として、本人から同意を取得する必要がある（個人情報保護法第17条第2項）が、民間あっせん機関が要配慮個人情報を書面または口頭等により本人から適正に直接取得する場合は、当該要配慮個人情報に関する本人が当該情報を提供したことをもって、当該個人情報取扱事業者が当該情報を取得することについて本人の同

意があったものと理解される。

　実父母の個人情報のうち、養子となった児童の生命・健康にかかわるもの（実父母の障害・健康状態・既往歴）については、情報の提供にかかわる同意がない場合でも、養子となった児童の生命および健康にかかわる重要なものであることから、個人情報保護法第23条第1項本文の例外規定である同項第2号の「人の生命、身体又は財産の保護のために必要がある場合」に該当し、「本人の同意を得ることが困難であるとき」には、養子の生命および身体の保護のため、実父母の同意がなくとも養子となった児童または養親に提供することができるとしている。実父母の障害・健康状態・既往歴については、養子となった児童のアレルギーの有無や将来障害・疾病を発病する可能性等の確認のため、養親ひいては養子となった児童が知る必要がある情報であり、養子となった児童のアイデンティティ確立や心理的安定のために知るべき情報のなかでも、とりわけ養子となった児童の生命および健康にかかわる重要なものであると捉えられている。

　厚生労働省が出したこの通知のなかでは、養子となった児童、養子となった児童の実父母および養親となった者に関して、記録すべき情報または記録が望まれる情報についても提示されている。この指針は、これから特別養子縁組を行うあっせん団体が記録を作成するのには、参考になるであろう。

5　人よりも長生きする記録
―記録の管理とアクセス支援を担うのは誰か―

　次に、実際に養子縁組のあっせん団体が保管する記録が、記録の開示を望む当事者たちにどのような過程を経て、提供されるのか、確認しておこう。特にここでは、民間の団体の記録とその開示に関する課題について取り上げる。

▶社会福祉法人日本国際社会事業団（ISSJ）の取り組み

　国際社会事業団（International Social Service；ISS）は、1952年に社会福祉法人日本国際社会事業団（International Social Service JAPAN；ISSJ）として日本での活動を開始する。ISSJ は、第二次世界大戦後、戦争孤児や当時「混血」と呼ばれた子どもの救済のために発足した日米孤児救済合同委員会を前身としている。ISSJ では、発足当時からの養子縁組に関する記録をすべて保存しており、保存されている記録には、当時のソーシャルワーカーと実親の面接記録や、子どもや養親・実親の写真、母子手帳などがある。

ISSJ は従前、養子からのルーツ探しの問い合わせに対応してきたが、2020年10月に日本財団の助成を受け、養子縁組後の相談窓口を開設した。相談にはソーシャルワーカーや公認心理士が対応にあたっている。この相談窓口の設置にさきがけてつくられた『ルーツ探しに関心のある養子の方へ』という冊子では、ルーツ探しの方法としてどんな記録がどこで作成されているかだけでなく、「ルーツ探しをする前に考えること」として記録が保存されていなかった場合など、リスクも含めたさまざまなことを想定しておく必要を訴えている。実際に記録から情報を得て、養子が元の家族との再会を望む場合も、ISSJ では、ソーシャルワーカーが元の家族に手紙で連絡をとり、承諾を得るというプロセスを踏んでいる。

　他の機関で養子縁組をされた場合も ISSJ はルーツ探しの相談に応じているが、他機関の記録を探すということでの限界もある。すべての養子縁組あっせん団体が、統一されたルールのもとで記録を管理していないため、記録の保存期間や保存されている記録の情報量にも偏りが出てくる。こうした状況は、統一された記録管理のルールを徹底しない限り、続いていく可能性がある。

▶国際社会事業団沖縄代表部（ISSO）と国際福祉相談所（ISAO）の活動

　国際社会事業団は、アメリカ統治下の沖縄においても活動を行っていた（**写真 1**）。当時の沖縄は、アメリカの軍人、軍属とその家族、フィリピン人の米軍雇用者など、国際色ゆたかな地域となり、国際結婚が盛んに行われた。一方で、夫婦間の不和、離婚、妻子の置き去り、音信不通、結婚や渡航手続の不備によって起こる問題等も年とともに増え、子どもの福祉の問題、たとえば、子どもの病と家計、連れ子と継父との関係、未婚の母と子の問題、国籍や移民法ともからんだ複雑な社会問題が発生し、これらを解決すべき対応に迫られていた。嘉手納町内に1956年頃から「ハーフウェイホーム」という混血児を対象としていた私的保護施設があったが、複雑な国際的性質をおびた個人や家族の問題解決のためには、専門的な機関の設置が痛感されたため、琉球政府やアメリカ政府および民間の指導者たちによって、国際社会事業団本部と連携し、事務所の設立準備が進められた。これは ISSJ とは別組織として国際社会事業団沖縄代表部（International Social Service

写真 1　国際社会事業団沖縄代表部（社会福祉法人日本国際社会事業団蔵）　かつて沖縄県嘉手納町に設立された。

Okinawa；ISSO)として活動し、1972年より国際福祉相談所(International Social Assistance Okinawa Inc.；ISAO)の名称で活動していた。活動内容については、ISSJと同じく、児童の国際養子縁組や無国籍児童を取り巻く問題の解決、外国籍あるいは無国籍児童の福祉向上など多岐に渡り、戦後40年間に扱った相談ケースは、約1万5000件あったとされる。

▶沖縄公文書館所蔵の国際養子縁組関係資料

　ISSOやISAOの組織としての資料の大半は、事務所を閉鎖したときに消失したとされていたが、一部が沖縄県公文書館に寄贈され、残されている。沖縄県公文書館に残された資料群は、「国際福祉相談所文書」と名称がつけられており、大きく二つのシリーズに分かれている。

一つは、理事会議事録や事業報告書、予算や職員に関する書類など団体の運

写真2　「養子縁組書類」(沖縄県公文書館蔵「国際福祉相談所文書」より)　1958年に私的保護施設「ハーフウェイホーム」から養子縁組した子どもの記録。右上は養子縁組記録のケースファイルの表紙。右下は養子縁組記録に含まれた養子の改名(日本名から英語名へ)の裁判記録。

営に関する文書で、もう一方は、相談事案ごとに綴られたケース・ファイルや養子縁組に関する書類、無国籍児問題に関する書類などの業務内容に関する文書である。

　所蔵されている「国際福祉相談所文書」資料群のうち、「養子縁組書類」は、1958年に「ハーフウェイホーム」から養子縁組をした子どもたちの記録である（**写真２**）。そのなかには、養子縁組成立に関する記録、養子縁組にともない、名前の変更許可の申立の審判に関する記録、日本語の戸籍謄本、英語に訳された戸籍謄本などが含まれる。たとえば、英語の戸籍謄本からは、実母の名前や当時の住所がわかる。また、占領下にあった沖縄のアメリカ軍にいた夫婦が子どもを養子縁組する際に、名前変更の申し立てをしたことが確認できる。これらの記録は、筆者のような第三者が閲覧申請した場合、写真のような黒塗り文書で個人情報が塗りつぶされて出てくるが、本人が閲覧を申請した場合は、自身についての情報なので、閲覧が可能になる。

▶第三者の個人情報の同意をどう考えるか
―以前の家族の情報を知りたい養子たち―

　養子縁組された子どもが知りたい情報は、生みの親を含む家族の情報である。かつて帰属していた生みの親や家族を含めて「自分」であると考える人たちにとっては、それらの情報もすべて自身についての情報だと思うのかもしれない。しかし、養子縁組される前の生みの親や兄弟姉妹の情報は第三者情報として扱われる。

　個人情報、とりわけ、第三者となる生みの親を含む家族の個人情報については、開示前に同意が必要になる。個人情報保護法第２条第１項で明示されている「個人情報」とは、①生存する個人に関する情報であって、当該情報に含まれる氏名、生年月日、その他の記述等により特定の個人を識別することができるもの（他の情報と容易に照合することができ、それにより特定の個人を識別することができることとなるものを含む）、②個人識別符号を指す。また、「個人に関する情報」とは、氏名、住所、性別、生年月日、顔画像等個人を識別する情報に限られず、個人の身体、財産、職種、肩書等の属性に関して、事実、判断、映像、音声による情報も含まれ、暗号化等によって秘匿化されているかどうかを問わない。

　民間の養子縁組あっせん団体のなかには、子どもを養子に出すことを決めた生みの親の記録を残していく際に、子どもが成長し、もしも生みの親について知りたいと思ったときのために、実親についての情報を子どもに教えてもよいかという同意を取るところもある。だが、子どもを養子に出す時点では、自らの情報を

子どもに開示することに同意していたとしても、数十年後に同じような状況にあるかは未確定である。たとえば、生みの親も子どもを養子に出した後、新たなパートナーと出会い、その人に子どもの存在を伝えていないかもしれない。こうした状況に対応していくために、養子となった子どもへの第三者情報の提供の際に、その第三者となる親や家族の同意の取り方についても積極的な議論が必要だと考えられる。

　ISSJ はルーツ探しの支援に積極的に取り組んでいるが、養子が生みの親に連絡を取りたいと考えたときにその申し出を ISSJ が手紙にしたためて、生みの親にしかわからないように届け、意向をうかがう。生みの親が会いたくない、または、近況などの情報を知らせたくなければ連絡が来ないし、会いたいと思えば、連絡がくるしくみをとっている。このような場合に限らず、当事者間の同意や接触には、必ずあっせん団体などがあいだに入る体制を整えていくべきである。現状では、このような同意を取る方法や体制、接触にあたっても議論が深まっているとはいい難い。今後、体制が整備され、どの養子縁組あっせん団体でも記録の開示や再会支援が行われるようになっていくことが望まれる。

6　情報を得ることのインパクト
―知らなかったことを知る―

　ここまで、さまざまな養子縁組記録について言及してきたが、養子縁組に関する情報を得ることで、これまで知らなかった事実を知る可能性もある。一般的には、自身についての情報を知ることで養子となった子どものアイデンティティ確立や心理的安定などがいわれてきたが、記録を読むことの影響はすべてが肯定的なものではなく、ときに否定的なもの、または両方の影響があることもある。実際に、養子となった経験をもつ人は、養子以外の人たちを「自分の歴史のなかで、自分がどこから来たのか分かっている人は、それを当然のことと思っている」［トリンダーほか、2019年］と捉えている。そして、「養子になった私たちは家族を丸ごと失ってしまったのだ。多かれ少なかれ、私たちの人格形成期において、もしくはしばしばそれ以上の期間において、謎のままなのだ」［同前］と感じている者もいる。そのため、養子縁組をされた人たちにとって、記録をみることは肯定的な側面も否定的な面もあるが、謎を明らかにするための必要な手段だといえる。

　トリンダーらは、イギリスにおける養子縁組に関する真実告知や出自を知る権

**写真3　イギリス、バーナードス（Barnardo's）のメ
イキングコネクション**（著者撮影）

利のその先にある養子や生みの家族とのリユニオン（再会と交流）についてのガイドを作成するなかで得られた肯定的な効果を以下のようにあげている。

・生母についてもっと知ることができた。
・なぜ養子縁組されたのかよりよく理解することができた。
・不足していた情報を埋めることができた。
・捜索に役立つ情報を得ることができた。
・生父についてもっと知ることができた。
・アイデンティティに関する自分の感覚が向上した。［同前］

　当事者のインタビューから得られたこれらの意見はすべて肯定的なものであるが、なかには、記録の改ざんや記録のなかの言葉に傷ついてしまう場合もあった。こうした影響を考慮し、記録へアクセスする前の相談と記録をみたことによって起こることについて、事前に知る必要もあるだろう。

　1867年設立され、かつてはイギリス全土に90以上の孤児院（現在の児童養護施設）などの施設を運営していた民間慈善団体のバーナードス（Barnardo's）も、記録へのアクセス支援を行っている（**写真3**）。現在は里親委託や里親支援、障害者支援などのチャリティに事業転換しているが、施設出身者約37万人、養子縁組約6500人分の記録を管理し、記録の開示の請求に応じ、当事者らに提供している。バーナードスは施設の退所者からの記録へのアクセスに応えるために、組織のなかにメイキングコネクション（Making Connection）という部門をもち、アーキビストとソーシャルワーカーを配置し、対応にあたっている。記録の専門家であるアーキビストは記録の管理や開示についての範囲を検討し、ソーシャルワーカーは、記録をみることで起こる衝撃や思いに対して、相談に乗ることで、協働して支援を行っている。

　このように、記録の開示に関して、アーキビストとソーシャルワーカーが立ち会うというケースは、日本の児童福祉施設や記録を保管や管理、利用を行っている公文書館、文書館では、まずみられない光景ではある。しかし、「家族と離れ、なぜ新しい家庭に養子縁組されたのか」ということに関して、その答えが記された記録は、当事者たちの精神を一時的に不安定にさせる要素を含み、さまざまな

葛藤が予測されるため、このような専門性をもつ者の人員配置は適切な対応であるといえるだろう。

7 これからの特別養子縁組に関する記録管理のあり方

　日本では、現在、保護者のない児童や、児童虐待などにより保護者に監護させることが適当でない児童を、公的責任で養育する必要がある子どもに対して、特別養子縁組や里親を含めた家庭的な環境での養育を推進していく方針がとられている。それ自体は子どもの福祉や愛着形成を考えるうえで悪いことではない。だが、それに付随する記録にかかわる問題が今に至るまで積極的に議論されず、また整備されずにきたことは残念なことである。これから開かれた特別養子縁組をめざし、子どもの知る権利を保障するために、特別養子縁組に関する記録管理について、話し会うべき場をもつことがまず必要である。

　そのなかでは、冒頭で触れたような閉鎖された団体の記録をどこが責任をもって管理し、開示に対応していくのかということも決めていく必要があるだろう。養子縁組あっせん団体が永遠に継続していく保障はどこにもなく、いつ同じような危機的状況が訪れるとも限らない。また、記録に含まれる情報を民間の養子縁組あっせん団体だけでなく、養子縁組あっせん団体の事業の許可を出す自治体でも、管理に関与していくことも求められるのではないだろうか。第二次世界大戦後から海外に養子に行った子どもの数さえわからないというような現状では、日本で生まれた子どもの最善の利益など保障することもできないのではないだろうか。養子縁組あっせん法が施行された今、彼らの記録を管理し、開示に対応していくための当事者参加の記録管理制度の確立が急がれる。

　本章で取り上げた特別養子縁組の記録は、個人の記録であり、公文書館で収蔵される公文書のように国民共有の財産と捉えることが難しいかもしれない。しかし、自らの出自などの個人の尊厳にかかわるような情報を知らない、情報の弱者になり得る彼らにとっては、そうした情報を含んだ記録を残し、記録へのアクセスできる環境を整備し、支援制度を整えることが必要である。今後日本において、特別養子縁組が増えていくなかで、個人の尊厳にかかわる記録管理に携わるアーキビストの存在と役割は、社会のなかで大きな意義をもつものになるであろう。

【参考資料】
沖縄県公文書館所蔵「社会福祉法人国際福祉会国際福祉相談所「養子縁組書類」」資料コ

ード：0000146870

【参考文献】

犬伏由子(監修)・田中佑李(訳)「韓国「入養特例法」(法律第11007号、2011年8月4日全部改正、2012年8月5日施行)(翻訳)」(『法學研究』Vol.86、No.5、2013年)pp.132-104

姜恩和・森口千晶「日本と韓国における養子制度の発展と児童福祉―歴史統計を用いた比較制度分析の試み―」(Discussion Paper Series A No.637、Institute of Economic Research, Hitotsubashi University、2016年2月)pp.1-24

厚生省児童局編『児童福祉十年の歩み』(日本児童問題調査会、1959年)p.75

第1回養子縁組の真実の日国際会議準備委員会『養子縁組の正当性：記録とアイデンティティの課題(Adoption Justice: Issue of Records and Identity)』2020年

出口顯「越境する家族形成としての国際養子縁組―スウェーデンの事例を出発点として―」(『比較家族史研究』29、2015年)pp.113-128

出口顯「養父母になった国際養子たち―スウェーデン、デンマークの事例から(身体と人格をめぐる言説と実践)―」(『国立歴史民俗博物館研究報告』169、2011年)pp.7-28

『乳幼児の養育にはなぜアタッチメントが重要なのか―アタッチメント(愛着)障害とその支援―』(報告書、日本財団、2016年)

『養子縁組をした762人の親子のこえ』(日本財団、2019年)

ピーター・ヘイズ(著)・土生としえ(著・訳)、津崎哲雄(監訳)『日本の養子縁組―社会的養護施策の位置づけと展望―』(明石書店、2011年)

堀章一郎編『岡山県ベビー救済協会20年の歩み』(岡山県ベビー救済協会、2011年)

リズ・トリンダー(著)、ジュリア・フィースト(著)、デイビッド・ハウ(著)、白井千晶(監訳・訳)、吉田一史美(訳)、由井秀樹(訳)『養子縁組の再会と交流のハンドブック―イギリスの実践から―』(生活書院、2019年)

阿久津　美紀

第 2 章

法制度・社会システムの改善のために
―公法学から―

1 統治アーカイブズの価値と機能

　わが国では、2016（平成28）年の改正公職選挙法の施行によって18歳以上の国民に選挙権が与えられるようになったため、模擬選挙や政策ディベートなどの有権者教育を通じて、政治選択のあり方や政策形成の方法に触れたことのある人も多いと思う。この選挙における政治選択や、政策形成はどのようになされているだろうか。投票を行う際の意思決定について考えてみると、多くの人は候補者ないし政党の能力について、可能な限り多くの情報に触れたうえで、判断をくだそうとするはずである。その意味で、多くの情報に触れる自由としての「知る自由」は、選挙によって成り立つ民主主義を支える不可欠の基盤をなすものである。逆にいうならば、人々が多くの情報に自由に接することができ、それを基にして意思決定を行うことが可能である状況でなければ、民主主義は成立しないということである。統治にかかわる情報が広く伝わり、共有されることは、まさに民主主義社会における国民にとっての基本的な要求の一つといえる。

　このような民主主義社会における統治主体である国や地方公共団体の情報に関するアーカイブズは、統治活動にかかわる情報を蓄積し、それを国民の利用に供するという点において、現代社会の基本的なインフラを構成するものといえる。たとえば、情報が広く伝わる状況にあったとしても、その情報自体が誤りを含んでいたり、あるいは一部ないし全部が隠蔽されたり、捏造されたものであったりしたときは、国民は正しい判断をくだすことができず、むしろ間違った政治判断へと誘導されてしまうかもしれない。また、正しい情報が蓄積されていたとしても、それが国民の目に触れる機会がなければ、かつて封建制のもとで「民は由らしむべし、知らしむべからず」といわれていたように、国民が自ら良い統治をめざすことは困難になるだろう。このように、統治主体の情報に関するアーカイブズは、統治情報の蓄積と、国民によるその情報の利用の両方の機能を備えていなければ意味をなさないのであり、その点において、古文書などの歴史的価値のある文書にかかわる歴史アーカイブズとは区別される。以下では、この統治主体の

情報に関するアーカイブズを、統治アーカイブズと呼ぶことにしよう。

2　統治アーカイブズの起源

　この統治アーカイブズの必要性を指摘し、統治の目的のための制度化と体系的整合化をはじめて本格的に説いたのは、現在ではドイツの領域に含まれるヴュルテンベルク公国の官吏・貴族であったフォン・ラミンゲン（Jacob von Rammingen、1510～1582）であるとされる。アーカイブズの発想やしくみ自体は、序章でみたとおり、古代ローマの時代から存在したと考えられているが、彼は、1571年に著した『記録について』（*Von der Registratur*）（**写真1**）のなかで、アーカイブズを国家全体の観点から、統治の目的のために体系化・制度化することを提唱した。

　当時のヴュルテンベルクはハプスブルク帝国とフランスという二つの大国に挟まれる位置にあり、また領内に複数の言語地域が存在していたため、統治の意思決定を言語や地域の違いを超えて正しく伝え、それを確実に実施することが、国の命運を保つために是非とも必要であった。また、当時のヴュルテンベルクでは、一定の政治的権利が国民に与えられるなど「国法の下の自由」が保障されていたという事情もあり、フォン・ラミンゲンの統治観は極めて実践的かつ先進的なものとなっていた。このような統治観から、彼は国家の存立と国民の権利とを両立するために、国家の統治活動の事績を残し、かつ、国民の権利の保障と制限を裏づける公文書を整理していつでも使える状態にしておくことこそが重要性をもつことを示した。つまり、統治にかかわる公文書は、国家にとっては権限の源であり、国民にとっては権利の証拠となるものであって、そのもつ意味の重大性からすれば、公文書は単なる書類の塊（かたまり）としてではなく、統治活動の手段として、それなりの管理技術をもって取り扱われなければ

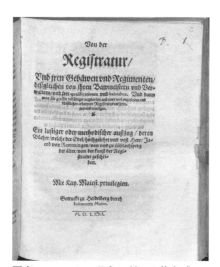

写真1　フォン・ラミンゲンの著書 "Von der Registratur" の扉頁　写真はバイエルン州立図書館蔵（ファクシミリ版）。同館所蔵の本書は、全文を電子図書館で閲覧できる。

ならないはずである。そして彼は、統治に長けた官吏の手によって、その法・政治・行政に対する見識に依拠した体系性と技術をもって公文書が整理されることが、国の統治の基本となると説いた。

　フォン・ラミンゲンのこの発想は、のちにプロイセンやバイエルンの公文書館として具現化したほか、他の行政管理技術の諸分野と結合し、学問領域としての官房学(Kameralwissenschaft)および歴史補助科学(Historische Hilfswissenschaften)として結実しており、これらの制度的および学問的蓄積が、歴史学から独立した現在のアーカイブズ学(Archivkunde)の母胎となっている。また、彼が統治アーカイブズを専門的に扱う職業の必要性を提示したことは、現在に至るドイツの職業アーキビストの制度形成に画期的な影響を与えた。文書の整理技術に精通し、かつ、法および政治に関する深い見識をも備えた官吏としてのアーキビストの職業像は、現在もドイツのアーキビストの姿そのものであり続けている。

3 統治アーカイブズが意味すること
　　―日本の制度を例にとって―

　このような歴史的経緯から、統治アーカイブズは、アーカイブズについて一般に想起されるところである古文書の取扱いというイメージとは異なった内容をもつことになる。フォン・ラミンゲンの発想にならえば、統治アーカイブズの中核は、統治のための法や政治にかかわる技術そのものであるということになる。また、その技術の行使の結果として作出される、統治や国民の権利の根拠となる公文書も統治アーカイブズに含まれ、さらにはその技術を担う機関や組織、また公文書館のような施設自体も、統治アーカイブズといい得ることになるだろう。

▶技術の集成としての統治アーカイブズ
　統治アーカイブズの技術としての面について、日本には2009(平成21)年に制定された公文書管理法という法律があり、日本における統治アーカイブズはこの法律によって運営されているといってよい。この法律の目的については、以下のように規定されている。
　　公文書管理法第1条(目的)
　　　この法律は、国及び独立行政法人等の諸活動や歴史的事実の記録である公文書等が、健全な民主主義の根幹を支える国民共有の知的資源として、主権者である国民が主体的に利用し得るものであることにかんがみ、国民主権の

理念にのっとり、公文書等の管理に関する基本的事項を定めること等により、行政文書等の適正な管理、歴史公文書等の適切な保存及び利用等を図り、もって行政が適正かつ効率的に運営されるようにするとともに、国及び独立行政法人等の有するその諸活動を現在及び将来の国民に説明する責務が全うされるようにすることを目的とする。

　法律の条文であるため少々読みにくいが、この法律で定められるのは「公文書等の管理に関する基本的事項」であることがわかる。つまり、同法の中核は、公文書管理の方法と技術、そしてそれらを基礎づけるための制度であると理解することができる。この制度の目的は、行政の適正かつ効率的な運営と、国などの統治団体の活動についての国民に対する説明責任の確保である。このようにみてみると、公文書管理法は国家統治のための文書管理の技術や方法論を確立するとともに、権限行使や国民の権利の根拠を示す文書についての確実な保存をめざすものであり、まさにフォン・ラミンゲンの発想以来の、正統な統治アーカイブズを基礎づけるルールであると評価できるだろう。

▶公文書としての統治アーカイブズ

　また、統治アーカイブズの、統治活動の結果として作成された公文書としての面については、公文書管理法はこれを「国及び独立行政法人等の諸活動や歴史的事実の記録」と定義づけたうえで、それが「民主主義の根幹を支える国民共有の知的資源」であり、かつ「主権者である国民が主体的に利用し得るもの」と定める。統治活動の結果を享受し、また統治活動によってその権利や義務に影響を受ける立場にいるのは、私たち国民である。そうであるからこそ、国民は統治活動について利害関係を有しており、その利害については自ら判断をくだす権利が保障されなければならない。統治活動の経緯や経過、そしてその結果が文書のかたちで蓄積され、国民はその統治活動についてこれらの情報を基にして判断することで、国民主権が実現し、また民主主義が機能する。同法が、公文書を民主主義や国民主権という統治の基本原理と結びつけてその意味づけを行っているのは、そのような背景があるからである。

　公文書管理法は、国の行政機関における公文書の管理について規定する法律であるから、この法律にいう公文書としての統治アーカイブズは、原則として国の行政にかかわるものに限られる。しかし、統治アーカイブズといった場合、統治活動を行うのは国の行政機関に限られないため、その他の統治主体、すなわち国会や裁判所、地方公共団体の統治行動にかかわる記録も、その意味に含まれる。したがって、公文書としての統治アーカイブズとしては、行政アーカイブズだけ

でなく議会アーカイブズ(議会資料や議院事務局文書)、司法アーカイブズ(裁判文書および司法行政文書)、そして地方行政アーカイブズ(地方公文書)が存在することになる。国の行政機関以外の統治主体については、その独立性や自治を尊重する必要があることから、行政アーカイブズに関する公文書管理法の規定は適用することができないため、それぞれにおいて自律的に文書の管理や保存に関するルールを策定し、実施することが求められる。また、歴史的に重要なものとして保存する必要があると認められる文書については、国の機関に関しては保存期間の満了後に国立公文書館に引き渡して永久保存することについて内閣総理大臣とのあいだで協議し、必要な措置を講じることが求められることになっており(公文書管理法14条1項)、また地方公共団体においては自ら設置する公文書館や文書管理施設において保存の措置をとるなど、必要な施策を策定し実施することが求められている(同法34条)。

▶機関・組織・施設としての統治アーカイブズ

統治活動に関してのアーカイブズといえば、国や地方公共団体が設ける公文書館や役所の文書庫のような機関や施設を想起する人が多いと思われるが、この意味での統治アーカイブズがいかなるかたちで具体化されているかは、さまざまな形式や程度、規模や方法論があり得る。

日本では、各省庁でバラバラに管理されていた公文書の散逸防止をはかり、文書の保存と調査研究を行うための機関として、総理府設置法の定めるところにより、1971(昭和46)年に国立公文書館が設置された。また、1987年に、歴史資料として重要な公文書等を保存し、閲覧に供するとともに、これに関連する調査研究を行うことを目的とする施設の設置を定める公文書館法が制定されると、この法律に基づく施設としての公文書館が地方公共団体においても設置されるようになっていった。総理府の傘下に設置された施設にすぎなかった国立公文書館は、1999(平成11)年の国立公文書館法の制定によって、法律上の根拠規定をもつ機関となり、2001年には独立行政法人の組織形態に移行して、現在に至っている。

しかし、統治アーカイブズの中核である公文書の管理や保存の技術を満足に実現し、その価値を発揮することができるようにするためには、この機関または組織に充分な能力が備わり、またその能力や実績に基づいて他の機関からの信頼が得られていることが必要不可欠となる。機密情報や業務情報などの重要な情報を含む大切な公文書を引き渡すに際しては、公文書館やそれに相当する組織に対する信頼が前提となるからである。また、たとえルールによって移管を義務づけたとしても、引き渡された文書の保存や管理に関する能力が公文書館やそれに相当

する組織に備わっていなければ、結局はその文書の価値は損なわれることになる。開館からしばらくの時期において各省庁からの国立公文書館への公文書の引き渡し件数が低調にとどまっていたこと、また、地方公文書の多くは依然として役所の部署が抱え込んだままであったことなどは、機関または組織としての統治アーカイブズに対する認知度と信頼が、わが国において定着していなかったことを示すものであろう。この点は、のちの公文書管理法や各地方公共団体における公文書管理条例の制定によって改善された面もみられるものの、特に地方公共団体では永年保存文書を役所の部署が抱え込む傾向がなおみられるところであり、まだまだ道半ばである。この点が、機関または組織としての統治アーカイブズに関する制度面の整備や実績の蓄積が必要であるのはもちろんのこと、統治アーカイブズにおいてその業務に従事する人の技術の向上や研鑽についても必要性が指摘されるゆえんである。その意味において、統治アーカイブズにおいてはたらく人には、大きな社会的期待がかけられている。

4 統治アーカイブズの制度原理

このような統治アーカイブズを保全し整備しなければならない理由はなんだろうか。上述したように、統治アーカイブズは、国家統治の基本原理と結びついた価値を担って存在している。わが国の場合、それは国民主権と民主主義の実現として法律に規定されているのだが、問題は、統治アーカイブズが、どのようにこれらの実現にかかわっているかである。

▶統治の基本原理としての法の支配・法治主義と統治アーカイブズ

近代国家において、国の統治は、法に基づいてなされることが大前提である。公法学では、この法に基づく統治を、「法の支配」ないし「法治主義」という基本原理として定式化している。「法の支配」とは、国家権力を法で制限することによって、国民の権利や自由を充分に実現すべきことを統治の基本原則として位置づける考え方であり、イギリスやアメリカといった英米法の法体系をとる国において発達した。それに対して「法治主義」とは、国家機関の統治活動が、すべて法によって正当化されなければならないとする考え方であり、ドイツやフランスといった大陸法の法体系をとる国において発達したものである。この両者は、発想の方向性や法に対する見方にやや異なる点はあるものの、国家の統治活動が法によって拘束されるべきであるという基本的な要求においては一致している。

公文書としての統治アーカイブズは、以下の①〜④のように統治の過程における各段階において、法による権力の拘束を実現し、かつ保障している。

①統治上の意思形成－意思の疎通を確保するための言語の共通化と規格化－

　統治の過程において、統治における意思決定は言語によって行われるが、その言語の内容は文書に残されることによって共通化・規格化されて法と照らし合わされ、さらには統治組織内部や国民に伝わることでその適法性や妥当性が検証される。

②統治における意思伝達－エラーの排除による効率性および体系性の確保－

　統治にかかわる意思の伝達にあたっては、「伝言ゲーム」の場合のように内容にエラーや不正な変更が混入することを防ぐことで、内容的な信頼性を確保する必要があり、その点からも文書という形式を選択することに合理性がある。

③統治上の意思決定－それに至る経緯・過程にかかわる正当性根拠の透明性確保－

　作成された一連の文書は、それ自体が統治活動のための意思決定の経緯や過程を示す証拠となるから、証拠として残るものである以上は適法かつ妥当な判断をくだそうとするインセンティブとして機能することになる。

④統治活動の結果－将来への説明責任とノウハウの継承－

　作成された文書の内容は統治活動の事績そのものであるから、これを基にすることで、将来の民主的決定に基づく政策判断のための説明責任を果たし、統治組織内部におけるノウハウの継承が行われることになる。

▶統治アーカイブズの機能と統治活動の適法性・妥当性

　このような統治アーカイブズの統治活動に与える影響が最も顕著にみられたのが、東日本大震災対策機関の議事録未作成問題である。2012（平成24）年、前年に発生した東日本大震災に関する対応を決定するための政府の会議体において、議事録が作成されていなかったことが明らかになった。この件においては、東日本大震災の対応にかかわる意思決定過程が文字どおり闇の中となってしまい、そのときの意思決定や政治判断についての適法性や妥当性の評価判断に大きな支障が生じたのはもちろんのこと、誰が何をどのように決定したのか、政府や国会や東京電力の関係での情報の共有・錯綜状況がどのようであったか、緊急対応の事例としてどのようなノウハウを得られるかなど、統治活動に残されるべきあらゆる教訓の機会が失われた。のちに、民間の立場から福島第一原子力発電所事故についての検証を行った「民間事故調」が、この点を含めて当時の政権による情報の扱い方や出し方について、国民の信頼を損なうものであり全体として不合格であるという厳しい評価をくだしたが、大災害時という国家の緊急事態における統治

活動について、適法性や妥当性の根拠を永久に失わせたという重大な影響からすれば、そのような評価も当然といえるだろう。このような公文書管理法の違反事案としては、その後も2009年の陸上自衛隊海外派遣時の活動報告である日報が所在不明になっていた問題（2018年）や、内閣総理大臣主催行事である「桜を見る会」の招待者名簿が法律に定める手続を経ずに廃棄された問題（2020〈令和2〉年）などがあり、いずれも統治活動の適法性に疑問符がつけられた。ここからも、統治アーカイブズが統治活動の適法性・妥当性の確保に果たす役割を理解することができる。

5 日本における統治アーカイブズの法制度

　統治アーカイブズは、統治の基本原理である国民主権や民主主義を実現するためのしくみであり、法の支配・法治主義のもとでは、統治アーカイブズそれ自体も法に基づく制度として基礎づけられる必要がある。こうして設けられた文書管理に関する法制度を、公文書管理法制という。最近では、欧米の用法にならって、この分野をアーカイブズ法と呼ぶこともある。この公文書管理法制は、統治組織における情報の作成・管理・廃棄について規定する規範の総称である。

　ここでは、日本の統治アーカイブズを基礎づけている法の制度をみてみることにしよう。

▶公文書管理法制における内部規範と外部規範

　この文書管理法制についてイメージしやすいのは、おそらく図書館の図書分類表のように主題や内容、そして作成部署ごとに文書を分類する分類表であったり、文書の書式や規格を定めたルールであったりするだろう。このような統治組織内部におけるルールのことを、法律学では内部規範と呼ぶが、文書の取扱いや書式、整理の方法や分類について定めるルールは、内部規範としての公文書管理法制に区分することができる。それに対して、先にあげた公文書管理法のように、統治の基本原理の実現を定め、そのための統治組織のあり方や権限を規定し、また国民による公文書の利用の権利を具体化するという性格づけを与えられたルールもある。このように国民の権利や義務に影響を与え、またはその原因となる統治組織の組織や作用を定めるルールを、法律学では外部規範と呼び、特に国民の権利義務にかかわる規範は「法規」とも呼ばれる。したがって、公文書管理法は外部規範（法規）としての公文書管理法制に属していることになる。

図1　公文書管理法制の区分

　公文書管理法制の区分を整理すると、上記の**図1**のようになる。

▶公文書管理法制の法規化―内部規範と外部規範の関係―

　従来、文書に関するルールとしては、統治組織内部における文書の取扱い方法の徹底と、文書の作成や管理、書式や規格の統一が実現されることが最重要視されていた。公文書としての統治アーカイブズはあくまで統治の手段であったことから、統治組織の内部でアクセスできる状態になっていれば、それで事は足りたのである。その意味では、公文書は公的組織である統治主体の専用のものであったといえる。法律用語では、このことを「公用物」としての公文書であると表現する。この公用物としての統治アーカイブズは、統治組織の内部において適切にルールで規律されてさえいれば良かったため、かつて公文書管理法制の中心をなしていたのは、内部規範であった。その重要性はもちろん今も変わりはなく、立法・行政・司法を担う国の機関のみならず、地方公共団体や公的性格をもつ独立行政法人などの統治組織においては、それぞれその文書に関する詳細なルールを設けている。

　しかし、今や公文書としての統治アーカイブズは統治主体の専用のものではない。統治アーカイブズが備えているべき機能として、国民による情報の利用があげられるようになっていることからわかるとおり、国民は知る自由を有し、それを通じて民主主義のもとでの政治的決定に関与する権利を有しているから、統治アーカイブズはそのような国民の権利の実現のために整備され、利用可能になっていることが必要になった。このように、国民の側からも統治アーカイブズに対するアクセスが可能になると、その要求に応じるかたちでの生産管理が必要となってくる。このように広く国民にアクセスが開かれた公的なものを、法律用語では「公共用物」というが、統治アーカイブズはまさに公共用物としての性格を有するに至っている。統治アーカイブズが公共用物であり、国民がそれにアクセスする権利をもつ以上、公共用物としての統治アーカイブズについては、国民の権

利の内容やそれに対応した統治組織の権限を定める外部規範を設けてルールづけることが必要となる。

▶公文書管理法制の具体化

この内部規範と外部規範の最も重要な違いは、それらの規範をルールづける場合に用いられる法の形式に現れる。

①内部規範の形式とその具体化

内部規範は、その統治主体の組織の内部のみで通用すれば足りることから、内部においてのみ通用し、国民の権利や義務に影響を生じさせない形式をとって制定される。国の機関における規則や規程、地方公共団体における訓令や要綱という形式がこれにあたる。したがって、たとえば国の機関や地方公共団体の「文書取扱規程」というルールがあれば、それは内部規範であって、国民に対しての法的な拘束力はないものであると理解できる。国の機関における内部規律としての公文書管理法制に属するルールとしては、国会の各議院事務局における「衆議院事務局文書取扱規程」「参議院事務局文書管理規程」があり、行政機関においては、たとえば内閣官房についての「内閣官房行政文書管理規則」のように、組織ごとに行政文書管理規則が定められる。裁判所においては裁判記録や判決などの裁判文書についての「事件記録等保存規程」があるほか、裁判所の組織運営に関する司法行政文書については「司法行政文書の管理について（通達）」によることとされている。

②外部規範の形式とその具体化

それに対して、外部規範は、国民の権利や義務を定め、それに対応する統治組織の権限や組織を定めるものであるから、国民が民主的に関与可能な形式においてのみ制定が認められる。この形式は、国においては国民の代表機関である国会が制定する法律、また地方公共団体においては住民から選挙された地方議会が制定する条例であり、いずれも法的拘束力をもつルールとして機能する。たとえば公文書管理法は、国の行政機関における公文書の管理と、国民による利用請求の権利と制度を定めるものであり、国の行政機関はそれにしたがって公文書を作成・保存・廃棄する責務を負うことになる。一方、国民はこの法律に定める範囲で公文書の利用を請求する権利を認められるが、その権利の行使にあたっては、同法の定める手続によらなければならない。なお、法律や条例を実際に運用するために必要な場合には、法律や条例が認めた範囲で、細目を各組織の定めるルールに委ねることがある。このようにしたとしても、そのルールは法律や条例が委ねることにより、かつ、それらに従って定められたものであると理解できること

から、外部規範としての機能を有しても差し支えないとされている。たとえば、国立公文書館のサービスを利用する際に支払う手数料については、国民の金銭負担にかかわる権利や義務に影響するものではあるが、実費や社会状況等を考慮してその額を定める必要があることから、法律上の委任を受けて国立公文書館が定める規則である「独立行政法人国立公文書館利用等規則」で定められている。法律の形式による外部規範の例としては、「公文書管理法」をはじめ、「公文書館法」「国立公文書館法」があるほか、国民による文書へのアクセスを規定した「情報公開法」および「個人情報保護法」があげられる。「特定秘密保護法」は特定秘密情報の取扱いやその秘密指定の解除について定めたものであり、国民の行政情報へのアクセスの制約を含むものであることから、公文書管理法制に含めて理解することもできる。また、裁判文書のうち、刑事裁判の記録の保存については、特に「刑事確定訴訟記録法」によって保存の方法や閲覧の手続が定められている。

▶日本における公文書管理法制の整備

　日本における文書管理法制の整備は、外部規範を制定して公文書への国民のアクセスを保障し、統治活動の透明性を高めると共に説明責任（アカウンタビリティ）を確保することで、民主主義や国民主権に資するための過程として進められてきた。わが国の文書管理法制の整備は、1987（昭和62）年の公文書館法制定に始まり、実質的な文書管理に関する規定については、地方公共団体を含めても、2001（平成13）年の宇土市文書管理条例が最初となる。このようにしてみると、公文書管理法制の整備の歴史は意外と浅いと思われるかもしれない。しかし、これはあくまで外部規範の整備状況についてのものであり、日本では、極めて精緻な内部規範が伝統的に存在し機能していたことは、見落としてはならない点である。

①法規化への動き－情報公開法の制定－

　内部規範から外部規範の整備への流れを決定づけたのは、1999年の行政機関情報公開法の制定であった。この法律が制定される以前は、統治アーカイブズはもっぱら統治活動における公的事務の効率的執行を目的とした技術の体系であり、執務資料の集積であり、また行政のための書庫施設であるにとどまっていた。しかし、情報公開法が制定され、国民が統治アーカイブズへのアクセスを保障されるようになると、情報公開制度の円滑な運用の前提を確保することが必要になった。つまり、統治アーカイブズは国民の行使する権利の対象となり、また、国民が行政文書目録を閲覧して情報の開示請求を行った場合には、それに対して一定の期限内に応答を行うことが統治組織に義務づけられるようになったため、それに適した文書の整理と保存が必要になったのである。行政機関情報公開法では、

国民の権利の対象となる文書の範囲を「行政文書」として定め、それを「行政機関の職員が職務上作成し、取得した文書であって、当該行政機関の職員が組織的に用いるものとして、当該行政機関が保有するもの」と定義づけた。この定義は、現在の公文書管理法における公文書の定義としても用いられており、また本章で用いている「公文書としての統治アーカイブズ」の定義としても、これが最も適切であると思われる。

　そして、この行政機関情報公開法の重要な点は、公開に適した行政文書の整理を規定した条文を、当初から含んでいたことである。当時、内部規律による行政文書の整理方法は確立されていたものの、その特定や開示を前提とした具体的な措置については、法律の委任を受けた政令（行政機関情報公開法施行令）によって統一的に定められることになった。その内容は、行政文書分類の基準や文書の作成基準、専用の場所に保存すること、保存期間の基準や廃棄に関する事項など基本的な事柄であった。その後、各省庁においても法律や政令に準じた内容の文書管理規則が制定されるようになった。「情報公開と文書管理は車の両輪」といわれるが、適正な行政文書の管理こそが、情報公開法の運用・開示の基礎をなすものであるとの理解がこの時期に浸透し定着したことの意義は大きい。外部規範に基づいた行政文書の管理を確立したという点において、公文書管理法制整備の決定的な前進であったといえる。

②公文書管理の一般法の整備に向けて

　行政機関情報公開法から公文書管理法の制定までには、さらに10年の時間を要した。この間、2007年頃までに、年金番号の不整合により年金保険料の納付記録が不存在とされる事案が多数発生した、いわゆる「年金記録問題」の原因の一つに、納付記録にかかわる紙文書の大量廃棄があることが指摘される事態が生じた。また同時期には、防衛省においても、海外に派遣された海上自衛隊の補給艦の航泊日誌が保存期間満了前に誤って廃棄されていたことが明らかになり、政府における公文書の不適切な管理が大きな問題とされた。公文書管理法制のあり方として、情報公開法に基づいて国民に開示する段階においての行政文書の特定性や利便性を確保するのでは不充分だったことが、これらの事案を通じて明らかになった。こうして、文書の作成から保存、そして歴史的価値のある文書は公文書館に移管して永久保存し、必要がないものは廃棄するという、文書のライフサイクルのすべての段階において法規の効力を及ぼし、適正を担保することの必要性が指摘されるようになった。このような状況のもとで、公文書管理のあり方等に関する有識者会議はその最終報告書（2008年11月４日）のなかで以下のように指摘し（１頁）、公文書に対して包括的に適用されるべき法規としての公文書管理法制の

必要性を強調した。

> 公文書の管理を適正かつ効率的に行うことは、国が意思決定を適正かつ円滑に行うためにも、また、証拠的記録に基づいた施策が強く求められている今日、国の説明責任を適切に果たすためにも必要不可欠であり、公文書を、作成⇒保存⇒移管⇒利用の全段階を通じて統一的に管理していくことが大きな課題となっている。

③公文書管理法制定の意味―セグメント型法制からオムニバス型法制へ―

　このような経過を経て、2009年に成立した公文書管理法は、パッチワークのように個別的に整備されてきたそれまでの公文書管理法制を包括し、その名のとおり公文書管理法制の中心的ルールであるにふさわしい内容をもつものであった。上述したとおり、情報公開法は、行政機関が現に保存している文書である現用文書についての国民の開示請求と、その請求があった場合の取扱いを定めており、そのために現用の行政文書の管理が適正になされることを求めるものである。しかし、情報公開法は、現用でなくなった文書についてはルールとしては適用されず、歴史文書としての国立公文書館への移管や、それらの公開については依然として内部規範に頼らざるを得ないという実態があった。また、この法律ができたことを受けて、たとえば情報公開対象として特定されるのを防ぐためにわざとファイル名や分類をわかりにくいものに変えて「ファイル名を丸める」処理などが一部の省庁や部署で横行したことも報道されていた。このように、従来においては、そもそも文書の作成や保存の過程に法規としての規律が及んでいなかったという事情も存在していた。公文書管理法制定以前の公文書管理法制の姿は、このように断片化された個々のルール群の組み合わせによってできた「セグメント型」とも表現されるべきものだったといえよう。

　それに対して、公文書管理法は文書の作成・保存・廃棄または国立公文書館への移管といった現用文書の取扱いのすべてをその対象とする法規であると同時に、現用でなくなった文書のうち国立公文書館に移管された文書について、新たに「特定歴史公文書等」という概念を設けてその取扱いについても規定し、この特定歴史公文書等についての国民の利用請求権をはじめて明文化した。このことによって、現用文書と非現用文書を包括する公文書全体が、単独の法律のもとでそのライフサイクルの全過程について規定されることになった。こうして従来の公文書管理法制の断片化は解消され、たとえば情報公開法は、現用文書の国民への公開について、公文書管理法の現用文書に関する規定と一体的に解釈・適用されることになる。つまり、公文書管理法が公文書管理法制の一般的ルールとして機能し、情報公開法や個人情報保護法などの従来のルール群がその部分ルールとし

て用いられるという関係が成立する。公文書管理法の制定後の公文書管理法制の姿は、公文書管理法のもとにルール群を統一的に運用することのできる「オムニバス型」へと変化したということができよう。

▶公文書管理法の規定内容と特徴

この公文書管理法の内容的な特徴は、以下の諸点にまとめることができる。

①現用文書管理の一元化

公文書管理法以前は、現用文書の管理については総務省の行政管理部局が、歴史公文書の管理については独立行政法人国立公文書館を所管する内閣府が中心的役割を担っていたが、両者の統一的運用は困難であった。それに対して公文書管理法は、行政機関の公文書全体について、行政の最高責任者である内閣総理大臣の管理権限を定め（9条、26条など）、現用文書と非現用文書に包括的な管理が及ぶことを明確にした。また、文書のライフサイクル全体を視野に入れた公文書管理の実現のために、文書管理に関する事務は、内閣総理大臣のもとで内閣府が一元的に担うことになった。

②統一的管理ルールの規律レベルの引き上げ

公文書管理法以前は、現用文書の管理は各行政機関の内部規範に基づいて行われていたが、あくまで内部規範に頼るところが多かったため、ファイル名を不適切に設定したり、私的な手元資料のかたちで本来は公文書となるべきものを抱え込んだりするなど、不適切な運用もみられていた。公文書管理法では、公文書の統一的管理ルールを法規で規律しているため、それに矛盾する内部規範については排除することが可能になった。公文書管理法の対象となる統一的管理ルールの内容は、公文書の作成基準（4条）、分類および保存期間の基準（5条）、行政文書管理簿の記載内容（7条）、公文書が非現用となった際の国立公文書館への移管の基準（8条など）であり、行政機関において行政文書管理規則を内部規範として定める際は、統一的管理ルールの内容と不統一を生じてはならないことも定められている（10条）。

③レコード・スケジュールの導入

レコード・スケジュールとは、文書について、その作成以後の可能な限り早い段階で、あらかじめ保存期間と保存期間満了後の措置について定めておくことをいい、リテンション・スケジュールとも呼ばれる。公文書管理法以前は、国立公文書館を所管する内閣総理大臣と文書の移管元となる行政機関の長が協議し、その合意が得られた場合に限って、国立公文書館に文書を移管することができるとする運用がなされていた。しかし、この運用のもとでは、行政機関の態度によっ

ては移管を拒否して公文書を「公用物」として抱え込むことが可能になってしまうという問題があった。そのため、保存期間の満了前のできる限り早い時期に公文書の所在を把握するとともに移管の有無を早期に決定しておく（5条5項）ことで、このような弊害を防ぎ、公文書の「公共用物」としての位置づけを徹底している。またそれに加えて、ある公文書の保存期間が満了する時点になってその公文書を国立公文書館に移管するか否かの判断を行うことには、困難が生じることもしばしばあるため、公文書の成立の経緯やそのときの背景、そしてなによりその目的や内容が明確な段階であらかじめ移管の有無を判断しておくことで、文書の廃棄と移管の判断を合理化する意味もある。

④文書管理における遵法性の確保

公文書管理法は、各行政機関において行政文書管理規則を内部の規律として定めることを認めているが、従前の運用のようにそれがきちんと守られないのであれば意味がないのであるから、内部の規律が行政機関において遵守されることを確保する必要がある。そのため公文書管理法では、各行政機関には行政文書の管理状況について内閣総理大臣に報告する義務を課し（9条1項）、また内閣総理大臣は行政文書の管理、国立公文書館は歴史公文書の移管について、各行政機関に対して報告を求め、あるいは資料の提供を要求することができる（9条3項・4項）ことが規定されるなど、公文書管理法がルールとして運用されることと、内部での規律が公文書管理法のもとで解釈・適用されることを確保するようになっている。民間企業などでは法令の遵守を掲げ、そのための行動指針の策定や内部統制制度の構築を行うことをコンプライアンスと呼ぶが、公文書管理法との関係では、各行政機関もこのコンプライアンスを要求されるといえるかもしれない。

⑤中立で専門的な判断の確保、有識者・専門家の知見の活用

公文書の管理に関する専門的かつ中立的な判断を担保するため、公文書管理制度全体に関する内閣総理大臣の諮問機関として、内閣府に公文書管理委員会が設置された（28条）。公文書管理委員会は、統一的管理ルールにかかわる政令案や、各行政組織の行政文書管理規則の案など公文書管理法制を構成するルールの制定について意見を述べるほか、国立公文書館において保存される特定歴史公文書等を廃棄する場合にはその同意について諮問を受けることとされている（29条）。公文書管理委員会には、公文書管理法の運用判断が偏ったものになったり近視眼的なものになったりしないようにする役割が期待される。

また、国立公文書館についても、その権限をより強化するための制度整備が行われ、行政機関が現用文書の保存を委託した場合に現用文書の管理を行うことができることとされた（国立公文書館法11条1項・3項）ほか、先に述べたとおり、

歴史公文書の移管について、行政機関に対して報告や資料提供を要求できるようになった。このように、公文書の管理を専門に取り扱う行政機関としての役割が明確になり、この点においても公文書管理法の運用においてその専門的知見が活かされることが期待されている。

⑥非現用文書の公開と利用の促進

　公文書管理法以前は、非現用となった歴史的公文書の公開や利用については、内部規範である国立公文書館利用規則によって定められていた。しかし、国民による利用を拒否する場合の基準が必ずしも明確でなく、また利用が拒否された場合の不服の申し立てについても制度整備が不充分であった。国立公文書館に保存される歴史的公文書へのアクセスは国民の知る自由の一つであって、権利として保障されていなければならない。また、利用拒否はその権利の制限となるから、その制限の事由については、法の支配・法治主義の建前から、法規で定める必要があると指摘されていた。そのため、公文書管理法は特定歴史公文書等についての利用請求権を明文化するとともに、非公開とする事由を法律で定めて恣意的な非公開を防ぐようにすることで、国民によるアクセスを保障した(16条)。また、利用請求に対しての利用拒否の場合や国立公文書館の応答が得られない場合には、国立公文書館長に審査請求を行うことのできる制度も整備され、その審査にあたっては、公文書管理委員会への諮問が義務づけられている(21条)。

　さらに、国の重要な歴史公文書を担っているという性格にかんがみ、国立公文書館は展示その他の方法により積極的に一般の利用に供するよう努めるべきことが定められている(23条)。その一環として、国立公文書館の Web サイト上でのデジタル展示として常設されているものもあるので、是非一度みてもらいたい。

▶公文書管理法制と秘密保護法制

　特定秘密保護法が公文書管理法制に含まれるというと、違和感をもつ人もいるかもしれない。確かに、公文書管理法制は国民共有の知的資源としての公文書の管理と国民の情報へのアクセスに関するルールであるのに対して、秘密保護法制は国と国民の安全のために情報の漏えいを防止するルールであって、両者はまったく異なる方向性のものといえる。しかし、秘密保護は必要がなくなれば解除されるものであり、秘密保護の解除後の情報は統治主体の保有する情報として公文書管理法制に基づいて管理され、国民にそのアクセスが保障されるようになるべきものである。つまり、秘密保護法制は、秘密保護の必要に基づき、公文書管理法制による公文書のアクセスに制限を設けるものであると理解することができる。このように考えれば、秘密保護法制は公文書管理法制の公開制限に関する部分ル

ールとして位置づけられることになる。

①秘密保護法制の機能と内容

　秘密保護法制の機能としては、国と国民の利益のために秘密を保護することと、民主主義に対しての秘密の危険性を制御することをあげることができる。特定秘密保護法は、特定秘密となるべき情報として、防衛に関する事項、外交に関する事項、特定有害活動（スパイ活動）やテロリズムの防止にかかわる情報を列挙している（３条、別表）。これらの情報が漏えいした場合に、日本の国の利益だけでなく国民の生命や財産に影響が及ぶことは、容易に想像がつくだろう。公文書管理法制との関係で特定秘密保護法をみる場合に重要なのは、後者の機能の方である。国家が統治活動を行い、外交や防衛など機密を要する事項がそれに含まれる以上、一定の範囲で秘密を保持する必要性が生じることはやむを得ない。しかし、問題はその保持すべき秘密の決め方である。秘密として保護される範囲が無制限に拡大し、またはその秘密の範囲が行政の意図だけで決定されるとすると、民主的決定に必要な情報や政府にとって都合の悪い情報が隠されてしまう恐れがある。そこで、指定することのできる秘密の種類や範囲、そして指定や保護の手続について、国民の代表機関が定める法律の形式で民主的にあらかじめ定めておき、秘密保護が含んでいる民主主義へのリスクを制御する必要がある。

　このように、公文書管理法制との関連で秘密保護法制をみると、公文書管理法制が保障する国民の情報へのアクセスに対する制限として秘密保護の制度は存在していることになる。一方で、その秘密保護に対する制約を設けることで、むしろ民主主義や国民の情報へのアクセスに及ぶ秘密保護のリスクを抑えることが、秘密保護法制の存在理由であると理解することができる。諸外国において、秘密保護に関する公文書館の権限が認められているのは、両法制のこのような関係性に基づくものである。日本の特定秘密保護法では国立公文書館が特定秘密にかかわることは規定されてはいないが、特定秘密指定が解除されたファイルについては保存期間満了後に国立公文書館に移管することを義務づけている（４条６項、なお保存期間満了後に廃棄ができることを定めた公文書管理法８条１項は、この場合は適用されないことになっている）ことから、いったんは特定秘密とされた情報についても、将来的には公文書管理法制のもとで、公文書館における国民のアクセスが保障されることを予定している。

②特定秘密保護法の制定とその意味

　特定秘密保護法の必要性に関する議論のきっかけは、いわゆる「尖閣衝突ビデオ」の流出事案である。2010（平成22）年に日本領海に侵入した中国漁船が海上保安庁の艦船に衝突した瞬間を収めた映像について、政府は「いろいろな配慮」か

ら機密扱いとし、国会の求めに対しても一部を開示しただけであった。しかしその後、機密情報であったはずのその映像の全部が、海上保安庁の職員により漏えいされ、動画配信サイト上で閲覧可能な状態になっていた。その映像の内容が、衝突状況に関する政府の説明とは異なるものだったことから、この映像が機密扱いとされるに至った理由や、機密扱いの決定にかかわる政府の説明責任が問題とされた。公文書管理法制と秘密保護法制の観点からここで問題となるべきは、秘密指定の基準が事前に設定されていなかったことである。さらに、その秘密指定の検討について国会の関与さえ制限されていたこと、しかも、国民的関心の高い秘密事項が将来的にオープンになるのかどうか不分明であったことも、問題として指摘された。

このような事案における教訓から、特定秘密保護法は、特定秘密の指定とそれに対する保護の措置と手続、さらには必要がある場合の特定秘密の国会・行政機関・裁判所への提供、特定秘密の指定期限とその解除、そして特定秘密の取扱いにかかわる職員等についての適性評価について定めている。そのなかでも、特定秘密保護法を公文書管理法制に位置づけたときの意義は、行政機関の特定秘密指定について法規による基準を設定したこと(3条)、そして、秘密解除の期限と条件についてはじめて明確に規定した法律であること(4条)の2点にある。また、特定秘密を扱う職員については、この法律に基づく適性評価(セキュリティ・クリアランス)が義務づけられることになったが、この適性評価は、職員本人の同意に基づいて、そのテロ組織との関係性や犯罪歴・懲戒歴だけでなく精神疾患に関する事項や飲酒に関する事項に至るまで生活関係のかなり広い部分が対象となる。しかも家族についても国籍などを含む個人情報が対象となることから、法律に基づく権利の制限として規定する必要があったものと理解される。

③「悪法」としての秘密保護法制?

そもそも特定秘密として情報へのアクセスを遮断すること自体の是非については、さまざまな評価がある。ただ、国家の統治活動のうえで、秘密としての保護を必要とする情報が存在すること自体は、どうしても避けることができない。公文書管理法制の観点からは、確かに情報へのアクセスを制限する点において「悪法」という評価もあり得ると思われる。しかし上述したように、特定秘密保護法が基準を設けることで秘密指定の拡散を防止し、解除の期限や条件を設けることで政府の秘密指定権限の制限に作用するものであると捉えるのであれば、むしろ公文書管理法制による情報へのアクセスの「制限に対する制限」として機能し、知る自由を具体化する役割を果たしているものと理解することも可能である。

ある法制度が妥当性をもって運用されるか、あるいは悪法に堕してしまうかは、

その運用がどうであるかによるところが大きい。特定秘密保護法については、運用基準として基本的人権、とりわけ知る権利や報道・取材の自由への充分な配慮が明文で定められている(22条)。また、2014年の施行にあわせて、特定秘密の指定を検証し監察する職である独立公文書管理監およびその傘下の情報保全監察室が内閣府に設置されるなど、適正な運用に向けての制度的基盤が整えられてきている。秘密保護法制は、上述したように統治アーカイブズへのアクセスにかかわる制度であることから、今後もつねに、国民の関心と視線が向けられていることが重要になるだろう。

6 統治アーカイブズと権力

　最後に、統治アーカイブズの最も重要な特性である、権力との近接性について触れておきたい。統治アーカイブズは、統治活動の手段であり、したがって国家にとっては権限の根拠となり、国民にとっては権利の証拠となるという性質をもつ。統治アーカイブズは本質的に権力とのかかわりを絶つことはできず、その管理はすなわち権力の行使の問題として扱われることになる。そのため、統治アーカイブズの管理の主体は、法と政治に精通した官吏であることが前提とされてきた。そして、統治アーカイブズは権力の根拠そのものであるため、それをいかに整理して使える状態にしておくかが、統治活動の成否をしばしば分けることになる。つまり、統治アーカイブズの文書管理の成否は、文書が権限の源であることを前提として、どのようにすればそれを最も合理的かつ現実的に実現し得るか、という手段選択の問題であると捉えることができる。技術としての統治アーカイブズが、ドイツで統治技術の体系として発達した官房学に取り込まれることになったのは、この点からすれば当然の帰結であったといえるだろう。

　このような権力との親和性と近接性から、歴史のうえでは、統治アーカイブズはしばしば権力者の力の源泉となり、あるいはその存在を正当化する権威として利用されてきた。たとえば、ドイツのアーカイブズ学においては、二つの独裁体制と統治アーカイブズの関係が引き合いに出される。

▶ナチズム—高度に整合化された統治手段と Terror の結合—

　20世紀の前半にドイツに出現したナチズムの独裁支配は、当時としては最先端の、極めて緻密な統治アーカイブズの技術によって支えられていた。ナチ党の組織である親衛隊(SS; Schutzstaffel)は、国家の警察組織と融合し、国家秘密警

察（Gestapo）などの警察機関を傘下に加えて強大な権力を振るった。本質的には警察組織であったSSは、当時のドイツにおいて被差別人種とされた人々の逮捕や移送、強制収容所の管理運営や強制労働による企業活動、後方業務にかかわるものなど、多岐にわたる膨大な文書を作成し、それによって整然と業務を処理していた。逮捕・移送対象となった人々についてはそれぞれに個人カードが作成され、移送から中間収用、強制収容所での収容と強制使役、そしてガス室における処置や埋葬に至るまで、細かく記録されていた。SSやその傘下にある警察組織では、多岐にわたる文書を柔軟かつ合理的に整理するため、従来の簿冊に書類を綴じて整理する方法ではなく、カードやタブフォルダを用いて分類を自在に区分けできる、現在のファイリングシステムに相当する方法も開発して用いていたことがわかっている。また、強制収容所でも、文書の管理の技能をもつ被収容者は重用されていたことをうかがわせる資料が残されている（**写真2**）。

　戦後、ナチズムのもとで被差別人種とされた人々に対する虐殺の罪で裁判にかけられたSSの元幹部たちは、「命令されたことを実行しただけ」「決められた仕事を処理したのだ」と口を揃えて証言した。書類の上で人の命を処理する方法が決定・分担され、それぞれのSS隊員たちは現場の断片のみを目にするだけで、事務的に「処理」すれば済むようになっているしくみができあがっていたことが、そのような証言の背景にあるものと推測することができる。

　また、第三帝国の総統であったヒトラーは、自らの理想に適合するように、ドイツの歴史文書を集めて書き変えようとさえしたといわれる。戦前からのドイツ

写真2　**強制収容所の被収容者登録用の机と書記証**（左上）　書記役となった被収容者は特別待遇を与えられたが、秘密保持のためにガス室に送られるなどして定期的に入れ替ったともいう（ダッハウ強制収容所記録施設蔵）。

写真3　**ヘッセン州マールブルク公文書館エントランスホール**　上部の天窓には、落成当初は国章鷲とハーケンクロイツが浮かび上がる仕掛けがあった（執筆者撮影）。

のアーカイブズ学の中心地であるマールブルクにあるヘッセン州マールブルク公文書館は、ナチ党の歴史文書庫として建設されたとされる建物におかれているが、当時、その内部はナチズム建築の様式に彩られていた(**写真3**)。決して余裕があるわけではなかった当時のドイツの国情のなかで、歴史アーカイブズをも取り込むことを目した統治アーカイブズに対して莫大な投資を行っていた事実から、権力の維持にとってアーカイブズがいかに重要な意味をもっていたかがうかがえよう。

▶シュタージ―権力の淵源としての情報と組織の原動力としての文書―

　20世紀の後半にドイツの東側地域を支配した東ドイツでは、共産主義政党が独裁的な権力を振るった。その権力の最も重要な装置が、秘密警察であるシュタージ(Stasi:国家保安省)だった。シュタージの振るった力の源も、やはり文書であり、国内外における諜報活動や秘密工作活動の結果は、すべてカードや書類に残されていた。とりわけ、シュタージはスパイ網を国内に張り巡らし、反体制と目された人物は徹底して監視し、その結果を個人カードに詳細に残していた。蓄積された莫大な文書はカードに紐づけられて整理収納され、自在に検索し使用することができたという(**写真4**)。文書の内容をもとにした脅迫や強要、協力者の獲得でスパイ網は徐々に広げられ、西ドイツの連邦議会議員や首相秘書官にまで及んでいたという。シュタージの場合、文書が権力として機能すると、その権力が再び新たな情報をもたらし、ますます文書を充実させ、それによってシュタージの力が増強されるという循環が築かれていたといえる。

　1990年のドイツ統一に向けた平和革命においては、シュタージ本部の書庫は、ほかの政府施設よりも先に市民によって突入され、そこにあった文書は市民によって自主管理されることになった。この事実は、一般市民に至るまでシュタージの権力の源が文書であることが知れ渡っていたことを物語るものでもある。シュタージの文書は、2021年4月までは独立機関である連邦シュタージ文書管理庁(BStU)によって管理されていたが、現在は連邦公文書館に移管され、連邦公文書館の支所

写真4　協力者や監視対象者のコードネームや分類情報などが記されたカード
監視対象者ごとの資料の紐づけ・検索に用いられた(シュタージ文書資料館蔵、執筆者撮影)。

として設置されたシュタージ文書資料館において保存されている。これらの文書は、元の監視対象者の立場からみれば個人のプライバシーを侵害する情報であり、必要な管理と公開を求める権利が保障されなければならない。一方、元シュタージ職員や協力者の立場からみれば文書は秘密工作活動の記録であり、統一ドイツにとっては彼らを利敵行為で訴追するための証拠となるため、適切に保存され、裁判所や検察に提供されるのでなければならない。シュタージ文書資料館は、文書の管理や修復等の保存のほか、情報開示、裁判支援、メディア対応、学術研究支援などの任務を継続して行っている。シュタージ文書は独裁体制の権力そのものとして用いられた統治アーカイブズがほぼ完全なままで保存されている希有な例であって、体系性・資料的価値のいずれも高く、今なお市民の政治的関心や学術および報道上の関心が寄せられている。

▶統治アーカイブズの力―統治アーカイブズのためにはたらくということ―

　これらの二つの例から、権力にとっての統治アーカイブズの位置づけは、権力の適正かつ円滑な行使の保障と、国家における価値そのものの具体化ないし正当化であると理解できる。

　SSやシュタージの権力が強まり拡大するのにともなって、統治アーカイブズの技術面が整合化され発達していったことからは、権力の行使の場面における統治アーカイブズの接合性をよくみて取ることができる。統治アーカイブズは、ときに力そのものとなり、また、権力に接合してそれを増強させることもできるという特性をもつ。

　また、ヒトラーおよびSS、そしてシュタージは、それぞれ異なるものではあったが、それぞれの抱く価値や理想を、アーカイブズを通じて具現化し、正当性を与えようとした。人には知る自由があり、知ることのできた情報によってその行動を決定する自由がある。一方で、このような歴史的事実から、その自由の対象である情報を制御することが、その自由に対する大きな影響力として作用し、ときにはこれを圧殺するほどの力となるであろうことは、否定し得ない。

　戦後のドイツにおいて結成されたドイツ公文書館職員連盟が、アーカイブズの職業的使命について「歴史は叙述せず、ただ仲介する」としているのは、権力に近接しているがゆえの節制と中立性に配慮したものと捉えることができる。統治アーカイブズを扱うことは、すなわち統治そのものにかかわることでもある。したがって、統治アーカイブズを扱う者は、統治アーカイブズがその活動を根拠づける統治組織の円滑な活動を妨げてはならないのはもちろんのこと、また、国民の知る自由をはじめとする基本的人権を損なってはならない。そのために、統治

アーカイブズの構成要素に即して、どのような技術論が必要なのか、また、どのような文書が作成され残されている必要があるのか、またそれに適した制度や機関・組織はどのようなものか、といった考慮が必要となる。これらはいずれも統治アーカイブズの不可欠の要素であり、三位一体のものである。良好な施設だけ、あるいは山のように積まれている文書だけでは、そもそも統治のための用をなさない。フォン・ラミンゲンが、歴史アーカイブズと区別される統治アーカイブズの要素として「法と政治に精通した官吏」を想定し、その技術の面を中心においたことには、やはり意味があるように思われるのである。

【参考文献】

宇賀克也『逐条解説　公文書等の管理に関する法律』第3版(第一法規、2015年)

右崎正博・三宅弘編『情報公開を進めるための公文書管理法解説』(日本評論社、2011年)

上代庸平編『アーカイブズ学要論』(尚学社、2014年)

小川千代子・菅真城ほか編著『公文書をアーカイブする―事実は記録されている―』(大阪大学出版会、2019年)

青井未帆・斉藤豊治ほか『逐条解説特定秘密保護法』(日本評論社、2015年)

Adolf Brenneke, *Archivkunde. (Ein Beitrag zur Theorie und Geschichte des europäischen Archivwesens Bd.1.)*, De Gruyter Verlag 1988(Reprint ed.).

Eckhart G. Franz /Thomas Lux, *Einführung in die Archivkunde. 9.Aufl.*, Wissenschaftliche Buchgesellschaft 2018.

Dagmar Unverhau(Hrsg.), *Das Stasi-Unterlagen-Gesetz im Lichte von Datenschutz und Archivgesetzgebung. 2. durchgesehne Aufl. (Archiv zur DDR-Sicherheit Bd.2.)*, LIT Verlag 2003.

Verband deutscher Archivarinnen und Archivare e.V. (Hrsg.), *Das deutsche Archivwesen und der Nationalsozialismus*, Klartext Verlag 2007.

上代　庸平

第 3 章

歴史研究とアーカイブズ
―史料保存運動から地域持続まで―

▶**歴史研究とアーカイブズのあゆみ**

　本章では、日本の歴史研究とアーカイブズの保存・活用の関係について解説する。特に、歴史家たちが「史料保存運動」を開始する1945（昭和20）年の敗戦から今日までのあゆみを概括したい。話題の中心となるのは、戦後以来、歴史家たちが一貫して保存の対象としてきた地域社会に伝わった記録アーカイブズ（以下「地域アーカイブズ」という）である。

　アーキビストの活動にかかわる学問領域は非常に広範にわたるため、原則論でいえば、アーキビストになるための入口は多数存在するのが自然である。行政の実務に通じた人物、情報技術に精通した専門家、文書修補（しゅうほ）の技術者などさまざまな学問的・実践的背景をもつアーキビストが協働することで、文書の作成から保存・公開に至るまでの体制は盤石となる。

　しかしながら、日本で記録アーカイブズに関する専門的な業務に従事してきた実務家の多くは、大学・大学院で歴史学、なかでも日本近世史・近代史を専攻した歴史家である。昨今、アーキビストが専門職として位置づけられ、職務上必要な技能が明確にされようとするなかで、法学や図書館情報学など歴史学以外の分野からアーカイブズ学の道に入ったアーキビストも増えてきてはいる。だが、依然として歴史学をバックボーンとするアーキビストの全体に占める割合が大きいのもまた実情である。つまり、アーカイブズ学が自立した学問として成立し、アーカイブズを取り巻く学問の裾野が広がった今日であっても、歴史学はいまだアーキビストをめざすうえでの有力な入口なのである。

　地方公共団体（以下、自治体という）におけるアーカイブズの現場に目を向けるとそうした傾向がはっきりとみえてくる。アーキビストを文書館の専門職としておいている自治体は、沖縄県、大仙市（秋田県）、尼崎市（兵庫県）など全体のごく一部である。文書館を設置している自治体でも多くの場合は、歴史系の学芸員や中学校社会科・高等学校地理歴史科の教員などが人事異動により文書館に配置されている。これには、①各地の個人宅に伝来してきた膨大な近世・近代文書のほとんどがくずし字（草書体）によって現在とは異なる形式で作成されており、近世

史・近代史の知識や古文書学・史料学の素養がなければ読解が困難であること、②市区町村では文書館あるいは文書館機能をもつ施設の設置が進んでいるとはいいがたい状況にあるため、地域アーカイブズの整理・保存・公開は主に歴史系博物館や教育委員会の文化財課、郷土資料／地域資料を扱う図書館などが中心となって行われてきたこと、③アーキビストの国家資格化および養成課程の整備が博物館学芸員や図書館司書のようには進まなかったことなど、複数の要因があげられる。

　そのなかでも、④戦後に築かれてきた歴史研究と地域アーカイブズの関係性は背景として重要である。戦後最も早い段階で地域アーカイブズの散逸を危惧し、保存に取り組んできたのは、地域の歴史に関心を寄せる大学・研究機関の研究者たちであり、ゆかりのある地域の足取りを自らたどろうとする郷土史家たちであった。なお、ここでいう郷土史家とは、大学や研究機関に所属しないで地域の歴史研究に取り組む研究者のことを指し、属性にかかわらず歴史研究にかかわる者全般を指す場合は歴史家と記すこととする。

　日本の歴史学は、19世紀後半から文字による記録の検証を通じて過去を再現しようとする実証主義史学を基本に発展してきた。そのため、歴史家たちは記録アーカイブズに歴史研究の材料としての価値を見出し、保存・公開への意欲を高め、行動に移してきたのである。ここ30年ほどでかたちを変えてきてはいるものの、歴史研究と記録アーカイブズの太い結びつきが切り離されることは今後もないだろう。とりわけ、歴史研究と地域アーカイブズのあゆみを理解しておくことは、アーキビストとしてはたらく前提として必須となる。

1　近世地方文書と敗戦前後の散逸・喪失

▶各地に伝わる近世・近代の記録アーカイブズ

　日本は、各地の個人宅に前近代の記録アーカイブズが大量に伝わってきた世界的にみてもまれな地域である。現在でも旧家の蔵からまとまった古文書がみつかることも珍しくはない。そうした文書群の核となるのは、近世の村落で蓄積された地方文書（村方文書、在方文書ともいう）である。

　地方文書の大半は、名主や庄屋・肝煎などと呼ばれた村役人が管理していた文書群である。近世社会においては、近代国家のように中央の統治機構が民一人ひとりを掌握していたわけではない。将軍や大名、旗本などといった領主がおく支配機構のもとで、基本的には百姓身分である村役人が村の行政を請け負っていた

（村役人の身分や職務内容は地域によって差異がある）。そのため、職務をこなすなかで作成・収受された文書は村役人の手元に集積していった。

近世社会は文書主義によって成り立っており、文書による統治が行われていた社会である。領主と行政実務に従事する村役人のあいだでは、支配関係のあらゆる場面で文書が発生した。村政を円滑に運営するために、領主から出された命令、年貢の上納、人口の増減、領主への嘆願、他村との争論などに関する文書を適切に管理することが、村役人には必然的に求められたのである。このように、村役人の活動にともなって構築された文書群は、村役人個人あるいは家の私有物ではなく、村の共有物だと百姓たちに認識されていた。他家の百姓が村役人を引き継ぐと、次の家へと村政文書も引き継がれてゆく。保管場所として村役人宅ではなく、村が共同で管理する蔵や寺院・神社の「宝蔵」などが選ばれることもあった。

これらは、1872（明治5）年に村役人が廃止されたのち、一部は戸長役場へと引き継がれ、89年の町村制施行後、町村役場に継承されることもあった。だが、それ以外は各家でそのまま所蔵されるか、区有文書（ここでいう区は、近世の旧村にあたることが多い）というかたちで区長のもと地域社会で共同管理された。こうして地域社会において保管されてきた近世の文書群は、一般的に「○○家文書」「□□区有文書」との名称を付与されるが、調査に入ると近代草創期の行政文書もあわせて発見されることがしばしばある。これは、徳川幕府が倒れ、明治政府が成立したのちも旧村役人層の多くが地方行政の末端に存在し、近世における共同体が引き続き機能していたことを示している。家文書の場合は、農業・漁業・林業・貸金業などの家業や家計・家政など家の経営に関する文書が公的な文書に混在しているが、これは公私が未分離であった近世の文書群にみられる特徴である。

戦後の史料保存運動で、まず保存すべき主な対象とされたのは、これら近世以来の地域アーカイブズであった。

▶地域アーカイブズの散逸・消失

各地に所在していた近世から近代にかけての地域アーカイブズは、火災や水害によって被災・消失した例などを除けば、戦前期を通じて大規模な散逸は起きずに地域社会によって保存されていた。だが、戦時中から敗戦後にかけて大量の文書が散逸・消失してゆくことになる。

空襲による焼失は直接的にこうむった被害として言及しておかなければならないが、そのほかに、敗戦時に焼却・廃棄された行政文書があったことはよく知られている。占領軍の追及を逃れることを目的に中央官庁や軍部では書類が焼かれ、市町村役場の行政文書も廃棄されたとの証言・記録が残っている。本来廃棄の対

象とされたのは、機密文書や動員関係文書であったが、燃やされて灰となった文書のなかには軍事機密・戦争責任などとはおよそ関係のない一般の行政文書も少なからず含まれていた。この時期に消失した文書の全体像は不明だが、混乱の渦中で本来廃棄される必然性のまったくない文書までもが失われたことは事実である。また、全般的な物資不足による紙資源の徴用（再生紙の原料とされた）、文書の疎開・移動にともなう選別によって大量廃棄が実施されたことも明らかとなっている。その程度については地域差があるものの、文書館のような「文書廃棄の防波堤」が存在しなかったこともあり、敗戦前後の行政文書の廃棄は深刻なものとなった［加藤、2005年］。

　敗戦以降の社会変革によって記録アーカイブズの散逸はさらに深刻となった。1947（昭和22）年の華族制度の廃止は、旧大名家・旧公家などの没落を招き、各家が所蔵していた古文書・美術品の売却があいついだ。また、連合国軍最高司令官総司令部（GHQ／SCAP）の指示により実施された農地改革によって地主制が解体されたことは、結果的に地域に所在していた近世以降のアーカイブズの散逸を促すことになった。地方文書を保有していた近世の豪農は、近代に地主に成長するケースも多かったが、農地改革によって地主の財産が大幅に削減されることになり、各家で家財の処分が進められた。そのなかで、自宅の蔵に保管されていた近世・近代の文書群も古紙回収業者や古書店へ売却されてゆくことになる。また、果実の防虫用の袋材料や茶袋、襖の下張りなどに再利用された文書もあった。こうした動向は、1950年代なかば頃まで目立って続いたとされている。

　旧地主らが保有していた地方文書は、必ずしも骨董的価値や歴史的価値が認められて売り出されたわけではなかった。日本社会全般の紙不足にともなって古紙の需要が高まり、再生紙の原料として和紙で作成された古文書の価格が高騰したことが売却を進める引き金となったのである。特に、1948年から翌49年には古紙が貫あたり（1貫は3.75kg）100円以上で取り引きされた。1950年末から翌51年のなかばにかけても朝鮮戦争の影響を受けて紙資源の価格が高騰し、膨大な地域アーカイブズが旧家から流出していった。

　このように、急速に散逸が進んだ背景には、近世以降の地域アーカイブズの価値に対する所蔵者の無自覚や、「敗戦とそれにともなう社会変革による自国歴史への自信喪失」があったことも指摘されている［原島陽一「第2章　戦後の史料保存問題の発生（1945〜1963年）」（全国歴史資料保存利用機関連絡協議会編、1996年）8頁］。敗戦後の喪失感によって自己の歴史に対する自信・関心が稀薄化したことが、地域の歴史を記録したアーカイブズを軽視する傾向を生み、手放すことにつながったという見解である。

2　史料保存運動の開始と史料館の創設

▶史料保存事業の開始

　敗戦後に、地域アーカイブズが滅失してゆこうとする状況に危機感を抱き、そ
れを食い止めようとする動きが各所で現れた。1946(昭和21)年には、農林省の土
地制度史料調査委員会および日本学術振興会の農漁村史料調査委員会が調査・収
集事業を開始し、49年には日本常民文化研究所内に設けられた漁業制度資料収集
委員会が水産庁におかれた資料整備委員会と連携して調査・収集事業に着手した。
また、1948年に近代史家の大久保利謙(のちに国立国会図書館憲政史料編纂事務
嘱託、名古屋大学教授、立教大学教授などを歴任)によって国会に提出された
「日本国会史編纂所設置に関する請願」に端を発して、翌49年に国会分館図書課
に憲政資料 蒐 集 係(現在の国立国会図書館憲政資料室の前身)が開設された。同
係および後身の憲政資料室は、明治期以降の政治家・官僚・軍人の関係文書を中
心に収集したが、これは「維新の元勲」の一人である大久保利通の子孫であり、
自身も旧華族であった利謙を通じて実現したところが大きかった。

　1947年春頃には、文部省科学教育局人文科学研究課が全国的なアーカイブズの
調査・収集事業を本格的に検討し始める。文部省が問題視したのは、法律で保護
することが可能な国宝などに指定された文書の保全ではなく、あまたある近世以
降の古文書類の散逸であった。人文科学研究課長犬丸秀雄は、人文科学委員会歴
史部門の委員の意見を聞いたうえで、8月15日に同課長室で辻善之助(仏教史、
東京帝国大学名誉教授、聖心女子学院専門学校教授)、野村兼太郎(経済史、慶應
義塾大学教授)、小野武夫(経済史、元法政大学教授)、後藤守一(考古学、國學院
大學教授)、岩井大慧(東洋史、駒澤大学教授)、渋沢敬三(民俗学、実業家)、上
原専禄(西洋史、東京商科大学教授)と善後策を協議した(肩書はすべて当時。以
下同じ)。その結果、「とりあえず散佚のおそれある史料だけでもおさえることが
絶対に必要であり、購入その他の方法によって国がこれを集めることがもつとも
有効適切な方策であろう」との結論に至った(文部省大学学術局編『学術史料の
収集と保存』〈文部省大学学術局、1949年〉6頁)。文部省は、これを受けて協
議・検討を重ね、「これらの古文書・古記録は学術研究上欠くべからざる史料で
あるとの見地から、散佚・破壊のおそれある主として近世以降のものを蒐集保存
し、将来はこれを研究者の利用に供する目的の下に、新たに学術史料蒐集の事業
をはじめる計画を樹て」ることに決定し、大蔵省に対して予算要求を行った(同
前)。この要求によって、1947年度予算の第二予備金から50万円の予算と若干の

事務費を得て収集事業が開始されることになった。

　文部省は、11月に辻・野村・小野・後藤・岩井と再度協議したのち、十数名の歴史家を学術史料調査委員に任命して事業に着手した。収集の対象とされたのは、「(イ)地方旧家、旧役人、資産家(地主・山主・商家)、事業家(船主・網元・問屋・運送業者等)その他の家に伝存する文書・記録類。(ロ)講・組・株仲間に残存するもの。(ハ)町村役場等に残存するもの。(ニ)寺院神社等に存するもの。(ホ)其の他に残存するもの。」であった(「昭和二十六年度原議書綴」No.2、国文学研究資料館所蔵「史料館文書」A1-390)。その結果、1947年度には10件・約1万4800点、48年度には25件・約2万2100点、49年度には6件・約8800点の記録アーカイブズが収集された。

▶近世庶民史料調査委員会

　こうしたなか、1948(昭和23)年に小野武夫を委員長、野村兼太郎を副委員長とする近世庶民史料調査委員会が組織された。同委員会は、全国を八つの地区(北海道、東北、関東、中部、近畿、中国、四国、九州)と「綜合」に分けて、第一科会から第三科会までに区分し、48年度から52年度にかけて「近世庶民史料」の全国調査を実施した。各科会には、各地の歴史家が調査員・研究員として所属し、民間に所在する記録アーカイブズの調査に動員された。調査対象は、原則として織豊期から明治末年までの文書・記録・図書などのいわゆる「文献史料」であり、文献以外の遺物・遺跡などは必要に応じて選択するとされた。

　調査の成果報告書として刊行された『近世庶民史料所在目録』全3冊(日本学術振興会、1952～55年)には、全国の文書群の所蔵者・旧地名・数量・年代・内容・利用の各項目が記載されている。これは所在状況の概要のみを示したリストであったが、別途各文書群について一点ごとの文書目録も作成され、全国の分を文部省史料館および京都大学経済学部が所蔵するとともに、各地区の分を拠点となった国立大学の各部局(北海道大学農学部農業経済研究室、東北大学附属図書館、東京大学史料編纂所、名古屋大学経済学部、京都大学経済学部、広島大学文学部国史研究室、松山商科大学経済研究所、九州大学九州文化研究所)が保管した。

　近世庶民史料調査委員会による調査は、全国に所在する文書群を網羅的に調査しようとする姿勢を示したが、現実的にはそこまでには至らず、部分的な把握にとどまった。しかしながら、歴史学界に「近世庶民史料」の保存に対する意識を喚起するのに大きな役割を果たした活動であったといえる。

▶史料館の創設と歴史家

　各地で「近世庶民史料」の調査・収集事業が進むなかで、収集した文書群の受け皿として「史料館」の必要性が提起されるようになった。すでに、文部省においても収集した文書群の収蔵先や公開・利用が課題として浮上しており、「史料館」（「歴史館」とも称される）の設置が考案されていた。だが、1948（昭和23）年度予算案として要求された史料館設置準備委員会のための予算は認められなかった。この「史料館」は、近世の古文書を軸としつつも、考古遺物や民俗資料、官公庁の行政文書までをも収集対象とした非常にスケールの大きい機関が構想されていたようである。

　一方で、野村兼太郎ら96名は、1949年に史料館設置に関する請願書を衆参両院へ提出した（３月28日受理）。ここには、日本近世史の研究者を中心とした歴史家のほかに、渋沢敬三や大久保利謙ら史料保存運動にかかわってきた主な人物たちが名を連ねている。この請願書は、野村が代表理事を務めていた社会経済史学会が中心となって起草したものとされているが、史料保存運動の趣旨をよく反映した内容となっている。

> 歴史資料としてよく整理され、また史料に利用されてきたものはその一小部分で、江戸時代以降の民間記録類に至つては、一部の郷土史家以外には殆（ほとん）ど顧（ママ）られませんでした。これは、従来の歴史がいわゆる「支配者の歴史」であつて、皇室、国体、政治、軍事乃至（ないし）文化、思想方面の研究に重点を置くことを余儀なくされた結果、我々の生活に最も関係の深い産業、経済、社会等の部門がおろそかになり、なかんづく近世の庶民生活などに就（つ）いての研究は無きに等しい実情でした。従つて今後の歴史研究者に課せられた責任は、今まで多く顧られなかつた史料、殊（こと）に民間記録に就いて実証的な研究を進め、単に従来の歴史の空欠を補填するだけでなく、その科学的研究によつて血の通つた「日本の歴史」を新に編纂することにありますが、ここに最も不幸な事実は、肝心な根本史料であるところの古文書・記録類、その量と質とを世界に誇つた歴史資料の多くが現在佚亡（いつぼう）に瀕していることであります。（中略―引用者注）
> 　未曾有の湮滅（いんめつ）過程にあります民間史料を蒐集いたし、これの保存と利用とを図りまして世界文化に貢献しますことは、もはや個人の力や、弱体化しました研究機関の手に負える事業ではありません。右の目的を達成します上に残されました唯一の途（みち）は、国立の史料保管機関（史料館）を設けて文書の散佚防止策を講じますと共に、自家保存に堪えなくなりました民間の史料を国の力で蒐集する以外にはありません。　　　　　[「昭和二十六年度原議書綴」No.1、「史料館文書」A1-389]

請願書に書かれているように、歴史家たちが地域アーカイブズの散逸を防ごうとした背景には、「支配者の歴史」ではなく、民衆史や地方史への関心を高めた学界の動向があった。敗戦を経て既存の歴史観の転換を迫られるなかで、歴史学は再出発することになり、権力・中央中心の歴史研究から民衆・地方の歴史へと視点を広げたのである。そうした研究動向と、研究の材料となる地域アーカイブズの散逸が進行する状況があいまって、歴史家たちが史料保存運動に駆り立てられた。

　請願の紹介者の一人であった森戸辰男（衆議院議員、元文部大臣）は、4月20日に開かれた文部委員会で請願の趣旨にそって次のように説明した。

> 従来わが国の歴史は、いわゆる支配階級の歴史でありまして、国民生活に最も関係の深い産業、経済、社会、文化などの部門がおろそかになつておりました。ことに近世の庶民生活の研究につきましては、非常に不十分な状態にあつたのであります。従つて今後の歴史研究者は、民間記録による実証的な研究を進めて行かなければならぬ。それでないと、日本の歴史を科学的につくつていくということに、非常な支障になるのでありますするところがこの民間の資料というものが、戦時から戦後にかけまして、非常に隠滅し、逸散しておる状態にありますので、今にしてこれに対しての十分なる処置を講じないでおりますれば、日本の、ことに社会文化史の面において多くの欠陥が残るということになるのであります。
>
> ［国会会議録、第5回国会衆議院文部委員会第9号］

　この請願が採択されて、国立のアーカイブズとして史料館の設置が決定し、1951年、東京都品川区 豊 町に文部省史料館が設立された（現在の国文学研究資料館が史料館の機能を引き継いでいる）。5月30日に出された文部省令第10号第1条では「わが国の史料で主として近世のもの（以下「史料」という）を収集し、保存し、及び利用に供し、併せて史料についての理解及び普及を研究に資するために、文部省大学学術局に史料館を置く」とその役割が定められていた。

　目の前で文書群が散逸してゆくまったなしの状況下で、短期間で地域アーカイブズの調査・収集活動を推進し、史料館の創設にこぎ着けたことは、運動にかかわった歴史家たちの功績だといえる。一方で、日本におけるアーカイブズの保存・利用の起源が歴史家たちの「近世庶民史料」の保存運動にあることは、以後のアーカイブズの保存・利用をめぐる動向に「史料そく古文書などという史料館イメージにしばられがちな運動という枠」を与えてしまった側面も否定できない［高橋、1996年、23頁］。特に、地域の民間アーカイブズは、歴史家のための、歴史研究のための「史料」としての認識が現在でも根強く残っている。

3 歴史研究の展開とアーカイブズ

▶地方史研究とアーカイブズ

　戦後、史料保存運動と背中合わせに地域の歴史を研究する動向が活発となった。1950年代から60年代にかけて郷土史研究の団体が各地でつぎつぎと発足する。たとえば、1950（昭和25）年11月には、東京都西多摩郡の福生町（現、福生市）・五日市町（現、あきる野市）・瑞穂町などの地域の歴史に関心をもつ人々によって西多摩郷土研究の会（のち多摩郷土研究の会）が結成されている。同会の機関誌の創刊号（巻頭言）で、会長久保七郎（東京都立青梅図書館初代館長）は次のように語っている。

> 思想に文化に政治に産業にあらゆる面の我等先人の足蹟を明らかにし、今日を知り将来発展の基盤とするものでなければならないと考ふるものであります。教職に在る人、公務にたずさわる人、文献を所持する人、あらゆる人々の一致協力なしにはこの事は龍頭蛇尾に終ると考ふるものであります。この研究がやがて小、中、高等学校の児童生徒の「私たちの住む郷土」の社会科の正鴻（鵠）な資料となりまた現在並びに将来の産業等あらゆる面の生きた基本的資料とならなければならない。一日、一日と失はれつゝある文献、遺蹟の保存、これ等のことをわれ等は西多摩に住む十五万の人々の協力を得て実現したいと考ふるものであります。
>
> ［『西多摩郷土研究』創刊号、1951年］

　こうした郷土史研究団体の中心となったのは、地域の住民をはじめとする地域にゆかりがある人々である。郷土史研究団体は、大学教員や研究機関の研究員のような歴史研究をなりわいとする研究者と交流をもつことはあっても、あくまでも活動の主体は地域社会の内側にいる郷土史家たちであった。彼／彼女らは、地域の歴史を掘り起こそうとするなかで、各地に眠る文書を呼び起こして歴史研究に活用してゆくが、その活動によって発見され、地域社会で共有された地域アーカイブズは膨大な数に及ぶ。近世庶民史料調査委員会の調査活動を下支えしたのも、その後、最も身近で地域アーカイブズの保存・利用に関与し続けたのも郷土史家たちであった。郷土史家たちが、地域アーカイブズの保存・利用に直接的に大小の影響を与えたことは、20世紀以降の記録アーカイブズをめぐる歴史を考えるうえで不可欠な視点である。

　西多摩郷土研究の会設立と同じ1950年には、「各地の地方史研究者、研究団体相互間及びそれと中央学会との連絡を密にし、日本史研究の基礎たる地方史研究

を推進することを目的とする」全国的な組織として地方史研究協議会が発足した（同会会則第3条、初代会長は野村兼太郎）。地方史研究協議会が1952年に刊行した『地方史研究必携』（岩波書店）は、「これまでの郷土史は、とかくいわゆるお国自慢に堕するものが多かった」と従来の郷土史研究のあり方を非科学的だと批判し、「歴史は人間の生活していたところ、すべてにわたって展開したはずである。どんな村人も歴史を荷い歴史を創って来た」と民衆史・生活史の研究の重要性を訴えた（同書、1～2頁）。

　ここでいう「お国自慢」とは、近代国家が創り出した正史にすり寄る郷土史のことを指している。無数にある過去のなかから意図的に選択された人物やできごとをもとに、「わが郷土出身の○○は天皇・皇室のために忠義を尽くした」「わが地域は明治維新の過程で日本の近代化のために多大な貢献をした」といったことを主張する顕彰的な色合いが極めて濃い歴史語りのことである。1900年前後からみられる郷土史家たちによるこうした郷土研究のあり方は、史実をゆがめるばかりではなく、ナショナリズムにつらなる郷土愛を育むものだと認識されていた。とりわけ、敗戦を経験したばかりの歴史研究者たちにとって、結果的に戦争へと向かう愛国心を涵養することに一役買った郷土史は忌避されるべき対象であった。地方史研究協議会が、会名に地方史と冠したのも、郷土史からの脱却を意図してのことである。「郷土人」による「郷土としての地域社会を対象」とした郷土史研究のみではなく、「単なる郷土史以上に広い意味をもちうる地方史の研究という視点を選ぶ」と宣言されている（同前、1頁）。なお、その後、中央―地方の関係で歴史を捉えるのではなく、地域の主体性を明瞭にするために、地域史という呼称も使われるようになった。

　以上のような学界の動向を背景に、地域のアーカイブズに依拠した着実な実証研究に基づく地方史を積み重ねることで、新しい日本史像を構築するという方向性が歴史家にとって共通の了解事項となってゆく。これは、「血の通つた「日本の歴史」」を描こうとする史料館設置の請願書の文脈にみえた意識と重なる。こうした地方史研究の成立・展開は、全国の歴史家に地域アーカイブズの保存意識を萌芽させ、利用を促した。

▶資料センター問題

　1964（昭和39）年から翌65年にかけて、歴史研究者や記録アーカイブズの保存・利用に関心をもつ人々のあいだで「資料センター問題」（「日本史資料センター問題」ともいう）が起きた。これは、日本学術会議の第一部会におかれている人文科学振興特別委員会が中心となって検討された案で、いくつかの国立大学（北海

道大学、東北大学、富山大学、名古屋大学、大阪大学、広島大学、九州大学など）を拠点として、地区ごとに国立の「史料（サービス）センター」（「日本史資料センター」ともいう）を設置しようする計画に端を発した日本の史学史上の一大事件である。東北大学が作成した「東北地区史料センター案」は、以下のようにその意図を説明している。

> これら史料は、組織的な保存機関欠如のために、1. 広汎に分散し、2. 保存状態が著しく劣悪で史料の散逸が急速化しつつあり、3. 史料の利用度、とりわけ共同利用度が低く、それゆえ、研究の困難も増大せざるをえなかつた。したがつて、この種の欠陥を除去するために、既存機関では処理しえない、これらの史料の組織的収集、保存、共同利用の機関を設置することが研究の発展にとつて緊急事となつている。東北地区史料センターは、この目的達成のための機関であるが、他方で、西洋史研究も、やや事情を異にするとはいえ、同種の困難に逢着し、基礎史料の補充と広汎な共同利用の体制を整備すべきときにきているように思われる。それゆえ、東北地区史料センターに、日本近世史部門とともに西洋史部門を並置し、全国的視野のもとに組織的な史料の収集、保存とインフォメーション、サービスの機能を綜合的に遂行することが適当であると考える。
>
> ［「国立史料センター設立要望関係書類綴」、「史料館文書」A1-552］

　ここにあるように、この計画は国立大学の機関として史料センターをブロックごとに設け、地区別に記録アーカイブズの収集・公開をはかろうとするものであった。近世史部門に西洋史部門を併設する案は、東北大学の独自案であり、大学によって取り扱おうとする時代・範囲には個性がみられるが、国立大学の機能を拡充して地区ごとに記録アーカイブズの保存・公開機能を集約しようともくろんだ点は、各大学の案に共通している。
　この計画が、歴史学界の知るところとなったときから議論が巻き起こった。結果的にこの案は、歴史家たちの猛反対にあって実現しなかったが、論争のなかで取り上げられた論点は、以後の運動に重要な視座をもたらした。主なものは次の3点である。

①平等性・公平性の確保

　歴史関係の37学会が作成した、日本学術会議議長、同人文社会科学振興特別委員会幹事および同委員会国立史料センター小委員長あての1965年3月11日付けの申し入れ書には次のようにある。

> 私たちは、いわゆる「日本史資料センター」のような史料保存・利用のための機

関の設立運動は、ほんらい、ひろく各学会、研究者の意見に基づいて、立案され、具体化されねばならないと考えます。しかし、現在のところでは、右の日本学術会議の諸機関での、審議の過程はもとより、諸案さえも公開されていない状態であります。もし、このままの状態を放置するならば、各学会・研究者の意見は、ほとんど反映されないままに、一部の大学、研究機関に属する研究者の利益に帰する「日本史資料センター」が設立されることになるのではないかと思われます。

[「国立史料センター設立要望関係書類」同前]

　この批判は、日本学術会議における「日本史資料センター」計画の手続が民主的ではないことを指摘するのと同時に、センターとして手をあげている特定の国立大学が史資料を独占しかねない問題点を鋭く突いている。戦後の史料保存運動では、公開・利用が意識されつつも、切羽詰まった状態のなかで収集が優先される傾向にあった。これに対して、資料センター問題をきっかけに史資料に対するアクセスの平等性・公平性の確保が――一般市民ではなく、歴史家にとっての平等性・公平性ではあるが――、問題化したことは重い意味をもつ。記録アーカイブズは、特定の研究機関・研究者のものではなく、共有されるべき資源だと広く認識されることになったのである。

②アーカイブズの「中央集権体制」への批判と現地保存

　「日本史資料センター」案は、外見上は地区別の「現地主義」をとっているとはいえ、一部の国立大学・研究機関に史料および史料情報を集約しようとするという点で文部省史料館の延長線上にある発想であった。これが、歴史学界からは「中央集権的体制」であると糾弾され、地域のアーカイブズは地域で保存・公開する、という現地保存主義が共通認識になった。史料館の活動もこれをきっかけとして、マイクロフィルムなどの複製物による収集を基本とする方向に切り替えてゆく。

　もとより、散逸の恐れがある地域アーカイブズを東京の機関に集中させることで保全をはかる方法は、予算・人員が追いつかなかったこともあり、限界を迎えていた。この頃、敗戦直後の緊急措置として寄贈・借用などさまざまなかたちで東京に集められた文書の返却が問題化するケースも出てきた。網野善彦『古文書返却の旅―戦後史学史の一齣―』(中公新書、1999年)は、日本常民文化研究所が行った古文書収集・返却の顚末を「失敗史」としてくわしく紹介している。

③地域における保存利用体制の検討

　現地保存主義が前提となれば、各地域における記録アーカイブズの保存・利用体制の整備が本格的な議論にのぼるのは必然である。1959年に、日本最初の文書

館として山口県文書館が開館していたが、他の自治体では文書館の設置が進んでいなかった。都道府県および市区町村では、文書館や博物館に先行して設けられていた図書館の郷土室・郷土資料室を中核として、1950年に制定された「図書館法」に基づき地域アーカイブズの収集・保存・公開が行われていた例もあった。だが、資料センター問題で現地保存主義が自明となったことを期として、歴史家や史料保存関係者から各自治体に文書館設置を求める声が強くなった。

そのなかでは、史料保存運動が主たる対象としてきた近世・近代の民間史料だけではなく、各自治体が保有する公文書をも射程に入れた議論がなされている。前述の山口県文書館は、旧山口藩主毛利家から寄贈された文書群を軸として成立したが、行政文書の収集・公開も視野に入れており、山口県以外の自治体でも公共図書館で行政文書を収集・公開していた例もあった。つまり、1960年代の中頃には、文書館設置の有無はともかくとしても、民間アーカイブズとあわせて公文書の保存・公開が必要な段階にあることは共通理解となりつつあったのである。すでに、1958年に日本歴史学協会が日本学術会議に対して「国立公文書館建設の要望書」を提出し、翌59年11月には日本学術会議が内閣総理大臣岸信介に宛てて「公文書散逸防止について（勧告）」を出していることからも、行政機関が保有する公文書が歴史資料として充分に認知されていたことは理解される（国立公文書館は71年に開館）。自治体については、1953年の町村合併促進法、56年の新市町村建設促進法で進められた市町村合併（いわゆる昭和の大合併）によって廃棄された旧町村の行政文書が問題となり、それらの保存も課題として浮上していた。

▶文書館運動

資料センター問題を受けて、日本学術会議は、1969（昭和44）年11月、内閣総理大臣佐藤栄作に対して「歴史資料保存法の制定について（勧告）」を出した。これは、①「歴史資料」の範囲は、近世以前のすべての古文書・記録類、明治期以降の戸長役場・市町村役場・都道府県庁・国の出先機関の行政文書、明治期以降の私的文書・記録類のうち重要なものとすること、②歴史資料は、現地において現物のまま保存すること、③都道府県には文書館を設置し、市区町村には設置を促進するための措置を講ずること、④文書館の業務に関する大綱を定めること、⑤文書館の専門職に関する規定を策定すること、⑥委員会制度を設けることを盛り込んだ法律を制定することを勧告するものであった。歴史資料保存法は結果として実現しなかったが、ここで掲げられた事項は、以後の文書館運動の指針の一つとなった。

大学・研究機関に所属する研究者が主導した戦後の史料保存運動に対して、

1960年代以降の文書館運動は、担い手の層が圧倒的に広がったことが特徴である。郷土史研究団体や博物館・図書館職員、自治体史編さん事業の関係者、行政職員などを巻き込んで文書館運動が展開した。1963年の第14回地方史研究協議会大会（岡山大会）では各県・各市町村あての「資料の保存および散佚防止に関する要望」が決議され、66年の全国公共図書館研究集会では「公共図書館と文書館制度について」がテーマとされた。文書館設立の機運が全国的に高まるなかで、山口県に続き、1963年に京都府で博物館・図書館・文書館の複合施設である京都府立総合資料館（現、京都府立京都学・歴彩館）が設置され、68年に東京都公文書館、69年に埼玉県立文書館、70年に福島県歴史資料館、72年に神奈川県立文化資料館（93〈平成5〉年神奈川県立公文書館の設置により廃止）、73年に茨城県立歴史館がオープンした。市町村でも、67年に下関文書館、74年に藤沢市文書館が設置されている。

　このように、文書館機能をもつ施設が各地で設立され始め、また検討に着手した自治体も現れたが、その設置形態や取り扱う文書の範囲、業務の内容などはさまざまであり、それぞれが抱えている問題も多様であった。そうしたなか、課題の共有・解決ならびによりよい体制づくりのための連携に向けて、1974年に歴史資料保存利用機関関係者懇談会が開催された。この懇談会が母体となって75年に歴史資料保存利用機関連絡協議会（84年全国歴史資料保存利用機関連絡協議会に改称）が発足し、自治体などのアーカイブズ関係機関で専門的な業務に従事する人々がよこのつながりを深めていった。同会は、これ以降の文書館運動で重要な役割を果たすことになり、87年に成立した「公文書館法」に向けて展開した運動においても日本学術会議とならんで中心的な存在となった。記録アーカイブズの保存・利用は、もはや歴史家だけの問題ではなくなったのである。

　1970年代から90年代にかけ、「公文書館法」の成立も追い風となって都道府県レベルの文書館設置が進んでゆくが、そのなかで歴史家のあいだで最大の関心事の一つとなったのが1950年代後半から80年代にかけて活発となった自治体史編さん事業で収集された資料の公開であった。自治体史は、行政区分を単位として編まれる歴史書で、多くの場合、自治体発足以前からの歴史を現代まで叙述する。自治体が外部の研究者に委託して編さんされるのが一般的だが、編さん事業の基盤となるのは歴史家による地域アーカイブズの悉皆調査である。悉皆調査は、当該自治体にかかわる歴史資料を網羅的に把握するための調査活動であり、数千から数万点の原本・複製が収集・整理される。自治体史編さんは、時限的なプロジェクトとして行われるため、刊行が完了したのち担当した組織は解散することになるが、そのときに問題となるのが収集した文書の保存・公開である。いうまで

もなく、自治体史は個人研究の成果ではなく、自治体の予算で実施される公的事業である。そのため、編さんにともなって蓄積された文書は、歴史家や歴史学界だけのものではなく、住民をはじめとする一般市民に対しても公開されるべき文化資源だと考えられるようになった。こうした考え方をもとにして、福島県歴史資料館、松本市文書館などは自治体史編さんの完了を契機として設立されている。また、埼玉県・群馬県・栃木県・千葉県・神奈川県などのように、自治体史で収集された文書を文書館が引き受け、公開するケースも増えてきた。なお、1999年から2010年にかけて行われた平成の大合併で新たな自治体が誕生したこと、戦後一度目の編さんから時間が経過したことなどを背景に、近年も自治体史編さんが各地で進められている。文書館未設置の市区町村などでは、編さん完了後の収集資料の公開が過ぎ去った過去の話題ではなく、今日的な課題となっている。

4　今日の歴史研究とアーカイブズ

▶アーカイブズ学の成立と歴史学

　1980年代中頃までの記録アーカイブズの保存・利用をめぐる動向の過程で、運動の担い手となる層は広がりをみせたものの、それを理論的に支える学問領域は未成熟なままであった。歴史学は、記録アーカイブズに記された情報を利用する立場ではあっても記録アーカイブズや文書館そのものを対象とした学問ではないし、古文書学や史料学も歴史学の補助学問として位置づけられる領域である。日本で、ディシプリンとして独立したアーカイブズ学が萌芽するのは、80年代後半を待たねばならなかった。

　欧米のアーカイブズ学に学んだ安澤秀一（国文学研究資料館史料館教授）による『史料館・文書館学への道―記録・文書をどう残すか―』が1985（昭和60）年に刊行され、翌年には大藤修（国文学研究資料館史料館助手）と安藤正人（同）の共著『史料保存と文書館学』がつづけて発表された。その後、安藤が1998（平成10）年に上梓した『記録史料学と現代―アーカイブズの科学をめざして―』により学問としてのあり方が筋道立てて説明され、さらに2003年には国文学研究資料館史料館編『アーカイブズの科学』上・下巻が刊行されてアーカイブズ学は一応の成立をみた。

　もちろん、これらの本だけではなく、今日のアーカイブズ学につらなる成果は、伝統的な古文書学・史料学にも見出せるし、史料保存運動・文書館運動においても蓄積されていた。また、学問的な枠組みがなくとも古文書整理に携わるなかで、

経験的にアーカイブズ学における史料整理の原則と同種の方法論にたどり着いていた者もいた。それらを基盤としながら、海外のアーカイブズ学との融和をはかり、学問として体系化しようとしたのが安澤たちである。各書の書名からもわかるように、当初はアーカイブズ学に「史料館学」「文書館学」「記録史料学」などの訳語があてられていたが、2000年に開催された日本歴史学協会主催史料保存利用問題シンポジウムにて大友一雄(国文学研究資料館史料館教授)が行った報告により、「アーカイブズ学」に名称が落ち着いたとされる。

　安澤・大藤・安藤らをはじめとする日本におけるアーカイブズ学の主だった提唱者たちは、いずれも日本近世史を大学・大学院で専攻し、史料保存運動や古文書の整理、研究活動を行う過程でアーカイブズ学に行き着いた。だが、歴史学から離れて自立した学問分野を築くのは簡単なことではなかった。アーカイブズ学が成立するまでに、歴史学との衝突も生じている。たとえば、安藤は、近世史研究者たちが行ってきた史料整理のあり方を文書群の原秩序を破壊する「生体解剖」だと批判し［安藤、1998年］、これまで行ってきた史料整理を真っ向から否定された歴史家らは拒否反応を示した。1983年に刊行された児玉幸多編『古文書調査ハンドブック』では、古文書が多量にある場合は、まず冊・一紙ものに分け、簿冊類は美濃判・半紙判の竪帳・横帳および横小判に「荒仕分け」し、そのうえでかたまりごとに年代順・作成者別に並びかえると整理の手順を説明している（26〜27頁）。これは、当時の歴史家たちが行っていた一般的な古文書の整理方法であり、原秩序よりも作業上の効率と研究者の利用面での便利さを重視したやり方であった。安藤は、そのような手法を「生体解剖」だと一刀両断したのである。

　このように、アーカイブズを保存し、継承してゆくという方向性は、歴史家とアーキビストで一致するものの、学問上の棲み分け、役割分担、そして方法論をめぐって葛藤・対立が生まれることもあった。最近では、日本の歴史学会としては最大規模の会員を有する歴史学研究会の会誌『歴史学研究』にて「歴史家とアーキビストの対話」（2017年から2022年まで）というシリーズが組まれるなど歴史学側からの歩み寄りもみられるが、歴史学とアーカイブズ学のあるべき関係性の構築はこれからの検討課題でもある。

▶地域社会の変容とアーカイブズ

　一方で、歴史家とアーキビストが協働する場面は、日本社会の変容を受けて近年増加している。1954(昭和29)年から73年にかけての高度経済成長期に「経済成長の影響をうけた共同体の変容により、それまで歴史資料を保存してきた主体が、変容ないしは弱体化した」［三村昌司「とらえなおされる地域歴史資料―歴史資

料保全活動と地域に残された歴史資料—」（奥村編、2014年）77頁］ことにより、地域アーカイブズの散逸が再び進んだ。都市への人口流出、家の断絶によってアーカイブズを維持する後継者が失われていったことによる結果であるが、今日では地方の人口減少が一層深刻となっている。過疎化が進行する地方では、共同体・自治体の消滅すら現実となってきた。

　そうした社会状況のもと、地域アーカイブズをどう守るか、という議論とともに地域アーカイブズを活用していかに地域社会を持続するか、という議論が歴史学・アーカイブズ学の研究者らによって活発となっている。こうした動向は、学問的な動機に加えて、人文科学を取り巻く厳しい環境や研究成果の社会還元が強く求められる昨今の事情がからみあってさかんになっているが、関連する学問領域と連携・融合しながら現実にコミットしようとする志向が強い点に特徴がある。また、アカデミズムの外側にいる地域住民や自治体の職員とともに活動が推進されていることも特色としてあげられる。歴史家は、過去のできごとを明らかにする専門家であり、アーキビストは記録アーカイブズを扱うプロフェッショナルであって両者とも現代社会の分析や地域振興などといった分野は一般的な知識の域を出ない。また、現地で実際にそれらを保存・活用するのは研究者ではないから、地域社会の内部にも担い手が必要となる。そこで、自治体の行政職員、地域住民や社会学者などを巻き込みながら検討が重ねられているのである。

　歴史家やアーキビストが要請される、あるいは専門家としての役割を果たせる場面は、地域アーカイブズに基づいて地域アイデンティティを再構築し、地域持続の助けになることであるとされている。各地で実践が蓄積されてきたが、現在求められているのは必ずしも従来型の自治体史のような歴史叙述ではないし、ただ文書館を建てることでもない。研究者の価値観を一方的に押しつけるのではなく、地域社会が「歴史の基となる「記録」を共用することによって紡ぎ出される多様な解釈からなる歴史」［加藤聖文「公共記録としての民間文書—地域共同体再生論—」（国文学研究資料館編、2017年）90頁］を構築し、住民が地域固有のアイデンティティを獲得できるように支援することであろう。一方で、政府や行政の一部からは人を集める観光資源としての歴史が期待されているという現実もある。地域持続に向けて歴史家やアーキビストが、具体的に何をすべきなのかは今後一層問われる問題である。

▶大規模災害と郷土史・地域アーカイブズの再解釈

　地域社会のあり方は、最近のあいつぐ大規模災害によっても変容してきたが、そのなかで地域アーカイブズや郷土史の価値が再評価されている。1995（平成7）

年に発生した阪神・淡路大震災、2011年の東日本大震災はそのなかでも画期となった災害である。

阪神・淡路大震災以降、被災した地域アーカイブズの救出活動（史料レスキュー）が組織的に行われるようになった。歴史資料ネットワーク（史料ネット）が、関西の歴史学会を中心に結成され、数多くの歴史家、博物館・図書館・文書館関係者、市民らが史料レスキューにボランティアとして参加している。各地域においても史料ネットがつぎつぎと組織され、非常時にアーカイブズを連携して守る体制が構築されつつある。

史料レスキューの結果救出された地域アーカイブズや、それらから判明した地域の歴史に新たな価値が見出されている。史料レスキューを先頭に立って進めてきた奥村弘（神戸大学教授）は、「地域社会の中で活用し、次の世代へと引き継いでいく人々の姿が、素材である歴史資料と連関して捉えられ、地域社会の中で通念化していくもの」を「地域歴史遺産」と呼び、地域社会とともに歴史資料を保全してゆくことの重要性を主張している［神戸大学大学院人文学研究科地域連携センター編、2013年］。用語の名称や用法は研究者によって一定しないものの、理念そのものはその後の活動に引き継がれている。東日本大震災で行われた被災文書のレスキューを通じて、天野真志（東北大学助教）は、「市民と歴史を共有し、その根源たる歴史資料保存の意味を共有することができるのは、今回の被災資料対応を市民全体で実施することの大きな利点であろう」と指摘している［「津波被災歴史資料とボランティア」（奥村編、2014年）385頁］。

地域アーカイブズの価値の再発見とともに、戦後歴史学で敬遠された郷土史、さらには郷土愛の意義を見直す発言が歴史家から発せられている。平川新（東北大学教授）は、「地域に入って史料保全を続けるうちに郷土を愛する心なくして歴史資料や文化財を守る心は十分に育まれないのではないか」と考えるに至ったと述べ、郷土史家を再評価している［「歴史資料を千年後まで残すために」（奥村編、2014年）48頁］。平川は、地域の古文書や文化財を守り、伝えてゆくためには郷土史家のように郷土への愛情をもち歴史研究に取り組む姿勢が不可欠であるということを指摘している。歴史研究と地域の歴史、そして地域アーカイブズの関係に再考を求める発言である。郷土史に対する理解の仕方はともかくとしても、平川のような考え方は随所でみられる。たとえば、東日本大震災で津波と原発事故を経験した福島県浪江町請戸区の住民と西村慎太郎（国文学研究資料館准教授）ら歴史家が協力して編んだ『大字誌　ふるさと請戸』（蕃山房、2018年）などは、郷土史叙述の実践を通じて研究者が地域住民と地域アイデンティティを共創し、地域アーカイブズを保全しようとする取り組みとして位置づけられよう。

▶これからの課題

　戦後の史料保存運動は歴史家の運動として始まり、その後運動の主体を拡大しながら保存とともに公開と利用を重視する文書館運動へと展開していった。アーカイブズ学が成立する過程では歴史学との衝突もあったが、現在では地域持続や大規模災害といった今日的な課題に立ち向かうべくアーキビストと歴史家は市民らと連携しながら共闘している状況にある。

　本文で取り上げられなかった課題もある。公文書管理法の時代に入り、不十分とはいえ、文書館の数は増加し、公文書管理条例を制定する自治体も少しずつではあるが増えてきた。一方で、史料保存運動以来、保全の対象とされてきた民間に所在する地域アーカイブズについては、法的に保護するしくみがあいかわらず整っていない。史料レスキューをはじめとする地域アーカイブズの保全活動はボランティアに負うところが大きい。また、いま発生した文書をいかにアーカイブズとして保存してゆくのか、ということも歴史家とアーキビストが対話しながら取り組むべき課題となっている。災害にかかわるアーカイブズ、新型コロナウイルス感染症関連の資料収集などが、将来を見据えて実施されている。

　その他にも、歴史研究とアーカイブズを取り巻く問題は山積している。歴史学を入口としてアーキビストになる人、あるいはアーキビストとしてはたらくなかで歴史研究と接点をもつ人は、学問の垣根を越えてこうした課題にも取り組んでいくことが期待される。

【参考文献】

国文学研究資料館史料館編『史料館の歩み四十年』(国文学研究資料館史料館、1991年)

木村礎「郷土史・地方史・地域史研究の歴史と課題」(『岩波講座日本通史』別巻2、岩波書店、1994年)

安藤正人・青山英幸編『記録史料の管理と文書館』(北海道大学出版会、1996年)

全国歴史資料保存利用機関連絡協議会編『日本の文書館運動－全史料協の20年－』(岩田書院、1996年)

高橋実『文書館運動の周辺』(岩田書院、1996年)

松尾正人ほか編『今日の古文書学　第12巻　史料保存と文書館』(雄山閣出版、2000年)

加藤聖文「喪われた記録－戦時下の公文書廃棄－」(『国文学研究資料館紀要　アーカイブズ研究篇』1、2005年)

神戸大学大学院人文学研究科地域連携センター編『「地域歴史遺産」の可能性』(岩田書院、2013年)

奥村弘編『歴史文化を大災害から守る－地域歴史資料学の構築－』(東京大学出版会、2014年)

国文学研究資料館編『社会変容と民間アーカイブズ―地域の持続へ向けて―』（勉誠出版、2017年）

安澤秀一・大藤修ほか「座談会　日本におけるアーカイブズ学の発展」（『アーカイブズ学研究』27、2017年）

高埜利彦編著『近世史研究とアーカイブズ学』（青史出版、2018年）

徳竹剛「地域資料の継承と歴史意識」（『行政社会論集』31-2、2018年）

白井哲哉『災害アーカイブ―資料の救出から地域への還元まで―』（東京堂出版、2019年）

宮間純一「民間資料の保存をめぐる現状と課題―多摩地域を中心に―」（蛭田廣一編『地域資料のアーカイブ戦略』日本図書館協会、2022年）

　　　　　　　　　　　　　　　　　　　　　　　　　　　　宮間　純一

第 4 章

人と資料・情報をつなぐ
―図書館情報学から―

1 アーキビストへの「入口」としての図書館情報学

▶図書館とアーカイブズ機関

　図書館とアーカイブズ機関はそれぞれ、資料を所蔵し、その資料を利用者に提供する機関である。両機関ともに、近年では所蔵する資料だけではなく、人と情報をつなげる役割も担いつつある。図書館とアーカイブズ機関の違いやその領域を議論することは、学問としてもちろん意味のあることと考えるが、視野を広くし、利用者の視点に立てば、この議論は生産性がないようにみえるかもしれない。

　本章では、図書館とアーカイブズ機関の違いやその領域に固執することなく、「人と資料をつなげる」「人と情報をつなげる」という命題のなかで、「図書館情報学」の学びをどのように活かすか、アーキビストの仕事にどのように活かせるのかといった視点で、資料の受入れからその提供に至る一連のプロセスと、これらを支える専門性を概観することとしたい。

▶図書館情報学とは

　「図書館」を知らない人はほぼいない。しかし「図書館情報学」を知らない人は多いかもしれない。かつて存在していた「図書館情報大学」という名前の国立大学をご存じの方もいるだろう。図書館情報学ではどのようなことが学べるのだろうか。まず、そこからはじめることとしたい。図書館情報学の入門書では次のように説明されている。

> 図書館情報学は司書の仕事を体系化するところから始まった学問であるが、社会の変化に応じて、より広い「知識共有現象」を対象とする学問に発展してきた。知識が人びとのあいだで、社会のなかで、歴史をとおして、伝達され、共有されていく様を現象として捉えようとする視座は図書館情報学特有のものである。
>
> ［逸村ほか、2017年］

　ここで確認しておきたいのは、図書館情報学は、決して司書になるためだけの

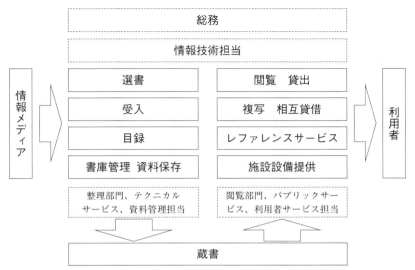

図1　図書館の業務（上田・倉田編著『図書館情報学』第2版〈246頁〉より）

学問ではないということである。また「仕事を体系化するところから始まった学問」というところは、2018（平成30）年に『アーキビストの職務基準書』がつくられた日本のアーカイブズのおかれた社会環境に似ているかもしれない。

　図書館ではたらく司書の仕事とはどのようなものだろうか。図書館情報学を体系的にまとめた書籍では、図書館業務について簡潔にまとめている。**図1**の中央左側を資料の保存に関する業務、中央右側を利用者サービスに大きく分けることができるとある［上田ほか、2017年］。この資料を受け入れてから利用者に提供するまでの仕事の流れもまた、アーカイブズ機関ではたらくアーキビストの仕事に似ているところがある。

　図書館は、所蔵する資料や情報メディアの提供だけではなく、レファレンスサービスをはじめとして、情報や情報サービスを提供することもその業務に含まれている。図書館司書資格のテキストでは、図書館が情報サービスを提供することについて、次の二つの意義があると説明している。「①大量に存在する各種の情報源の中から、人々の求める情報を体系的、網羅的に検索できるための知識と技術を提供することにより、適切な情報入手を支援すること」「②すべての人々に、印刷体はもちろん、電子形態も含めた情報へのアクセスを等しく保証すること」［山﨑ほか、2019年］。

　この「各種の情報源」のなかに記録アーカイブズも含まれるだろう。利用者からの「○○県庁の古い文書を調べたいのですが」という質問に対して、「自治体

史のような刊行物であれば所蔵しています。公文書ですと〇〇県文書館で調べてみてはいかがでしょうか」といった情報提供が、各地の図書館で行われることをアーカイブズ機関やアーキビストは期待している。もし、「各種の情報源」のなかにアーカイブズが含まれていない、認識されていないのであれば、どうしたらその情報源の一つになれるのかを図書館、アーカイブズ機関の双方で考える必要がある。また、アーカイブズ機関が取り扱うべき資料であれば、「すべての人々」にその媒体の種別によらずアクセスを保証することは、日本のアーカイブズ機関やアーキビストの役割であり、課題でもあると考える。アーカイブズ機関やアーキビストが情報サービスを提供する意義もまた、似ているところがみられる。

　本章では、図書館情報学の学びからアーカイブズ機関やアーキビストの活動にどのようにつながっていくのか、記録アーカイブズの保存と利用において、図書館情報学の学びがどのような可能性をもつのかについて紹介する。そのなかで、インターネットを通じて資料を検索し、その資料の情報や複製物であるデジタル画像をみることができるようなデジタル時代において、図書館とアーカイブズにある共通の考え方やつながりを発見することができるだろう。

2　図書館情報学の学びからアーカイブズ機関やアーキビストの活動へのつながり

　ここでは『アーキビストの職務基準書』に描かれたアーカイブズやアーキビストの活動を眺めながら、図書館情報学の学びとの接点を探ることとしたい。

▶保存環境を整え、いろいろな媒体の資料を保存する

　図書館情報学の学びの一つに「資料保存」がある。図書館情報学の用語辞典では、「資料保存（preservation）」を次のように説明している。「図書館資料や文書館〔アーカイブズ〕資料の現在と将来の利用を保証するため、元の形態のまま、あるいは利用可能性を高めるためにメディアの変換を行うなどして、維持を図ること。具体的には、資料の収集から廃棄までの一貫した基準や方針を設け、環境整備、資料利用上の注意、メディア変換、書庫スペースの確保、災害対策、他の図書館との協力、職員の研修を行うことを含む。資料保護や修復、メディア変換を包括する概念である」［日本図書館情報学会用語辞典編集委員会編、2020年］。ここでは、保存する対象となる「資料」について、図書館の資料とアーカイブズの資料の両者を明記して、「保存」の際に行うべきことが概念的に整理されてい

る。

　『アーキビストの職務基準書』では、上記の「資料保存」に含まれる業務を「公文書等の整理及び保存」「書庫等における保存環境の管理」「複製物の作成」の複数の職務に分けて示しているが、これらは相互に密接に関係している。また「書庫等における保存環境の管理」の職務内容にある「書庫、閲覧室、展示室等の保存環境(温湿度、衛生等)が適切に保たれるよう継続的にモニタリングを実施する」ことは、アーカイブズに限ったことではない。

　国際図書館連盟(IFLA)が1998年に策定した『IFLA 図書館資料の予防的保存対策の原則(原文は IFLA Principles for the Care and Handling of Library Material)』では、タイトルこそ「図書館資料(Library Material)」とあるものの、本原則では、図書館とアーカイブズ資料を並列に取り扱っている。その構成は次のとおりである。

　　　序論(Introduction)
　　　セキュリティと防災計画(Security and Disaster Planning)
　　　保存環境(Environment)
　　　伝統的な図書館資料(Traditional Library Material)
　　　写真およびフィルム媒体資料(Photographic and Film-based Media)
　　　音声・画像資料(Audiovisual Carriers)
　　　媒体変換(Reformatting)

本原則に含まれる防災計画や保存環境、多様な媒体の保存は、図書館やアーカイブズ機関にとって共通する予防的保存対策の具体的な内容が含まれ、多くの接点をみつけることができる。

▶資料を適切な媒体に変換する

　図書館情報学の学びの一つに「メディア変換」がある。アーカイブズ機関やアーキビストの活動のなかでは「媒体変換」の方が知られているかもしれない。図書館情報学の用語辞典では、「メディア変換(media conversion)」を次のように説明している。「媒体変換とも呼ぶ。印刷物をマイクロフィルムに撮影したり、光ディスクに画像データとして収録したりするなど、同一の情報内容を異なるメディアに変換して蓄積すること。デジタル情報は、メディア変換が容易なこと、変換を繰り返しても情報が劣化しないことなどの特徴があるため、アナログメディアと比較するとメディア変換が日常化している」[同前]。

　アーキビストの職務の一つにも「複製物の作成」が含まれる。たとえば基準書の「複製物の作成」の職務内容にある「劣化が進行し複製物による利用が必要で

あるもの、利用頻度が高いもの等」を念頭に入れた複製物の作成にともなう優先順位をめぐる議論は、アーカイブズに限ったことではない。

どのような資料をどのような媒体や方法で複製物を作成するかについては、図書館とアーカイブズに共通する課題である。近年では、後述のデジタルアーカイブなどによる利活用もみすえて、複製物の作成にあたり、マイクロフィルム化ではなくデジタル化を選択するアーカイブズ機関が主流となりつつある。

国立国会図書館は、「所蔵資料をデジタル化する際の仕様の共通化や技術の標準化を図り、それによってデータ品質の確保及びデジタル化作業の効率化に資すること」を目的として、デジタル化の手引を策定している。この手引きは、①デジタル化作業の概要、②デジタル化の技術、③画像データ等の作成、④画像データの品質検査、⑤デジタル化のプロジェクト管理の五つで構成される。なお2005年に初版が刊行されて以降、国内外の技術の変化をふまえて、2011年、2017年と更新されている。法律や制度のなかでは「技術の進展を踏まえて」「適宜適切に」などの言葉で一括りに表現される部分であるが、着実にその情報が更新され、この手引が提供される限り、日本国内のアーカイブズ機関やアーキビストの活動にとっても基礎的な情報源となり続けるだろう。この手引では、図書館における所蔵資料を画像としてデジタル化する一般的な目的を次のように説明している。

---

(1)原資料の代わりにデジタル化した資料を提供することにより、原資料をより良い状態のまま保存すること。

(2)遠隔利用を含めた、所蔵資料のデジタル化データが閲覧できる電子図書館サービスを実現すること。

(3)デジタル化に伴うメタデータの充実等を通じて、資料の発見可能性を高めること。

(4)作成されたデジタル化データをオープンに提供する場合は、教育、観光、ビジネスの現場において利活用することができ、新しいコンテンツやサービスの創出につながること。

(5)大規模災害の発生により原資料が散逸・破損するおそれに備え、デジタル化データを複数箇所で保存することによって、災害対策の一環としての役割を果たすこと。

これらの目的は図書館だけではなく、アーカイブズ機関やアーキビストの活動にもあてはまる。また、各アーカイブズ機関で問われ続けられる「なぜこれほどのコストや時間をかけてまで、資料のデジタル化を行う必要があるのか」への回答として受け取ることができるものばかりである。もしかすると、一点ものの資

料を多く扱うアーカイブズ機関の方が、デジタル化による恩恵を、図書館よりも多く受けられるかもしれない。

　資料の媒体変換や複製物の作成において、図書館とアーカイブズの多くの部分で、共通の基盤や考え方に立っていることを確認できただろうか。

▶使いやすい目録を作成し、公開する

　図書館情報学の学びの一つに「目録」がある。特定の資料の所在を確認したいときに利用者は目録を利用する。これは図書館もアーカイブズ機関も共通する。特にアーカイブズ機関では、資料保存の観点から閉架式の書庫で資料を管理している場合が多い。この場合、利用者は資料が排架されている棚を直接みながら資料を探すことができないので、最初に目録などの検索手段で資料を探し、利用窓口で職員に資料を利用したいことを伝え、職員が書庫から該当する資料を出納するような手順となる。

　後述する『日本目録規則　2018年版』では、「目録」を次のように説明している。「目録は、利用者が図書館で利用可能な資料を発見・識別・選択・入手できるよう、資料に対する書誌データ、所在データおよび各種の典拠データを作成し、適切な検索手段を備えて、データベース等として編成するもの」であり、目録に収録される書誌データは、「各資料に関する諸情報を圧縮・構造化した記録」、典拠データは、「特定の個人、団体、主題等に関連する資料を確実に発見できるよう、それらに対するアクセスポイント〔「一定の形式で整えられた標目」や「検索可能な記述中の出現語句」のこと―引用者注〕を一貫して管理するための記録」と説明している。

　アーキビストの職務の一つにも公文書等を対象とした「目録」の作成が含まれる。たとえば基準書の「公文書等の目録作成」の記述にある「利用者にとって使いやすい目録を作成、公開する」ことはアーカイブズに限ったことではない。

　「目録」は、人と資料・情報をつなげる最も基本的なツールである。そこで、「目録」の理解を深めるためにいくつかのテーマに整理したうえで、アーカイブズ機関やアーキビストの活動と図書館情報学の学びとの接点を探ることとしたい。目録規則、オンライン目録、典拠レコードに注目してみよう。

▶目録規則に従って目録を作成する

　利用者にとって「使いやすい」目録とはどのような目録であろうか。同じ所蔵機関の資料でありながら資料ごとに目録の項目が異なる、入力するルールが異なると、利用者は「使いにくい」目録と思うだろう。同じ所蔵機関であればもちろ

んのこと、どこの所蔵機関であっても、同じような目録になっている方が便利で使いやすいだろう。

　図書館情報学の学びの一つに「目録規則」がある。図書館情報学の用語辞典では、「目録規則（cataloging rules）」を次のように説明している。「図書館の目録を作成する指針や方法を規則の形式に箇条書きし、体系的に編成したもの。対象とされた資料の特徴を記録した書誌記述の作成に関する規則」「今日では各国または各言語圏でそれぞれ標準的な目録規則が定められており、日本では日本目録規則、英語圏では英米目録規則が広く採用されている。また、その国際的な整合性を保つための基準を示した国際標準書誌記述や国際目録原則覚書がある」［同前］。

　図書館では、国ごともしくは国際的な枠組みで標準化が進められている。どの図書館に行っても、どの図書館の検索システムを利用しても、利用者はそれほど苦も無く所蔵する資料を探すことができるのは、目録規則に従って、それぞれの図書館が目録を作成していることもその要因といえる。

　一方、アーカイブズはどうだろうか。アーカイブズ記述の国際的な標準としては、*General International Standard Archival Description (ISAD (G))* が1994年に策定され、1999年に改訂されている。ISAD(G)は、「アーカイブズ記述の作成に関する一般的な手引きを提供する。既存の国内標準と組み合わせ、または国内標準の策定の基礎」であることがその本文に示されている。なお、2021年現在において、日本におけるアーカイブズ記述の国内標準にあたるものは見当たらない。

　ここではISAD(G)の目的、基本とする原則やモデル、記述要素について触れておきたい。ISAD(G)は、次の目的を実現するプロセスの一部であることが示されている。

---

　a. 一貫して、適切かつわかりやすい記述を保証する。
　b. アーカイブズ資料についての情報の検索・交換を容易にする。
　c. 典拠データの共有を可能にする。
　d. 異なる所在における記述を、一つの情報システムへ統合することを実現する。

　上記の目的を実現するために、ISAD(G)では作成者や作成者の活動による資料のまとまりごとに、資料を編成することとしている。この資料のまとまりをISAD(G)では「フォンド（fonds）」と呼び、日本国内では「資料群」と呼ぶこともある。アメリカ・アーキビスト協会（Society of American Archivists）の用語集では、ISAD(G)の基本的な原則にあげられる「フォンド尊重の原則（respect

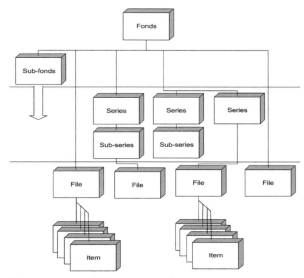

図2　フォンドの編成レベルのモデル

des fonds）」を「記録の起源と記録が最初に蓄積された単位に従って記録を維持する原則」と説明している。ISAD（G）では、資料のまとまりごとに、資料を編成することについて、**図2**の「フォンドの編成レベルのモデル」を用いて説明している。このモデルでは、フォンドとその構成を階層性とリンクによるつながりで表現することを示している。ISAD（G）は、このまとまりごとに、資料の名称や作成者といった26の記述要素を付すことができるルールとなっている。この国際標準をふまえたアーカイブズ記述の国内標準の策定と、それに基づく目録の普及は、日本のアーカイブズが組織の垣根を越えて、人と所蔵する資料をつなぐうえで抱えてきた長年の課題といえるのではないだろうか。

　図書館における『日本目録規則』制定の歴史、国際標準への準拠、多くの図書館で目録規則が採用される流れは、日本のアーカイブズ記述や目録の標準化や、利用者が「使いやすい」目録を実現していくうえで、多くのことを学ぶきっかけを与えるだろう。

▶オンライン目録を作成し、提供する

　利用者にとってどのような目録の提供方法が「使いやすい」だろうか。データの更新、検索性において、紙媒体の冊子目録よりもデータベースから探せる目録が使いやすいだろう。そのデータベースも、インターネットからアクセスできるほうが使いやすいだろう。そのような利用者の希望に応えるために、どのような

知識や技術が必要だろうか。

　図書館情報学の学びの一つに「オンライン目録」がある。図書館情報学の用語辞典では、「オンライン目録(online catalog)」を次のように説明している。「書誌的記録を機械可読形式でコンピュータシステム内に蓄積し、接続した端末機を介して、対話形式によりそれらのレコードを直接に検索、更新できる目録」「その長所として、多数の検索項目が設定でき、多様な検索方法が利用できる、レコードの追加・修正などが即時に行われる、他システムで作成された書誌データなどの流用や他システムとのデータ交換が比較的容易である、カード目録などに比べ場所が取らないなど多くの点があげられる」[同前]。

　日本のアーカイブズ機関でも、カード目録からコンピュータによる目録の作成への変化、施設内に設置された個別の情報端末による目録の提供から、ネットワークを経由した目録の提供への変化を経験した機関は少なからず存在する。インターネットを通じて目録を提供することがあたりまえの今日において、目録をデータベースに蓄積してオンラインで提供する技術やシステムに対する理解は、アーカイブズ機関やアーキビストの活動にもつながる。

　図書館では、「書誌記述、標目、所在記号などの目録記入に記載される情報を一定のフォーマットにより、コンピュータで処理できるような媒体に記録すること、または記録したもの」を機械可読目録と呼ぶが、アーカイブズ機関やアーキビストの活動においても、機械可読な記述がいくつか存在する。その代表的なものとしては Encoded Archival Description(EAD)と呼ばれる記述方式がある。アメリカ・アーキビスト協会の用語集では、EAD を「コンピュータによってその記述を交換、変更、解釈できるようにするため、XML〔文章の見た目や構造を記述するためのマークアップ言語の一つ—引用者注〕でアーカイブズ資料の記述をエンコードするための標準」と説明している。なお、この EAD を策定し管理しているのは ICA やアメリカ国立公文書記録管理局(National Archives and Records Administration：NARA)ではなく、米国議会図書館(Library of Congress)であることも図書館情報学を学ぶ人からみて、特に興味深く感じるかもしれない。

▶検索の手がかりとなる典拠レコードを意識する

　利用者が、特定の個人、団体、主題に関連する資料を確実に発見できるような目録は「使いやすい」目録ではないだろうか。たとえば、公文書管理法の制定過程に関する資料を網羅的に探したい。その制度官庁が内閣府大臣官房公文書管理課であることは知っているので、その組織に関する資料を発見したいときに、ど

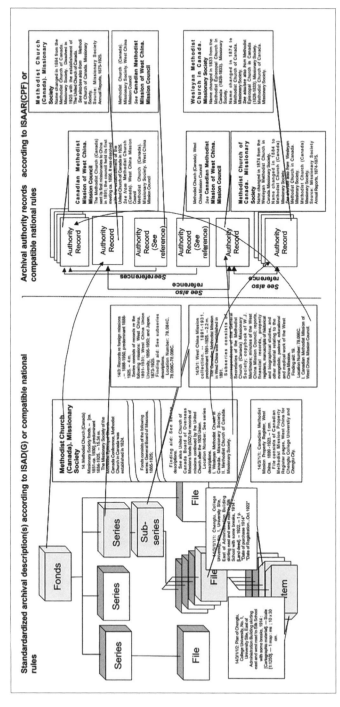

図 3　記述と典拠レコードとの関連

のように検索可能なしくみを整えればよいのであろうか。

　図書館情報学の学びの一つに「典拠レコード（authority record）」や「典拠データ」がある。『日本目録規則　2018年版』では、「典拠データ」を次のように説明している。「特定の個人、団体、主題等に関連する資料を確実に発見できるよう、それらに対するアクセスポイントを一貫して管理するための記録」のこと。先ほどの例でいえば、一定のルールに従い、検索可能な「内閣府大臣官房公文書管理課」というアクセスポイントを作成し、この組織が作成した資料の目録とつなげることで、特定の団体に関連する資料を発見できるようにするしくみである。

　図書館では、国ごともしくは国際的な枠組みで標準化が進められている。一方、アーカイブズではどうだろうか。アーカイブズ典拠レコードの国際的な標準化としては、 *International Standard Archival Authority Record for Corporate Bodies, Persons and Families (ISAAR (CPF))* が1996年に策定され、2004年に改訂されている。ISAD(G)でも資料ごとに、その資料の作成者を記述することはできるが、その作成者を示す一般的な名称やより詳細な来歴を記述することは難しい。**図3** は ISAD(G) の附録 A-2 で示された「記述と典拠レコードとの関連」の例であり、左側が記録アーカイブズの階層的な編成を表現し、右側がその作成者や作成者間の関連について表現している。典拠レコードを整備することで、資料のまとまりごとの編成だけではなく、それらに関連する人物や団体を手がかりに、資料を発見できるようになる。

　「目録規則」と同様となるが、図書館における『日本目録規則』制定の歴史、典拠レコードが、多くの図書館で目録規則が採用される流れは、日本のアーカイブズ機関で典拠レコードを作成し、利用者が「使いやすい」目録を実現していくうえで、多くのことを学ぶきっかけを与えるだろう。

▶レファレンスサービスを提供する

　図書館情報学の学びの一つに「レファレンスサービス」がある。図書館情報学の用語辞典では、「レファレンスサービス（reference service）」を次のように説明している。「何らかの情報あるいは資料を求めている図書館利用者に対して、図書館員が仲介的立場から、求められている情報あるいは資料を提供ないし提示することによって援助すること、およびそれにかかわる諸業務」「図書館における情報サービスの内、人的で個別的な援助形式をとるものをいい、図書館利用者に対する利用案内（指導）と情報あるいは資料の提供との二つに大別される」[同前]。

　司書資格取得のために大学で履修すべき図書館に関する科目の「レファレンス

サービス演習」で、「レファレンスサービス」の単語を目にした方もいるかもしれない。なお、「図書館法施行規則の一部を改正する省令」および「博物館法施行規則の一部を改正する省令」等により、2012（平成24）年から、「レファレンスサービス演習」の科目名は、「情報サービス論」と変更されている。

　図書館情報学を体系的にまとめた書籍では、レファレンスサービス業務は、図書館のサービス業務のうち、情報提供のサービスの一つに位置づけられていると説明している。なお、ほかの情報提供の例として、資料提供や施設・設備提供があげられ、レファレンス業務を次のように説明している。「レファレンスサービスは、情報提供にかかわる人的サービスであり、図書館利用者の情報探索を支援する」「利用者からの質問への回答として、情報の提供、所蔵状況の調査、情報源の提示、探索法の指導などを行う直接業務と、レファレンスコレクションの構築、質問・回答記録の編成などの間接的業務がある。多様な情報源から求める文献を探し出すには、情報源、情報検索、情報利用行動などに関する専門的知識が必要とされる」［上田ほか、2017年］。

　アーキビストの職務の一つにも「レファレンス」が含まれるが、利用者からの直接的な問い合わせへの対応にとどまり、図書館におけるレファレンスサービスの範囲よりも狭く捉えられている面がある。基準書の「レファレンス」の職務内容にある「利用希望資料及び関連資料の所蔵確認への問い合わせ対応」はアーカイブズ機関に限ったことではない。

　図書館のレファレンスサービスの範囲やレファレンスに必要とされる専門的知識は、アーカイブズ機関やアーキビストの活動につながるだけでなく、本来アーカイブズ機関が行うべきレファレンスサービスの深さと広さの両方向への気づきを与えるだろう。

▶**資料を電子メディアによって提供するシステムを構築する**

　図書館情報学の学びの一つに「電子図書館」がある。図書館情報学の用語辞典では、「電子図書館（electronic library）」を次のように説明している。「資料と情報を電子メディアによって提供すること、とりわけネットワークを介して提供することをサービスの中心に捉えて、従来の図書館が担ってきた情報処理の機能の全体または一部を吸収し、さらに高度情報化社会の要請に呼応した新しい機能を実現させたシステムまたは組織、機関」「電子図書館を冠するシステムやプロジェクトは多いが、単なるコンピュータシステムから人的サービスを含むものまで、実現しようとしている機能の差が大きい」［日本図書館情報学会用語辞典編集委員会編、2020年］。

アーキビストの職務の一つに「デジタルアーカイブ等の構築・運用」が含まれる。一般提供用のフォーマットに変換された電子公文書や紙媒体の文書をデジタル化した複製物について、それが「資料」か「情報」かを厳密に区別することは難しいかもしれないが、上記の「資料と情報を電子メディアによって提供すること」と基準書の「デジタルアーカイブ等の構築・運用」は共通する業務といえる。

　国立公文書館が策定した『公文書館等におけるデジタルアーカイブ・システムの標準仕様書』では、「公文書館等がデジタルアーカイブ・システムを構築するうえで必要となる技術的情報等を、標準仕様として整理し紹介すること」を目的として、標準仕様書を作成している。本標準仕様書のⅡ.2「デジタルアーカイブ・システム標準仕様」の構成は次のとおりである。

2-1　　目録データ・デジタルコンテンツの準備
2-2　　目録データ・デジタルコンテンツの登録と管理
2-3　　利用者向け機能
2-4　　利活用の促進
2-5　　利用者支援
2-6　　業務向け機能
2-7　　システム環境
2-8　　セキュリティ
2-9　　システム運用
2-10　　性能要件

　デジタルアーカイブの構築や運用は、図書館だけではなく、アーカイブズ機関やアーキビストによる職務の一つである。図書館情報学の学びを基礎としていれば、「目録データ準備」のような一部の内容を除き、電子図書館やオンライン目録提供システムと共通の仕様が多く使われていることを確認できる。

▶横断検索を実現するためのメタデータの準備をする

　図書館情報学の学びの一つに「横断検索」と「メタデータ」がある。図書館情報学の用語辞典では、「横断検索（cross database retrieval）」を次のように説明している。「複数のデータベースを対象として、同一の検索を同時に実行すること」「この場合、データベース間の重複レコードを削除する機能が必要になるが、横断検索が可能なシステムでは、この機能が用意されていることが多い」「メタデータの標準化やマッピングにより、横断検索はさらに進展している」［同前］。

　また、横断検索の進展に標準化やマッピングが求められる「メタデータ（metadata）」は「情報資源を効果的に識別・記述・探索するために、その特徴を記述したデータ。ネットワーク情報資源の管理と結び付いて生まれた概念である。しかし、図書館界でいえば目録などのデータや各種の識別データと本質的に同じであり、必ずしも新しい概念ではない。」と説明されている［同前］。

　基準書の「他のアーカイブズ機関、類縁機関（図書館、博物館等）及び地域等との連携・協力」では、横断検索の対象に加わる、加えるといった職務は、広義の意味で「連携」に含まれるものとされている。もっとも横断検索を実現すること、すなわち「複数の目録データベースを対象として、同一の検索を同時に実行すること」を実現するために必要な「メタデータ」に関する知識が求められる職務は、先に紹介したアーキビストの職務の「デジタルアーカイブ等の構築・運用」や「公文書等の目録作成」であり、これらが密接な関係にあることを示している。

　専門書では「メタデータ」を、その意図する機能、組織化の目的によって、次の三つのタイプに分けられ、多岐にわたるものとして説明している。

①記述メタデータ（descriptive metadata　利用者による知識資源の発見、同定や識別、内容確認、アクセス・入手等を主に支援するメタデータ。図書館の目録はこの代表例である）
②管理メタデータ（administrative metadata　知識資源の管理に関する情報、たとえば権利処理情報、保存にかかわる技術情報、保存行為の情報などを記録したメタデータ全般を指す）
③構造メタデータ（structural metadata　主に電子資源について、ファイル群の構成の記録や管理を担うメタデータ）［谷口ほか、2016年］

　図書館やアーカイブズ機関によらず、目録は上記①の記述メタデータにあたる。一方で、電子公文書や電子ファイルの長期保存のために用いられるメタデータは上記②の管理メタデータ、もしくは技術メタデータにあたる。アーカイブズ機関やアーキビストの活動のなかで用いられる「メタデータ」も多岐にわたる。

　たとえば、先に触れた『公文書館等におけるデジタルアーカイブ・システムの標準仕様書』では、横断検索のために必要な最小限の目録データ項目として、**表1**の各項目をあげている。

　本標準仕様書に含まれる「ダブリンコア（Dublin Core）」については、「アーカイブズと図書館情報学：メタデータの相互運用性」などを通じて、比較的早い段階で、日本のアーカイブズ側で紹介され、アーカイブズ機関を対象とした横断検索の実現に関する基礎的な技術仕様の一つとなっている［永田、2003年］。その背景の一つとして、ダブリンコアが2003年にISO15836として承認され、以後

表1　デジタルアーカイブ・システム標準仕様一覧（抜粋）

大項目	中項目	小項目	仕様
目録データ・デジタルコンテンツの準備	目録データ	横断検索のために必要な最小限の目録データ項目	Dublin Core の要素を参考に、横断検索のために必要な最小限の目録データの項目として、「ID」「年代（作成年度）」「資料名」「作成者（部署名）」「場所」「備考等」の6項目を設定する。
			公文書館等の目録データ項目と横断検索のために必要な最小限の目録データ項目（6項目）との対応表を定義する。

2009年、2017年、2019年と改正や拡充が進められてきたことも要因だろう。

　そのほかに、「図書館及び関連組織のための国際標準識別子」（International Standard Identifier for Libraries and Related Organizations；ISIL）に関する取り組みがある。この ISIL は2011年に ISO15511として承認され、図書館だけではなく博物館・美術館、文書館等も対象機関として想定されている。このような機関間の連携や識別の動きもまた、アーカイブズ機関やアーキビストの活動につながるだろう。

▶図書館と連携する

　図書館情報学の学びの一つに「MLA 連携」がある。図書館情報学の用語辞典では、「MLA 連携（MLA collaboration）」を次のように説明している。「博物館、図書館、文書館の間で行われる種々の連携・協力活動」「日本でも博物館、図書館、文書館は元来、文化的、歴史的な情報資源の収集・保存・提供を行う同一の組織であったものが、資料の特性や扱い方の違いに応じて機能分化した一方で、施設の融合や組織間協力を続けてきた。近年、ネットワークを通じた情報提供の進展にともない、利用者が各機関の違いを意識しなくなりつつあることを踏まえ、組織の枠組みを超え、資料をデジタル化してネットワーク上で統合的に情報提供を行うための連携・協力などがなされている」［日本図書館情報学会用語辞典編集委員会編、2020年］。

　アーキビストの職務の一つにも「他のアーカイブズ機関、類縁機関及び地域等との連携・協力」が含まれる。基準書の「他のアーカイブズ機関、類縁機関及び地域等との連携・協力」では、ネットワークを構築する相手として類縁機関である図書館や博物館があげられている。なお連携の目的として「公文書等の適切な保存・利用の促進及びその普及を図る」ことをあげているが、その具体的な方法

については明記されていない。

　図書館情報学の学びを通じて、アーカイブズ機関やアーキビストの「連携」について広く捉えようとすると、「連携の範囲」や「多様な連携の方法」を再確認できる。人材の交流・研修、展示等を想定した資料の貸借、被災支援、横断検索などの連携の具体例をみることができ、多様な連携方法を知ることができる。

　また、所属するアーカイブズ施設が図書館施設と融合する。組織そのものが融合するということが、今後起こり得るかもしれない。そのような場合に、先行事例を知っているかどうかで、その対応は大きく変わるかもしれない。図書館とアーカイブズ機関の「施設の融合」に関する海外の事例としては、カナダ国立図書館・文書館（LAC）、国内の事例としては、奈良県立図書情報館がある。これらの事例から多くを学ぶことができるだろう。

　図書館やアーカイブズ機関のなかではたらく人の立場からみたら、図書館が図書館であること、アーカイブズ機関がアーカイブズ機関であることは、それぞれの設置根拠から明確に区別できるだろう。一方で、利用者の立場からみたら、あるいは図書館やアーカイブズ機関を評価し、予算の配分を判断する者の立場からみたら、その垣根が曖昧にみえる部分があるかもしれない。図書館とアーカイブズ機関の境界を意識しない利用者を前提とした情報やサービスの提供を行う必要もあろう。場合によって、たとえば目録や典拠レコードのように、図書館では当たり前のことであっても、アーカイブズでは、いまだに国際標準が紹介されている程度にとどまる状況であることも確認できる。そのようなとき、図書館情報学の学びと実践そのものが、アーカイブズ機関やアーキビストの活動をより豊かにするヒントを与えると考える。

3 記録アーカイブズの保存と利用がどのような意義や可能性をもつのか

　ここでは、視点を変えて図書館情報学を学ぶ者の立場から、記録アーカイブズの保存と利用についての知識と理解を深めることで、どのような意義や可能性をもつのかを探ることとしたい。図書館情報学を学ぶなかで、どのようにアーカイブズ機関やアーキビストの活動と出会うのだろうか。まず、そこをみてみることとしたい。

▶政府情報を探している人への支援

　図書館ではたらく司書の立場になって、「国や地方公共団体の情報を調べたい」との問い合わせに、どのようなレファレンスサービスを提供ができるだろうか。図書館で行われるアーカイブズについてのレファレンスの内容に興味関心をもつアーカイブズ機関やアーキビストも多いかもしれない。

　図書館情報学を体系的にまとめた書籍では政府情報を、①官報、②現用の公文書、③非現用の公文書、④個別法で公開を義務づけている政府情報、⑤白書、広報誌、書籍、ウェブの五つに整理している。またこれらの資料や情報のアクセス先は個々に異なる［根本、2013年］。

　これらの資料の一部は、図書館情報学では「灰色文献」と呼ばれる資料の代表例である。図書館情報学の用語辞典では、「灰色文献（gray literature）」を次のように説明している。「書誌コントロールがなされず、流通の体制が整っていないため、刊行や所在の確認、入手が困難な資料。政府や学術機関などによる非商業出版物を指し、インターネット上で公開されない審議会資料、会議・学会資料、報告書などには、灰色文献と呼べるものがおおい」［日本図書館情報学会用語辞典編集委員会編、2020年］。

　アーカイブズ機関の機能をもたない一般的な図書館が所蔵しているのは、「白書、広報誌、書籍」のような刊行された資料ではないだろうか。これは図書館情報学の用語辞典の「行政資料（administrative document）」を確認するとイメージしやすい。もっとも、公文書管理法において現用の公文書を示す「行政文書」と混同しないよう注意が必要である。行政資料は「政府機関や地方自治体およびその類縁機関、国際機関が刊行した資料。各機関の資料に基づいて作成された民間の出版物を含めることもある。一般に行政資料という捉え方は、公共図書館が当該自治体の資料を収集、提供、保存するときに用いられる。独立したコレクションである場合と郷土資料の一部となる場合とがある」と説明されている［同前］。

　多くの公的なアーカイブズ機関が保存しているのは、「非現用の公文書」、すなわち作成後一定の保存期間を経た重要な公文書である。一定の保存期間を経ても、その重要性について移管の基準を満たしていないものは、アーカイブズ機関に移されない。また、その公文書を作成した機関がどこであるかに応じて、資料や情報を求める者に紹介するアーカイブズ機関は異なる。たとえば国のアーカイブズ機関といっても、外務省が作成した公文書のうち非現用のものは外交史料館、宮内庁が作成した公文書のうち非現用のものは宮内公文書館、それ以外は国立公文書館へ、といった具合である。幸運にも利用者が求める公文書をみつけることが

できても、利用制限を制限する情報が含まれていないことの確認など、資料への
アクセスまでに、書籍やインターネット上の情報とは異なる配慮が必要であるこ
とも知る必要がある。また、そのアーカイブズ機関がデジタルアーカイブを整備
していれば、そのことについてもレファレンスすることができる。

　記録アーカイブズの保存と利用への対応が適正になされることによって、公的
な機関が作成した記録アーカイブズに利用者がアクセスできるようになる。図書
館側からみれば、質問者に対して、提供できる情報の幅が広がることとなる。

▶郷土資料を後世に残したい人への支援

　図書館に期待される役割として、「地域資料」や「郷土資料」の保存がある。
図書館情報学の用語辞典では、「郷土資料（local material, local collection）」を次
のように説明している。「図書館資料の種類の一つで、図書館の所在する地域や
自治体に関する資料。以前は、郷土史に関する資料とみなされた。地域資料とも
いう」「現在の公共図書館は、その地域についての資料を責任をもって収集する
ことが業務の一つとして位置づけられており、それらのレファレンス質問に答え
ることも重要な業務となっている。収集対象地域には近隣や県下を含めることも
ある」［同前］。

　このような役割から、郷土資料を後世に残すために、寄贈の相談をする人や、
民間で所蔵する資料の保存環境について相談する人が図書館に訪れることがある。
その相談を受けた図書館の資料の収集方針や組織規模、設置される地域内にアー
カイブズ機関や博物館があるかどうかによって、レファレンスの回答内容は大き
く変わることになるだろう。近くにどのようなアーカイブズ機関があるのか、ア
ーカイブズ機関でなくても一次資料を扱う施設があるのかを知ることは、そのよ
うなレファレンスを行ううえで重要である。

　なお、国立公文書館では、2021年から歴史公文書等の情報ネットワークづくり
の一環として、歴史公文書等を含むアーカイブズを所蔵している機関を紹介する
「ジャパン・アーカイブズ・ディスカバリー」を提供している（**図4**）。

　図書館の世界では、アーカイブズは政府情報や郷土資料を保存し利用するため
の機関として位置づけられ、図書館が行う情報提供サービスを通じても、その機
能や資料について案内されることが確認できただろうか。

図4　ジャパン・アーカイブズ・ディスカバリー

4　図書館情報学を学ぶ人の一つの「出口」としてのアーキビスト

▶人と資料や情報をつなぐ

　本章では、図書館情報学の学びからアーカイブズ機関やアーキビストの活動に
どのようにつながっていくのか、また、図書館情報学の領域で記録アーカイブズ
の保存と利用がどのような意義や可能性をもつのかについて定義や概念を中心に
紹介してきた。

　図書館情報学の学びからアーカイブズ機関やアーキビストの活動につながる技
術や知識を確認していくと、アーカイブズ機関が収集の対象とする資料の範囲こ
そ変わらないものの、利用者や社会が変化すること、組織としてその変化に対応
する必要があることに気づかされる。たとえば、資料を保存し、目録を作成し、

提供するなかで、必要な技術や知識の最新動向を捉え、標準化し、一定水準の機能を維持するためにアーカイブズ機関やアーキビストが取り組む活動に終わりはないことがわかる。

　MLA連携について「図書館、文書館は元来、文化的、歴史的な情報資源の収集・保存・提供を行う同一の組織であったものが、資料の特性や扱い方の違いに応じて機能分化した」という解説があるように［同前］、図書館とアーカイブズ機関はそれぞれが所蔵する「資料の特性」や「資料の扱い方」に応じて、機能が分かれてきたものであるともいえる。それらをふまえると、図書館情報学の領域とアーカイブズの領域の接点にある重複する部分と区分する部分を識別していくこともできるに違いない。

　もちろん図書館情報学の学びのみで、アーカイブズやアーキビストの活動に必要な技術や知識を網羅的に習得できるわけではない。本章で取り上げたISAD（G）以外にも、アーカイブズの領域にある独自の制度や原則、評価選別や所蔵資料の理解など学ぶべきことは多い。

▶学びからアーキビストの現場へ

　図書館情報学を学ぶ人のなかで、アーカイブズ機関やアーキビストの活動に関心のある方はもちろんのこと、原資料の保存と利用により一層の関心のある方、原資料の保存と利用のための知識や技術の動向をふまえて実践することに関心のある方、その資料と利用者をつなぐことに関心のある方に、アーキビストという専門職をご紹介したい。アーキビストとしてはたらくなかで、図書館情報学の領域とアーカイブズの領域の接点にある重複する部分と分けられる部分を感じつつ、利用者と資料・情報とをつなぎ、新たな価値が生み出される多くの場面に立ち会うこともできるだろう。

【参考文献】

逸村裕・田窪直規ほか編『図書館情報学を学ぶ人のために』（世界思想社、2017年）

上田修一・倉田敬子編著『図書館情報学』第2版（勁草書房、2017年）

山﨑久道・原田智子編著『情報サービス論』改訂、現代図書館情報学シリーズ5（樹村房、2019年）

日本図書館情報学会用語辞典編集委員会編『図書館情報学用語辞典』第5版（丸善出版、2020年）

エドワード・P. アドコック編・国立国会図書館訳・木部徹監修『IFLA図書館資料の予防的保存対策の原則（IFLA Principles for the Care and Handling of Library Material）』（日本図書館協会、2003年）

国立国会図書館関西館電子図書館課『国立国会図書館資料デジタル化の手引』（国立国会図書館、2017年）

日本図書館協会目録委員会編『日本目録規則　2018年版』（日本図書館協会、2018年）

ICA.『General International Standard Archival Description』2nd, 1999

ICA.『International Standard Archival Authority Record for Corporate Bodies・Persons and Families（ISAAR（CPF））』2004

谷口祥一・緑川信之『知識資源のメタデータ』第2版（勁草書房、2016年）

独立行政法人国立公文書館『公文書館等におけるデジタルアーカイブ・システムの標準仕様書（平成30年3月改訂）』（2018年）

永田治樹「アーカイブズと図書館情報学—メタデータの相互運用性—」（『アーカイブズの科学』上、柏書房、2003年）

根本彰編『情報資源の社会制度と経営』シリーズ図書館情報学3（東京大学出版会、2013年）

【付記】

　本稿は筆者の私見を記したものであり、所属機関である独立行政法人国立公文書館の公式見解ではないことをお断りしておく。

寺澤　正直

第 II 部

アーキビストをめざす

第 5 章

アーキビストの仕事、その知識と技能
―『アーキビストの職務基準書』を読む―

1 存在を明らかにする

▶専門職であるには

　専門職とは、特別な資格やトレーニングを必要とする職種のことである。一般的には、①高度に体系的な理論に基づく知識と技能、②教育・訓練、③組織化された職能団体、④倫理綱領の存在、⑤試験による能力証明、⑥能力に対する明確な報酬(給与)が、専門職であるか否かを判断する要素になると考えられている。

　近年、日本でも大学院レベルでアーキビスト教育の場が設けられ、現職者には関係機関による研修プログラムが進められてきた。ところが、そこで得られた知識や技能がどのように仕事に反映されるのかという点になると具体性に乏しく、実践を理論面で支えるはずの学術研究についても、現場の課題に対応した道標がないままに展開してきたように思われる。多くの人々がアーキビストの仕事にはっきりとしたイメージを描けず、研究と実務の関係性も弱かった。さらに日本では職能団体としての機能を本格的に果たす組織もなく、アーキビストが自分たちの存在と責任を確認するための倫理綱領もない。ましてや能力評価に基づく報酬の体系も確立しがたいのが現実なのだ。

　日本で前進してこなかったアーキビストの専門職制度の実現や、社会的な認知と地位を向上させるためには、まずアーキビストの職務とその遂行過程で要求される知識と技能(＝専門性)を明確にすることが必要であった。さらに、アーキビストに対するイメージや期待が先進国では近年大きく変わりつつある点にも目を向けておかねばなるまい。

▶変わるアーキビスト像

　序章でも紹介したISO15489-1は、「説明責任」を支える記録管理システムの特性にも言及している。改ざんや誤廃棄の抑止、アクセス制御やセキュリティ確保といった技術面だけでなく、関係者の教育を含むコンプライアンス確保や体制整備など、組織面での人間(＝専門職)の関与が重視されているのがポイントだ。こ

の専門職は、"Records Management Professionals"（2016年の改訂では "Records Professionals"）と称されているが、従来のアーキビストよりもカバーする範囲は広い。行政や企業の事業ニーズをみたすための記録の効率的かつ経済的な管理に従事してきたレコードマネージャーの領域と重なりをもった、記録情報の継続的な管理に携わる専門職群を想定していると考えたほうがわかりやすいかもしれない。

　注意すべきは、両者が情報や組織活動にかかわる単一の専門職として統合されるのではなく、共通の知的な基盤に立って協力することでこのような社会的な機能を果たすと認識されている点だ。背景には1990年代後半から急速に進展したデジタル技術への対応がある。電子的につくられた「ボーン・デジタル」記録は極めて失われやすく、これにかかわるすべての人間が早い段階から適切な選択をしなければ維持することができない。これを記録アーカイブズとして最終的に受け入れるアーキビストも例外ではなく、その仕事にも変革が迫られている。

　たとえば行政や企業の事業部門で記録が発生し、アーカイブズ機関へ移管される前のいわゆる「現用」段階への関与や助言は、極めて重要な活動となった。デジタル記録の増加と技術の発展により、今日のアーキビストには記録を保持する組織や人物に対する積極的なはたらきかけのため、「前方」に進出したアプローチの担い手となることが期待されている。これは公文書管理法を有効に機能させる手段でもある。同法はそれまで支配的であった「現用」「非現用」という段階的な概念を条文上は採用しなかった。「時を貫く公文書管理」という当時のスローガンにこめられた本来の意図と先進性は、不祥事のみがセンセーショナルに取り上げられる今日では見落とされがちだ。

　同法制定時の政策モデルの一つは、デジタル記録管理の先進国オーストラリアであった。日本との決定的な違いは、そうした新しい記録管理やアーカイブズの保存とアクセスを支える人的資源の質、さらに専門職層の厚さにある。同国では、職能団体であるアーキビスト協会と記録管理協会が2006年に "Recordkeeping Professionals" に対する「知識の声明」（Statement of Knowledge）を公表し、人材育成を一層加速させていたことが知られる［保坂、2017年］。

2　『アーキビストの職務基準書』という試み

▶その目的と対象

　2018年12月に国立公文書館が策定した『アーキビストの職務基準書』は、日本

の公的機関で活躍するアーキビストの仕事を説明し、必要となる知識と技能との対照関係を明確にすることをめざした人材育成のための基本資料である。2021年1月からはこれを基盤とした「認証アーキビスト」制度が本格的に始動した。

　基準書の対象として公文書作成機関、たとえば国なら各府省庁の最前線でアーキビストが活動することも想定されているのが特徴的な点である。多くの地方自治体ではその財政基盤の弱さから公文書館のような施設（ハコモノ）に財源を割くのが難しい。特に基礎自治体では用地の確保や施設整備は公文書館設置の大きなハードルだ。近年ではこれを前提とせずに、公文書を保存・提供する一定の制度（＝公文書館機能）を導入する発想が生まれ、その実践事例も増えてきた。人的リソースに投資し、公文書の発生から記録アーカイブズとしての永続的な保存までをフォローできるプログラムを優先的に確立していくというものだ。基準書はこうした現実を直視して、これまでの「公文書館専門職員」像にとらわれず、広く公的な機関で活動する専門職を主な対象としている。

　あらゆる記録アーカイブズの価値を認識し、確実な保存と社会的な共有を実現するために学び、実践する存在がアーキビストだとすれば、同書が示している知識や技能は、確かに公文書に限定された一部分を取り出したにすぎない。だが、企業をはじめとして民間の組織・団体の活動における記録の管理も近年では高い水準が要求されるようになってきている。経済面での国際競争力の低下とグローバリズムのもとで規制環境は変化し、企業統治の観点からコンプライアンスとそのエビデンスとして情報の開示（ディスクロージャー）が要求されることが多くなってきた。

　もちろんアーカイブズのすがたは組織によって多様だから、企業のそれが一般公開を原則としなければならないというきまりはない。しかしながら高度情報社会において、企業が扱う個人情報を含む記録アーカイブズを適正に管理することが、その社会的責任として強く認識されるようになれば、公的な機関以外にもアーキビストを育成・配置していこうという機運が醸成される可能性もあろう。たとえば同書では、アーキビストは情報公開関係法令に関する知識を習得する必要があるとしている。同法令は民間企業に対して適用されないが、企業は自分たちが許認可申請のために役所に提出した文書が、どのような水準で公開されるのかを充分に理解していなければ、自らの記録の公表についても本来は適切な判断ができないのだ。

　基準書は公的な機関のアーキビストをモデルとしているが、基礎的な部分では、民間で活躍するアーキビストに必要な知識や技能がこれらとまったく異なるものだとはいえない。2021年1月にはじめて誕生した「認証アーキビスト」のなかには、公的な機関以外ではたらくアーキビストもいる。

▶アーキビストの使命とは？

アーキビストの使命について、基準書には次のように記されている。

> アーキビストは、国民共有の知的資源である公文書等の適正な管理を支え、かつ永続的な保存と利用を確かなものとする専門職であり、組織活動の質及び効率性向上と現在及び将来の国民への説明責任が全うされるよう支援するとともに、個人や組織、社会の記録を保存し、提供することを通して、広く国民及び社会に寄与することを使命とする。

アーキビストが向き合う対象は公文書に加えて個人や組織、社会の記録まで拡大し、アーカイブズ機関への移管後の段階に限定されていない。しかしながら、国や地方自治体の公文書館の多くは、公文書がつくられる本庁組織（これを「親組織」という）での管理に積極的にタッチする機能をもっていないのが現状だ。先にも記したように、デジタル記録は、技術の陳腐化に備えて重要な記録を早期に特定し、媒体変換などの措置を講じなければ、必要なタイミングでアクセスすることができなくなる恐れがある。こうした問題に対してアーキビストが一定の責任のもとで関与し、永続的な保存と利用を確かなものとすることが不可欠となるため、この部分については現実よりも一歩進んだすがたが示されている。

さらに記録アーカイブズの価値も、歴史・文化的な価値のみに限られていない点にも注目したい。これまで日本のアーカイブズ制度は、戦後の社会的秩序の混乱のなかで散逸の危機に瀕する歴史資料の保護という、どちらかといえば「守り」を中心に展開されてきた経緯がある。目的はともあれ、保存されなければ将来の利活用が望めないのだから、歴史的な段階としても必然である。先人たちの活動を支えとして1987年に「公文書館法」が生み出され、公文書管理法のような体系的な法規範も整った現在では、公文書等の公開を求め、その情報提供を受けることは、より広く国民の権利として位置づけられている。アーキビストの使命は、公文書のみならずこれにかかわる個人や組織、社会の記録を確実に保存しながら、さらに進んで利活用の「場」を提供し、国や社会の豊かな発展に貢献することである。

▶基礎的な要件

このような使命のもと、アーキビストは相互に関連する業務プロセスで区分される領域のなかで仕事をしている。医師が人の生命や健康を維持・増進するという使命のもと、外科、内科……といった具合にそれぞれ専門の領域ではたらいているのと同様である。もちろん「限界集落」の医療従事者がそうであるように、

はたらく場所によっては複数の領域を担当せざるを得ないこともある。これから
アーキビストをめざす人は、自身の特性や関心を背景として将来どのような職務
を中核とする専門職となりたいのかを見定めながら、大学教育や関係機関が提供
しているトレーニングプログラムをとおして必要な知識や技能を習得し、向上さ
せていくことになるだろう。

　具体的な学びを進める前提として、基準書では「公文書等に係る基本法令の理
解」「アーカイブズに関する基本的な理論及び方法論の理解」「関連諸科学に関す
る知識」「資料保存に関する理解」「デジタル化・電子文書・情報システムに関す
る知識」「調査研究能力」を、いずれの職務を遂行する場合であっても専門性を
支える「基礎要件」として掲げ、その習得を求めている。

公文書等に係る基本法令の理解　最初の要件は、「公文書館法」と公文書管理法
令の内容や趣旨を理解すること。国と地方自治体を対象とした前者はごく短く簡
潔な法律だから、「公文書館法の解釈の要旨」（1988年内閣官房副長官通達）をあ
わせて参照して、ようやくその趣旨を理解することができる。公文書管理法令に
ついては現時点で地方自治体に対して直接適用されるものではないが、国の制度
をモデルとして条例を制定する事例が増え、事実上のスタンダードとして機能し
ているのが実情だ。

アーカイブズに関する基本的な理論及び方法論の理解　基準書では以下の①〜④
までの要素が列挙されている。

①アーカイブズ資料（文書、電磁的記録、図面、写真、映画フィルム、音声記録、
　光ディスク等を含み、媒体や形式は問わない。）の情報資源としての価値と意義、
　アーカイブズ機関及びアーキビストが果たすべき役割と責任、並びにアーカイ
　ブズ制度の基本的な仕組みを理解し、職務を遂行できる。
②我が国における文書管理制度、専門職としてのアーキビストの在り方及びそれ
　を支える理論の歴史的展開を理解し、職務を遂行できる。
③組織における文書の発生からアーカイブズ機関における保存・利用に至るまで
　のライフサイクル及びその制度をとりまく社会状況に関して理解し、職務を遂
　行できる。
④組織文書・個人文書等の多様なアーカイブズ資料に関して、その基本的な構造
　を理解し、整理・目録記述等の職務を遂行できる。

①はあらゆる記録アーカイブズの価値や意義を認識することができ、アーカイブズ機関やアーキビストの機能と責務、基本的な制度を理解することを求めたものだ。つまりアーカイブズをめぐるモノ、ハコ、ヒトの関係が生み出す構造を意識し、職務を遂行していくための視座を養うことが求められている。

　②はそのような構造が時間軸のなかでどのように展開してきたのかを理解することである。自分たちの仕事を過去に担っていた人々、その実践を支えた理論の到達点と限界を知り、現在および未来のためにいかに行動すべきかをつねに問いながら職務を遂行することを求めている。現状を無批判に追認・肯定するのではなく、より高い水準へと導いていくことが知識と技能をもつ者の責務なのだと考えたい。

　過去に対する理解を「経（たていと）」とすると、③は「緯（よこいと）」にあたるものである。組織における記録の発生からアーカイブズ機関での保存および利用に至るまでの一連の過程―ライフサイクル―に加え、それを取り巻く社会の認識や期待の変化も理解することだ。ときには海外の動向にも視野を拡げる必要もある。自分たちの活動と社会、そして世界とのつながりをつねに確認しながら職務を遂行することが求められているといえよう。

　最後の④は、記録アーカイブズの基本的な構造を理解するための方法を身につけているということだ。つまり媒体に記録された内容（コンテンツ）だけではなく、出所や1点1点の資料の相互関係、すなわち記録の「かたまり」としての内的な秩序を把握し、これを生み出した人間の活動や組織構造を脈絡（コンテクスト）として解明する技法（＝認識論）を獲得することが求められている。コンテンツとコンテクストに対する理解は、整理・目録記述をはじめアーキビストの職務のあらゆる局面で欠かすことができない。

関連諸科学に関する知識　基準書では「関連諸科学」について基礎的知識をもち、さらにいずれかの領域での専門的知識を備えることが望ましいとされている。

　代表的な分野として歴史学、法学、行政学、情報工学があげられている。歴史学はアーカイブズと密接な関係があり、情報公開法や公文書管理法といった行政法としての体系が整ってきた今日では、法学や行政学と連携する部分も大きくなっている。これからアーキビストをめざす人は、複数の異なる分野を同時に専攻（メジャー）として学ぶ、いわゆる「ダブルメジャー」ないし「アカデミックマイナー」（副専攻）のようなかたちで自らの学びやキャリアデザインを描いていくことが必要かもしれない。

資料保存に関する理解　アーキビストは記録アーカイブズを取り扱う機会が最も多く、ほかのスタッフや利用者に対して取扱いに関する指導をすることもある。媒体の損傷や劣化を防ぎ持続的なアクセスを確保するため、資料保存に関する理解が必須である。

デジタル化・電子文書・情報システムに関する知識　保存と利用を両立させるためのデジタル化や電子記録の長期保存、組織活動のための情報システムの活用について基礎的な知識を備えることを期待したものである。アーカイブズ機関のすがたを大きく変えていく可能性のある技術に対する理解は、すべてのアーキビストに共通する知的基盤となる。

調査研究能力　職務遂行に必要な分野の最新動向を把握し、直面する課題に関して、専門的な見地から調査研究を展開できる能力を求めている。その水準は、学術研究としても充分に評価を得られる程度のものであり、専門職としては少なくとも大学院の博士前期課程修了ないしこれと同等の能力が期待されている。

3　アーキビストの仕事を知る

▶四つのフィールド

　基準書では「評価選別・収集」「保存」「利用」「普及」の各領域をアーキビストの仕事として設定している。これらは完全に分離できるものではなく、実際には業務プロセス上で重なり合う関係にあるが、従来も重視されてきた保存と利用を基本としつつ、特に「評価選別」と「普及」というフィールドが加わっているのがポイントである。

　まず「評価選別」について。これは「評価」と「選別」をつなぎ合わせたもので、本来は異なる目的をもつ作業である。「評価（Appraisal）」には組織や個人の活動と生み出された記録との関係性、社会的背景、保存が必要な期間や利活用の形態（その媒体の選択を含む）を「品定め」するという意味がある。たとえば、特定の記録が作成されなかった場合に親組織にとってどのようなリスクがあるのかを明らかにし、法規制の要件を満たすために必要な保存期間（＝説明責任を果たすことが期待される期間）の設定に関与することも、この仕事に含まれる。保存期間満了時にアーカイブズとして保存するか否かを最終的に判断する行為である「選別」と、アーキビストが親組織での管理に関与する糸口となる「評価」は分

けて考えることが可能であり、積極性を要求される今日のアーキビストがその役割を果たすうえでカギになる知的作業であることがわかるだろう。

　次に「普及」だが、その概念は抽象的で幅が広い。基準書の記述を手がかりとすれば、アーカイブズ機関を主体としたアウトリーチやアドボカシーといった活動が想定されていることが読み取れる。こうした活動は、1990年代以降、海外のアーカイブズ機関や、国内でも図書館・博物館といった類縁機関において重視されるようになってきた。アウトリーチは、もともとは社会福祉の分野から派生した概念で、援助が必要でありながら声をあげることのない人々にはたらきかけ、支援を実現するために「外へ（Out）手を伸ばす（Reach）」という意味がある。コミュニティに出向いて展示やワークショップといったサービスを行い、自分たちとその保持する資産への関心を惹起し、近年では特に若年層を対象とすることで、未来の利用者や支援者を育てるプログラムとして認識されている。アドボカシーもこれに近い概念で、社会的な弱者を支援・擁護するための活動として、最近は日本でも耳にする機会が増えてきた。この場合、マイノリティの権利を守るため、マスメディアを通じて世論に訴え、政治や行政にはたらきかける活動などを念頭におくことが多い。社会的認知度が低く、体制面での脆弱性がつねに問題となる日本のアーカイブズにとっては、親組織への訴求や意識改善に加え、関係機関・団体との連携によって自分たちに不足するちからを補う観点から、その必要性が議論されるようになってきたところだ。

　なお、「普及」はつねに「評価選別・収集」「保存」「利用」という段階的に進行する各局面で展開されるべき機能であり、これら四つの仕事とともに密接にかかわるステークホルダーとの関係を表現すれば図1のようになる。これをイメージしながら、アーキビストの仕事の内容について理解を深めていこう。

▶評価選別・収集

　この仕事を構成するのは「指導・助言」「評価選別」「受入れ」の三つの業務である。

図1　アーキビストの四つの仕事とステークホルダー

〈指導・助言〉

①公文書管理に関する助言及び実地調査

> 公文書作成機関の公文書管理及び当該制度を所管する部課に対して、法令その他各種基準等の運用及び改善に関し、専門的知見に基づく調査分析や助言等の支援を行う。また、権限に基づき、専門的知見をいかして公文書作成機関における公文書の管理状況について実地調査を行う。

重要な記録を確実にアーカイブするため、公文書作成機関(＝親組織)で責任を負うセクション(国であれば官房の文書管理担当課)に対して調査や専門的知見に基づき助言し、運用の改善をはかることが想定されている。助言には、具体的な知識や技術の伝達のほか、望ましい行為についての勧奨が含まれる。監察や監査のような権限に基づく作用と異なるのは、もっぱら相手の理性にはたらきかけ、持続的な行動を促す点にある。日本の公文書管理法では、アーカイブズ機関が公文書管理に関して直接的な権限の行使や実施責任を負うことができないしくみになっている現状を反映した記述である。

同法では各省庁に実地調査をする権能が内閣府の関与のもとで国立公文書館に付与されている。執務室や書庫に出向き、実際の管理状況を職員から聴取し、管理台帳等の関係書類を実査するなどして、業務が遵守すべき法規範に照らして適正かどうかを調べることが想定されている。調査の結果、重大な問題が把握されれば内閣総理大臣による勧告が行われるしくみであるが、改善を含めた実施責任はあくまでも公文書作成機関側が負うことになる。

②公文書管理に関する研修の企画・運営

> 主に公文書作成機関の職員に対し、公文書管理の重要性に関する意識啓発や、公文書の適切な保存及び移管を図るために必要な知識及び技能を習得させ、並びに向上させるための研修を企画し、講師を務める。

研修も親組織へのはたらきかけの手段である。「公文書管理の重要性に関する意識啓発」にまで言及している点は、公文書管理法の規定よりも積極的だ。条例では同様の規定が存在する事例があるが、国レベルでも問題事例が続発し、必ずしも第一線での実務に携わらない幹部級職員を対象とした意識啓発のための研修が実施されるなど、このアプローチへの期待が高まりつつある。単に一時的な事務改善にとどめず、公文書がどのように国や社会に共有、活用されていくのかを親組織の職員に具体的にイメージさせることも重要であろう。

さらに関連する技術の進展に対応していくためには、知識や技能の不断の向上が欠かせない。アーキビストには自ら研修の講師を務めるだけではなく、研修内容の充実をはかるためのプログラムについて企画立案することが求められるのである。

〈評価選別〉

③公文書のレコードスケジュール設定

> 公文書について、保存期間が満了する前のできる限り早い段階で歴史資料として重要か否かの判断に関与する。なお、必要に応じて、関係資料の確認や各機関への照会等を行う。

　主に「評価」に重点をおいた業務である。記録が発生してから、どの程度これを保持して廃棄するのか、あるいはその重要性から永続的な活用をはかるかどうかを判断し、保存期間としてあらかじめ設定したものをレコードスケジュールという。公文書管理法では、これを設定するのは行政機関側の責任とされている。記録の内容を熟知する現場担当の判断を尊重するためという説明がなされることが多いが、実際にはアーキビストの支援を得なければ適切な判断をくだすのは難しい場合がほとんどだ。アーキビストは関係資料の分析や各機関への問い合わせなどをふまえて、専門的技術的助言により行政機関の判断に実質的な関与をしている。どのような助言をしたのかについて、アーキビストは業務記録を作成し、自らの行動についての説明に備え、その活動に対する透明性を確保することも求められるだろう。

　ところで、レコードスケジュールを早期に設定するメリットは、コストを払って維持していくべき対象となる記録をすみやかに特定できる点にある。本来は消失のリスクが高く、相当のシステムを整備・運用するコストを要求されるデジタル記録への対応を念頭においたものだ。将来的にはデジタル技術や情報システムに関する知識と技能も備えることが、この業務を遂行する要件となるだろう。

　なお、記録アーカイブズの価値は学術上の観点に基づく歴史的重要性に限定されないが、基準書では既存の法令用語・表現との整合をはかる趣旨で「歴史資料」ということばが用いられている点に注意が必要である。

④公文書の廃棄時における評価選別

> 保存期間が満了し廃棄される公文書について、歴史資料として重要か否かを判断

> する。歴史資料として重要と判断される場合は、アーカイブズ機関への移管を行
> う。
> なお、必要に応じて、関係資料の確認や各機関への照会等を行い、判断の資料と
> する。

　評価選別には、レコードスケジュールのようにあらかじめ保存期間とその後の
措置を定めず、いったん廃棄扱いとしたうえで改めて価値を判断するパターンも
ある。これまでの多くのアーカイブズ機関は、現場で活用されなくなった学術上
の価値をもつ歴史的記録を保存する施設として、情報公開制度とは異なる枠組み
で利用をはかるものと考えられていたため、その「仕切り」として形式的な廃棄
手続を行うという発想が背景にある。公文書管理法が施行される以前の国のアー
カイブズ制度でもこの方式が採用されていた。どちらかといえば「評価」よりも
「選別」という作用にウエイトをおいたものである。

　現在でもこの方式を採用する自治体も多いが、保存期間終了直前に判断のため
の作業が集中するため、充分な検討がなされないのではないかという懸念もあっ
た。もちろん、後述する中間書庫を活用するといった運用次第ではアーカイブズ
機関側の裁量を大きくすることもできるメリットがあり、関係資料の分析や各機
関への問い合わせ結果などを材料としてアーキビストが判断の主体となることが
想定されている。ここでもアーキビストは業務記録を作成し、自らの判断と行動
について説明に備え、その活動に対する透明性を確保することが求められること
になるだろう。

⑤公文書の協議による移管

> 外郭団体・議会等、通常の移管対象とされていない機関で保存されている公文書
> について、歴史資料として重要か否かを判断し、アーカイブズ機関へ移管する。

　これは、親組織とアーカイブズ機関の設置主体とが相互に独立関係にあるか、
もしくは牽制関係にある場合のパターンである。やや複雑なので、ここでは国の
場合を例に説明してみたい。独立行政法人国立公文書館を所管する内閣府は一つ
の行政機関である。憲法の定める三権分立では「行政」に属するが、ここに「立
法」を代表する国会や、「司法」を代表する裁判所の公文書を移管しようとする
と、独立性の観点で問題が生じることになる。つまり、「行政」側から「立法」
や「司法」に対して公文書の管理権限を移行させる直接的な権力行使ができない
ことから、対等な機関のあいだでまず協議を行い、相互の合意に基づいて記録ア

ーカイブズとしての重要性を判断し、いずれかの設置するアーカイブズ機関に保存させるというかたちをとっている。

　自治体でも公文書館が教育委員会の系統に属する場合と首長部局に属する場合とがあるが、いずれも議会に対して直接的な権力行使はできない。首長も議会も住民に直接に選挙された代表であり（＝二元代表制）、その関係はあくまでも対等であるから、条例の整備によって解決する方法もある。また、外郭団体に対してもその関与の度合いはケースバイケースであるが、同様の構図が成り立つ場合も想定される。

⑥寄贈・寄託文書の受入れ判断

> 法人・個人等からの寄贈・寄託の申出を受け、必要に応じて関係機関と協議・調整の上、寄贈・寄託を希望されている文書について権利関係も含めた調査を実施し、歴史資料として重要か否かを判断する。

　アーカイブズ機関がそのコレクションを充実させる手段として、親組織から定期的な記録の移管を受ける以外に、法人や団体、あるいは個人から記録の寄贈や寄託を受ける「収集」がある。これまでの③から⑤までの仕事は、機関アーカイブズ（Institutional Archives）の活動を支えるものであるが、もっぱら寄贈・寄託によってコレクションを形成していくアーカイブズ機関を収集アーカイブズ（Collecting Archives）と呼ぶ。寄贈・寄託は外部からの意思表示（申出）により行われる契約行為だが、その記録を受け入れるかどうかは、内容と所有権や著作権などの権利関係および来歴の確認調査とともに、アーカイブズ機関側の意思や基準に基づいて個別に判断されることになる。

　関係機関と協議・調整を行うのは、申出のあった記録をやみくもにコレクションに加えるのではなく、記録された内容に応じた適切な受入先があれば、そちらを紹介するといった協力が必要となる場合があるためだ。相談者がその記録の価値を低いものと捉えて、売却や廃棄してしまうことで生じる散逸のリスクを避けることも必要である。

〈受入れ〉
⑦中間書庫への受入れ・管理

> 公文書作成機関から保存の委託を受けた公文書を中間書庫へ搬入し、整理・保存を行う。また、公文書作成機関による公文書の一時利用及び受託した公文書の保

存期間満了時の対応までの工程を管理する。

　中間書庫は親組織での利用頻度が低下してきた記録（半現用記録）をアーカイブズ機関が管轄する書庫に移送し、保存管理を委託するしくみである。本来は執務室などでのスペースを確保し、事務的なコストを低減させるためのものだが、アーカイブズ機関にとっては、保存期間満了前に充分な時間を確保し、必要に応じて現物を確認しながらその価値を判断できる点で大きなメリットがある。さらにレコードスケジュールにより永続的に保存されることが定められている記録についても、汚損や破損、誤廃棄といったリスクを回避するための有効な手段となりうると考えられている。

　委託した機関から中間書庫にある記録の利用についてリクエストがあった場合は、アーキビストは一時利用として出納業務を行い、半現用記録から将来的にアーカイブされるまでのプロセスで管理責任の一端を負う。

　ところで、日本で運用されている中間書庫の多くは紙媒体を念頭におき、必ずしもデジタル記録を想定したものとはなっていない。国でも保存文書のデジタル化率は10％を下回っていることから当面は有効であるかもしれないが、公文書作成機関の業務処理と電子媒体による整理・保存が本格的に進展していけば、中間書庫の機能・役割は変わっていく可能性がある。

⑧公文書の受入れ

> 公文書作成機関からアーカイブズ機関への移管が決まった公文書を、公文書作成機関と調整の上、搬入する。搬入後、移管された公文書と公文書作成機関が作成した目録等と照合するなど工程を管理し、受入れを完了する。
> 搬入する公文書の状態・媒体等により、生物被害等への対処等、保存のために必要な処置を実施する。

　レコードスケジュールや廃棄時の選別、あるいは協議に基づく結果として、公文書を受け入れるための一連の業務である。公文書作成機関から移送されてきたものが、移管対象となっている公文書と一致しているかどうか、目録とともに現物を照合するなどして受入れのための最終確認を行うものだ。

　その状態は必ずしも良好なものとは限らない。カビや文化財害虫による生物被害の恐れがあれば、保存のための防疫措置が必要となるし、応急処置的な修復作業を施す場合もある。また劣化の進行などによって、記録された媒体の安定性が低下している場合には媒体変換や複製物の作成について判断することも想定され

ている。

⑨寄贈・寄託文書の受入れ

> 法人・個人等からの寄贈・寄託の申出を受け、受入れの判断が済んだ文書について、受領及び利用に係る手続きを行い、当該文書を搬入する。文書の状態によっては、生物被害等への対処等、保存のために必要な処置を実施する。
> また、寄贈・寄託にいたる経緯及び文書群の基礎的な情報を記録する。

　寄贈・寄託によって収集することが決まった資料の受入れのための一連の業務である。おおむね「公文書の受入れ」と類似した内容だが、いくつか異なる点がある。

　まず、寄贈・寄託は一種の契約行為に該当することから、受領した資料が寄付者の申出にそったものであるか、現物との照合などにより確認する必要がある。特に利用については、寄付者の意思を尊重して公開を判断するため、その条件に加えて、問題が生じた場合のコミュニケーション手段、解決方法についても手続のなかで合意しておくことになる。

　さらに留意すべきは「寄贈・寄託にいたる経緯及び文書群の基礎的な情報を記録する」という点だ。寄贈・寄託に基づいて収集された資料の出所や来歴、原秩序については、受入れのタイミングまでに寄付者への聞き取りも行いながら、充分に情報を記録しておく必要がある。アーカイブズ機関がこれを所蔵している正当性を主張し、あるいは目録作成にあたって不可欠となる情報を記述することで、収集した資料の信頼性を証明し、その利用価値を損なわないためにも極めて重要な作業なのである。

　復習の意味でここまでの業務を整理すると**図2**のとおりである。

▶保存

　この仕事を構成するのは「保存・整理」と「目録整備」である。「保存」ということばで大きく一括りにされているが、内容としては記録アーカイブズの編成（Arrangement）と目録の記述（Description）という重要な事項も含まれている。アーカイブズ機関に受け入れたあとの、維持・管理のための一連の業務をゆるやかに「保存」と表現したものと考えよう。

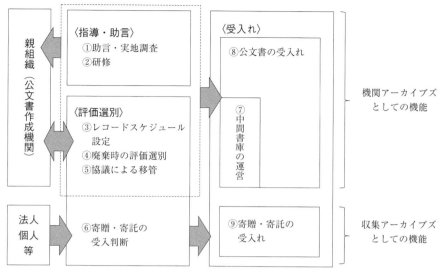

図2　「評価選別・収集」という仕事

〈保存・整理〉

⑩公文書等の整理及び保存

> 受け入れた公文書等について、出所原則・原秩序尊重の原則に基づき、整理作業
> （ラベル作成、貼付、書庫への排架等）を実施する。

　受け入れた資料を永続的に保存するためには、適切な環境が維持された書庫な
どでその場所を特定する必要がある。出納の際に捜索を容易にすると同時に、返
却ミスなどによる紛失を防ぐためだ。対象が紙媒体であれば個体を識別するため
の分類や番号を記したラベルを作成・貼付するなどし、指定した場所に配置する
作業（＝排架）によって実施されることになるだろう。この作業の実施にあたって
は、「出所原則」すなわち同一の発生源（出所）をもつ記録アーカイブズを他の出
所をもつものと混在させないという基本的な考え方や、出所で付与された分類や
配列といった秩序を尊重し、記録のあいだの相互関係や意味を保全する「原秩序
尊重の原則」に基づくことが必要であるとされる。

【参考】アーカイブズの整理と保存にかかわる原則について

> **出所原則**（Principle of Provenance）
> 　出所の異なる記録を混在させてはならないという基本原則。出所は、業務の遂

行プロセスで記録を作成・取得し、保存、利用してきた組織体だけではなく、個人の場合もある。

原秩序尊重の原則（Respect for Original Order）

記録の相互関係や意味を保全し、あるいは出所で作成された検索手段等の有効性を維持するため、付与された分類や配列といった秩序を尊重する原則。

※これらの原則を実際に整理作業に適用する際、現実的には出所や原秩序を特定できず、保存と利用をはかるうえで現状に対する何らかの変更を余儀なくされることが想定される。これらを補うものとして保存修復にかかわる次の二つの原則を加える場合もある。

原形保存の原則

現状に変更を加える場合に守るべき原則の一つ。たとえば保存処置を施す際に、その形態や様式（簿冊による編綴や束、袋などのまとまり、包紙、折り方、結び方など）を可能な限り変更しないことをいい、介入は必要最小限にとどめ、原形を残す方法や材料を選択することが推奨される。

記録の原則

現状に変更を加える場合に記録を作成しておくこと。たとえば修復処置を施すような場合は原形と処置内容を、技法、使用した素材、処置前後の記録写真などを含めて詳細に記録として残すことが推奨される。

※ちなみに保存修復に関する原則としては、ほかに「可逆性の原則」と「安全性の原則」と呼ばれるものがある。前者は元の状態に戻すことができるような素材・方法を用いること、後者は長期的に安定した素材を用い、かつ非破壊的な手法で処置を施すことをいう。

また、保存に必要な措置（簡易な補修及びクリーニング、保存容器の作成、中性紙袋・箱への収納等）を行う（アーカイブズ機関によっては「⑬公文書等の目録作成」作業を同時に実施する場合もある）。
さらに、劣化の度合いや利用頻度を踏まえ、保存修復方針を検討する。
アナログ資料、電子記録等が含まれている場合は、長期保存フォーマットへの変換やストレージを選択し保存するなど、適切な処置を行う。

整理作業では、簡易な補修や汚れを除去するためのクリーニング、保存容器の作成、安定性の高い中性紙袋・箱への収納などの保存に必要な措置、並行して目録を作成することがある。紙媒体以外のアナログ資料（たとえばフィルム）やデジタル記録の長期保存フォーマットへの変換、適当なストレージの選択もこれに含まれる。特に、媒体が不安定であるなど中長期的な保存の観点から取り扱いに留

意を要するものについては、この段階で把握しておくことが望ましい。記録アーカイブズに対する直接的な手当て（コンサベーションや修復）はコストが大きいものとなるからだ。優先順位の決定を含めた方針や作業計画を検討するうえで、こうした情報をあらかじめ把握しておくことは極めて有意義である。

　ところで、保存のための全体的な活動（プリザベーション）へのアーキビストの関与の度合いにはさまざまなレベルがある。保存や修復についての技術専門職（コンサバター）が別に存在する場合は分業も可能だが、限られたスタッフで幅広い仕事をこなしている小規模なアーカイブズ機関が大半を占める日本の現状から、基準書ではアーキビスト自身が作業することも想定して、保存科学や一定の技術の習得が必要だとしている。

【参考】保存と修復をめぐる概念について

> **プリザベーション**（Preservation）
> 　化学的、物理的な劣化を最小限にとどめ、内容情報の損失を防ぐための、以下の要素を包括した保存活動全体のこと。
>
> **コンサベーション**（Conservation）　個々の資料を物理的または化学的に処置し、安定化をはかる保存活動のこと。Conservation treatment（保存処置）と表現されることがある。
>
> **予防的保存**（Preventive conservation）　保存活動のなかで、最も多くの記録のケアにかかわる環境管理などの積極的なマクロ戦略のこと。たとえば適切な保存環境の維持（保管、展示、包装、輸送、取扱い上の注意喚起など）、有害生物の処理、緊急時の準備と対応、複製物の作成といった実践がこれにあたる。
>
> **修復**（Restration）
> 　個々の資料を可能な限りもとの状態あるいは推定を含む状態に戻す処置のこと。要する時間とコストが大きく、しばしばオリジナル以外の材料が付加されることがある。美術的価値をもつ文化財には審美的な施術をともなうこともあり、いきすぎた修復行為はアーカイブズに推奨されない。

⑪書庫等における保存環境の管理

> 書庫、閲覧室、展示室等の保存環境（温湿度、衛生等）が適切に保たれるよう継続的にモニタリングを実施するとともに、入退室者・鍵の管理及び所蔵資料の排架場所の管理など書庫の全体的な管理を行う。

予防的保存において保存環境のコントロールは最も基本となる行動である。温湿度を一定に保つだけではなく、カビの温床となったり、文化財害虫を誘引したりする塵（ちり）やほこりを除くため、定期的な清掃を実施し、衛生状態も常時監視するなど環境を良好に維持することが含まれる。その具体的な手段としてIPM（Integrated Pest Management：総合的有害生物管理）がある。もともとは農作物を生物被害から守る手段として生み出された考え方で、積極的に薬剤を散布して防除するのではなく、環境と有害生物の生態に注目し、複数の選択可能な手段を総合的に組み合わせるものだ。近年では、燻蒸（くんじょう）による人体への健康被害や環境負荷を考慮し、国際的な潮流としてもIPMがアーカイブズ機関の保存アプローチの基本となっている。

　記録アーカイブズは書庫にあるときも、閲覧室で利用されているときも、あるいは展示されていても、つねに保存という持続的なプロセスのなかにある。したがって保存環境をモニタリングすべき場所は書庫に限定されず、アーカイブズ機関の活動のあらゆる場面で行われる必要がある。むしろ最もシビアな環境におかれる閲覧室での利用や展示イベントの際にこそ細心の注意を払うべきだろう。さらに人による監視の目が充分に及ばない書庫では、排架場所の選択、不正なアクセスや盗難を防ぐための入退出室者のコントロールについて、全体的な管理が行われなければならない。

⑫複製物の作成

> 受け入れた公文書等の保存及び利用を促進するため、劣化が進行し複製物による利用が必要であるもの、利用頻度が高いもの等について複製物の作成計画を立案し、実施する。
> また、利用制限事由に該当する情報が記録されていると判断された場合（⑭公文書等の利用に係る審査）、当該情報が記録された部分に黒塗り等を実施した複製物を作成する。

　これは相反する行為となりがちな保存と利用の両立をはかるための予防的保存の戦略の一つである。汚損や破損の恐れがある資料に対して、仮に原本が失われたり、損傷を受けたりしても、記録された情報を保全できるセキュリティコピーや、閲覧や展示などによる劣化の進行を抑制するために原本の代替として利用に供される複製物をつくることをいう。これには少なからぬコストがかかる。将来の利用頻度をも見通しながら、計画的な取り組みが求められる。

　また個人情報など公開できない情報がある場合は、いったんコピーを作成し、

その情報が記載された部分にマスキング（黒く塗り潰すなどして読み取れなくすること）を施した複製物（この場合は「閲覧用代替物」ともいう）を作成し、利用に供する業務もここに含まれる。

〈目録整備〉

⑬公文書等の目録作成

> 受け入れた公文書等について、出所原則・原秩序尊重の原則に基づき、文書群の構造と性格を分析し、利用者にとって使いやすい目録を作成、公開する（アーカイブズ機関によっては、「⑩公文書等の整理及び保存」と同時に実施する場合がある）。
> 作成した目録については、随時、追加・修正を行う。

アーカイブズ機関の所蔵目録は、受入資料を管理するとともに、利用者との接点になる重要なツールである。目録作成は、もっぱら物理的な行為である整理作業とは異なり、出所や原秩序として現れる記録アーカイブズの「かたまり」としての構造や性格を分析し、メタデータとして組織化する知的な行為である編成を前提として、最終的には言語記述によって表現される。

受け入れた資料の多くは、すでに原秩序としての体系性を維持しておらず、個々のドキュメントや記録の相互の関係、脈絡が不明になっていることが多い。この場合、「出所原則」や「原秩序尊重の原則」をふまえながら、専門的な調査研究をとおしてその構造や性格を解明し、さらにアクセスのしやすさを考慮した編成を行うことも求められる。これは非常に多くの時間と労力を要する仕事であり、対象に応じた専門性を備えたスタッフが整わない場合もあるため、完全を期すには中長期的な取り組みになることも想定される。整理作業の過程で予備的調査による概要のみの目録を作成し、段階的に詳細な目録を編成していくアプローチもあり、目録を作成したのちも随時、追加・修正を施していくことも考えられる。

なお、この仕事を遂行するためには国際的な標準化を視野に入れた目録記述に関する理解が欠かせない。第4章でも紹介したアーカイブズの記述にかかわる国際標準群（ISAD(G)、ISAAR(CPF)、ISDF、ISDIAH）の基本的な考え方を理解し、それらを適用していくことで、アーカイブズ機関相互、あるいは国や地域をも越えた目録情報の参照、アクセスの実現が期待されている。

ここまでの業務をもう一度整理すると図3のようになる。書庫に収められたあとの静態的な「保存」のイメージでは捉えきれない幅広い範囲をカバーする仕事

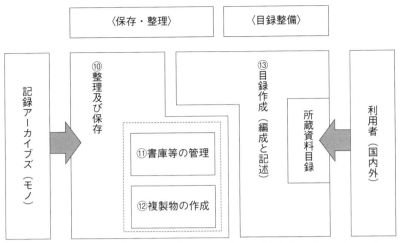

図3 「保存」という仕事 整理と編成・記述作業は一体的に進行することがある。

であることを理解しておこう。

▶利用

この仕事を構成するのは「利用審査」と「利用者支援」である。

〈利用審査〉
⑭公文書等の利用に係る審査

> 受け入れた公文書等には、個人の権利利益等を侵害するおそれがある等、一般の利用に馴染まない情報が記録されている場合がある。よって利用の求めがあった公文書等に記録されている情報について、時の経過等を考慮し、利用制限事由に該当するか否かの判断を行う。なお、判断結果について、利用者に説明を行う。また、利用者より審査請求がなされた場合は、第三者的立場である委員会等への諮問に伴う事務を行う。

　現代のアーカイブズは公開を前提に資料の受入れを行っているが、海外でも情報自由法などの法体系が整うまではアーカイブズ機関への移管が事実上の情報公開の手段になっていた。記録が発生してから公開されるまでの期間を閉鎖期間というが、これを最長でも30年とする、いわゆる「30年原則」をICAが決議、勧告したのは第二次世界大戦の終結から二十数年を経た1968年だった。今日では情報公開法制の整備も進み、30年を待たず公開する国も増加しており、日本でも記

録の作成取得時期から機械的に起算する限時的公開のしくみは採用されていない。すなわち公開のタイミングはこれに含まれる情報の内容に応じて経過年数にかかわらず個別に判断がなされるのが基本である。もっとも、記録媒体の劣化が進行し、汚損や破損の恐れが高い場合は原本の使用を制限し、複製物を提供する方法を選択することもある。公開とともに原本の利用が可能か否かを判断することを含めて「利用審査」と表現している。

　公文書には公権力の行使により集められた確度の高い個人情報や法人情報が大量に含まれ、機関の性質によっては公になると国の安全保障や、治安を脅かす恐れのある情報を扱う場合もある。このような情報の公開制限も永久に続くものではなく、一定の「時の経過」や制限事由の消滅などによって個人や法人の権利利益を侵害せず、あるいは国や社会全体の利益を損なうリスクがなくなれば、利用に供することが可能となる。ただし「時の経過」はつねに公開に作用するものとは限らない。たとえばある時点で公表され、周知のものとなっていた犯罪者の氏名であっても、刑の執行を終えたあとで社会的更生を妨げる恐れがあれば、その生存するあいだは公開が制限されることになるからだ。

　このように、利用制限はつねに個別的な判断による必要があるが、情報へのアクセスを求める利用者側はアーカイブズ機関が恣意的な判断を行っているのではないかという疑念を抱くこともあるかもしれない。利用者とアーカイブズ機関がフェアな関係を維持するためには、判断の妥当性を利用者側が検証できるように、何が利用制限事由にあたるのかを充分に説明する必要がある。さらに利用者側がその判断に誤りがあると認識し、救済や見直しを求める審査請求をした場合には、第三者的な立場にある機関が両者の主張の当否を審議するしくみを活用することも考えられる。アーキビストはそのような機関に対する諮問にあたって必要な資料を準備して自分たちの立場を主張し、審議の結果に基づいた公正な判断を行うことが求められる。

　このようなケースに備えて、アーキビストは審査の段階から業務記録を作成し、自らの活動に対する透明性を確保することが基本的な姿勢として必要となろう。

〈利用者支援〉
⑮閲覧等への対応

　アーカイブズ機関の基本的なサービスである閲覧利用に対応する。
　各利用者の様々なニーズを踏まえ、そのニーズに応じた所蔵資料を、各利用者のプライバシーを尊重しつつ、適切な媒体をもって提供する。なお、他機関への貸

> 出、さらに公文書作成機関の職員による利用への対応も含む。
>
> さらに、利用制限事由に該当する情報が記録されている資料については、利用者に対し適切な利用手段（黒塗り等を施した複製物の提供等）をもって、利用者のニーズに可能な限り応える。

利用の最も基本的なスタイルは閲覧である。そこにはさまざまなニーズ、すなわち動機なり目的がある。特に公文書館の利用者（これは必ずしも個人に限らず組織の場合もある）は、自らの権利の確認や利益の実現のために公文書等を利用することがあり、ときにはその思想や信条と密接にかかわる行為となる。したがって、利用者とその利用に関する情報は、極めてセンシティブなプライバシーとして守られる必要がある。さらに属性による利用者の区別はもちろん、目的の是非を問うことも適当ではない場合がある。ICA が1966年に決議した「平等閲覧原則」は、国籍その他の属性に基づく差別なく誰もが簡単な手続で記録アーカイブズを閲覧できるようにすべきであるというものである。仮に目的を尋ねることが可能でも、その内容によって利用や公開の可否が左右されることは妥当ではなく、公文書等の利用が法や条例によって権利として認められている場合は、そもそも利用目的を問うことはできない。

他方でアーキビストには公平さを失しない範囲で個々の利用者の意向に寄り添った対応を求められることがある。もちろんこれは無制限ではなく、あくまでも記録アーカイブズの保存に支障を及ぼさない範囲で対応することが原則であり、ときには原本ではなく複製物を提供するなど利用者の取り扱う媒体をアーキビストが選択する必要がある。

利用のかたちには、展示や外部機関への貸出し、親組織の職員による利用のほか、複写（写しの交付）も想定されるが、いずれも基本的な考え方は一緒であり、保存と利用の両立をはかることが極めて重要だ。

⑯レファレンス

> 所蔵資料等に関する様々な問い合わせ（利用希望資料及び関連資料の所蔵確認、資料の解読支援、関係資料の所蔵先等）に対応する。

レファレンスは、かつて図書館の分野では「参考調査」とも表現され、多くの対応事例や試行錯誤が積み重ねられてきたが、近年のアーカイブズ機関における実践では、よく整備されたデータベースを用いた情報検索・提供サービスによって利用者を補助することが中心的な内容になってきている。利用者が求める情報

は、資料の所蔵の有無、他機関での所蔵状況、内容理解のためのツールの提供などの支援のほか、利用手続の案内から目録および検索手段の使用方法についてのガイダンスまで大きな幅がある。

　もちろん、利用者に提供すべきと考えられる情報やサービスの範囲はアーカイブズ機関の性格によって異なるが、公文書館の場合は、少なくとも記録の解釈や真贋の鑑定、解読・翻訳の代行など、その内容の評価に深くかかわるような情報提供については行うべきではないと考えられている。

▶普及

　この仕事を構成するのは「利用の促進」と「連携」である。「普及」はつねに「評価選別・収集」「保存」「利用」という段階的に進行する仕事の各局面で展開する。このため「普及」それ自体のかたちは捉えがたい。基準書で取り上げている業務はその構成要素の例示であって、すべてではない点に注意したい。

〈利用の促進〉

⑰展示の企画・運営

> 所蔵資料の新たな価値を見出し、さらなる利用の促進を図るため、所蔵資料を中心とする展示を行う。また、展示を通して公文書等の保存及びアーカイブズ機関の重要性について普及を図る。

　所蔵資料の価値の発見や、アクセスの向上をはかるための取り組みを、基準書は「利用の促進」として位置づけている。これは公文書管理法第23条の規定を意識したもので、利用者からの閲覧要求に対応するといった受動的な仕事ではなく、自ら外部に対して付加価値のある情報を発信するといったプログラムを基本としている。

　目的と手段の関係を見失わないことが最も重要である。営利を追求するのでなければ集客の向上は一つの手段であって、アーカイブズの重要性についてステークホルダーやコミュニティの理解を深めることが目的となる。さらに実施に要する労力やコストの大きさ、保存との両立、開催期間や場所の制約をも考慮して計画される必要もあろう。

　利用を促す手段は多種多様であり、アーカイブズ機関の事情や固有性にも左右される部分が大きい。ここで取り上げられている展示も代表的なプログラムではあるが、あくまでも例示にすぎない。たとえば、展示施設をもたない組織に所属するアーキビストであれば、展示にかわるアプローチに必要な知識や技能を養っ

ていくことになるだろう。

⑱デジタルアーカイブ等の構築・運用

> インターネットを通じて所蔵資料の目録情報検索、デジタル画像の閲覧等を可能
> にし、広く所蔵資料の情報を提供する。

　時宜を得た展示は、これまでアーカイブズ機関を知らなかったような人々に対する訴求力を発揮することがあるが、それが閲覧などの利用行動とただちに結びつくケースは実際のところまれである。むしろ閲覧による利用者を拡大させ、あるいはその情報探索活動を支援するためには、レファレンスにも資する所蔵資料の目録情報検索システムを整え、さらにデジタル画像を入手できるような機能を付与したデジタルアーカイブを構築するほうが効果的である場合も多い。インターネットによる画像データへのアクセスを可能とすれば、遠隔地でも、かつ同時に複数の利用者が使うこともできる。

　こうしたプログラムを提供するうえで必要になるデジタル化や情報システムの構築、データの長期保存にかかわる技術は急速に発展していく。最新の技術動向を理解するための研究能力や、国内外の技術専門職とのコミュニケーションを通じて情報収集することも、この業務を支える重要な要素になるだろう。

⑲情報の発信（研究紀要・講座の企画）

> 所蔵資料の新たな価値を見出し、さらなる利用の促進を図るため、研究紀要や情
> 報誌・広報誌の企画等を行う。また講演会・講座等を企画・運営する。なお、必
> 要に応じて自ら執筆し、また講師を務める。
> これらは、アーカイブズ機関の運営目的や想定される利用者のニーズに合わせて
> 立案・実施する。

　利用を促す手段として研究紀要や情報誌・広報誌といったメディアの発行、講演会や講座などのイベントの開催がある。これらの企画や運営には所蔵資料に対する調査研究をとおして得られた深い理解や専門的な知識が欠かせないことから、アーキビストが主体的に関与することが想定されている。これらの取り組みにも当然ながら一定の労力やコストが発生する。安易なルーティンワーク化を避け、アーカイブズ機関の設置目的や利用者のニーズを捉え、費用対効果を考慮したプランの検討と実践にあたることが必要だ。

　ここでも目的と手段の関係を確認しておこう。記録アーカイブズはそのままで

は誰にとってもわかりやすく、使いやすいものであるとは限らない。組織や個人の活動のなかでどのように役立つのか、どういった事業で使うと効果的なのか、といった具体的なイメージを示していくことが必要になる場合が多い。情報の発信に際して、内容の高度さや専門性を追求することが、真に所蔵資料の魅力と価値の発見を促すことになるのかどうかを考えるべきであろう。

〈連携〉

　主体的な発信に重点をおいた「利用の促進」に対して、「連携」は外部の組織や団体などとの関係を結ぶことで、不足する情報や知識、人材といったリソースを補い、あるいは強化する機能を想定している。

⑳歴史資料等の所在状況把握

> アーカイブズ機関が保存支援を行う対象とする地域内に所在、または所蔵資料に関係する歴史資料等について、その所在状況等の情報（所蔵者、所在地、保存場所、資料の概要、保存状況等）を把握し、資料保存の基礎資料として活用する。

　アーカイブズ機関、特に公文書館の機能は親組織から定期的に公文書を受け入れ、保存するだけにとどまらない。自治体であれば、その地域に所在する歴史的に重要な記録資料（たとえば旧家が保存・継承してきた古文書）を収集・保存する受け皿としての機能を期待される場合がある。そのような「歴史資料等」は、アーカイブズ機関の所蔵資料と密接に関連し、欠けている情報を補ってくれる可能性もあるが、劣悪な保存環境や、相続、災害などによってつねに散逸のリスクにさらされている。保全対象の概要、所蔵者、所在地、保存場所、保存状況などをあらかじめ把握し、リスクに備えて所蔵者らと協力して必要な措置を講じられる基盤の整備が目的である。

　自治体史編さんや資料の「所在情報目録」といった名目で、主に利用を目的とした類似の取り組みが実施されているケースもあるが、その情報も常時アップデートされているとは限らない（かつては紙媒体の出版物としてまとめるのが主流であった）。地域をまたいだ連携や国・社会全体の情報共有となると、まだ進んでいないのが現状である。そもそも「地域」という概念は、現在の都道府県や市区町村といった行政区分や地理的概念からとらえるのではなく、過去に遡及して歴史的あるいは文化的背景、住民のメンタリティをふまえて広く理解する必要もある。したがって、かかわりをもつ可能性のある他機関や関係者とのコミュニケーションと協力関係の構築がこの仕事を支える中心的な要素になろう。

㉑他のアーカイブズ機関、類縁機関(図書館、博物館等)及び地域等との連携・協力

> 国内外のアーカイブズ機関、類縁機関(図書館、博物館等)、関連団体等とのネットワークを構築するとともに、関係者、学校等との協力関係を結び、公文書等の適切な保存・利用の促進及びその普及を図る。

アーカイブズ機関が独力で公文書等の適切な保存・利用の促進や普及のための活動を展開するには限界がある。限られたリソースを補い、あるいは強化するために連携をはかる対象としては、他のアーカイブズ機関のほか、図書館や博物館など知的情報資源を提供する機能をもった類縁機関、全国歴史資料保存利用機関連絡協議会や記録管理学会、日本アーカイブズ学会といった関連団体などが考えられる。その範囲はもちろん国内に限定されない。ユネスコや ICA とその地域支部(たとえば東アジアでは EASTICA がある)と協力する場合もある。

近年、日本ではアーカイブズ機関との接点が薄かった学校教育との協力も普及活動の大きな要素となってきた。2018年 3 月に改訂された高等学校の学習指導要領でも、歴史資料をふまえた学習や、資料を保存する機関が果たす役割への理解、デジタル化された資料の活用などをとおして、卒業後も将来にわたって学び続ける機会や方法についての認識や姿勢を育み、生涯学習へと発展させていくことが期待されている。

㉒アーカイブズ機関等職員に対する研修の企画・運営

> 主にアーカイブズ機関の職員を対象に、歴史資料として重要な公文書等の保存及び利用に係る知識の習得を目的とする研修を企画し、必要に応じて講師を務める。

アーカイブズ機関には、アーキビストやこれを支える技術専門職、管理部門のスタッフなどさまざまな職責とバックグランドをもつメンバーが存在している。これらは「評価選別・収集」「保存」「利用」「普及」の四つの仕事にも何らかのかたちで関係し、人的リソースがつねに不足しがちな日本では、それぞれが必要な知識を習得して一体的に機関のミッションに取り組んでいくことが求められる。

基準書は、そのような知識の習得を目的とした研修を、組織運営の中核的な存在となるアーキビストが企画し、必要に応じて講師を務められる知識を備えるものとしている。「必要に応じて」とあるのは、分野によってはほかの機関に所属するアーキビストや技術専門職、高等教育機関に属する教育研究者の協力を得たほうがより適当である場合も想定されるためだ。国立公文書館の「アーカイブズ

研修」や、国文学研究資料館の「アーカイブズ・カレッジ」など外部機関で開催される研修の機会を積極的に利用することも、研修の企画として選択することができよう。

▶専門職の成長を支えるもの

知識や技能は学習や研修で習得することができ、テストでも端的にその程度を推しはかることが可能である。基準書では、このような認知能力に加えて、「職務全体に係るマネジメント能力」として企画立案・調整能力、いわゆる PDCA サイクルの実現、リスクの発見・防止、問題発生時の対応能力といった非認知能力をあげ、認証の要件としても位置づけている。これらは説明をつくさずとも常識的に理解できるので詳細な説明はしないが、管理職だけでなくすべてのアーキビストがこのような資質を要求されている点に注意したい。

本章で示したように、アーキビストのそれぞれの仕事は完全に切り離せるものではない。自身の専門性や業務の範囲にのみとらわれることなく、アーカイブズ機関の活動全体を総合的に把握し、状況に応じてより良いものへと改善するために、リソースに見合った現実的な選択をすることが必要である。

自らを恃むものではなく、関係者との協力ができる資質を養うことも重要であろう。職務遂行にあたって要求される知識や技能を発揮する前提として、コミュニケーション能力、組織・チームではたらく力、主体的な行動力、問題解決能力、自己管理能力、継続的な学習能力、最新技術への適応能力も求められている。

もちろん基準書が示すような知識や技能のすべてをあらかじめ完全に習得しておく必要はないし、特に非認知能力は多年にわたる業務経験を通じて体得され、みがきあげられる部分が大きい。同書は人材育成の基本資料であり、自分自身がおかれた実践の場や、その意思によって必要な知識や技能を選択的に獲得していくための「地図」でもある。継続的な学びを前提としたキャリアデザインの重要性は、ほかの専門職がそうであるようにアーキビストにもあてはまる。知識や技能には普遍的なものも多いから、ときには国境を越えてはたらくこともあるかもしれない。

次章以降は、そのヒントを国内外の事例や現状を紹介しながら探ってみよう。

【参考文献】

小川千代子・高橋実ほか編著『アーカイブ事典』（大阪大学出版会、2003年）
保坂裕興「アーキビスト養成の国際的動向－能力保障型の人材育成－」（『アーカイブズ学

研究』27、2017年12月）

国立公文書館『アーキビストの職務基準書』（2018年12月）

Jackie Bettington; et al, *Keeping archives*, Canberra: Australian Society of Archivists,
　　2008.

「アーキビストの職務基準に関する検討会議」配付資料・議事概要（国立公文書館）

「アーキビスト認証準備委員会」配付資料・議事概要（同上）

下重　直樹

第 6 章

世界とつながるアーカイブズ

1 世界のアーキビストと社会の持続的発展

　近年、日本でもアーカイブズの専門職にかかわる資格制度が開始された。日本アーカイブズ学会による登録アーキビストや国立公文書館による認証アーキビストなどがそれにあたる。アーキビストは、国の根幹を支え、また地域や団体・個人の記録を継承する役割を担う。世界の多くの国々では、国家資格や専門職として、広く社会に認知されている。社会におけるアーキビストの重要性を考えると、日本でも将来的にそうした方向性を求めたい。

　また、世界の国々では、単に制度としてアーキビストが国家資格や専門職として認められているだけではない。日本では、高齢化社会の時代から人口減少社会の時代を迎えている。地域では過疎化が進行し、地域の衰退は住民の共同体意識の希薄化をもたらしている。諸外国でも同じように人口減少社会を迎えている場合もある。だが、それでもなお、地域の共同体意識が安定的に継承されている社会もある。その背景の一つには、アーカイブズとそれを支えるアーキビストたちの活発で、地道な活動がある。そうした活動や制度を通じて、社会の持続的な発展にも貢献しているのである。

　したがって、こうした国では、アーキビストの職務内容や社会的立場も多様なかたちで発展をみせている。活動場所も、いわゆる「文書館」に所属するアーキビストだけではない。自治体や企業、各種団体に所属するアーキビストがいる。また、特定の団体に属さないフリーランスのアーキビストとして、小規模な自治体等を巡回するアーキビストもいる。さらに企業などでは、所蔵する記録アーカイブズを専属的に担当するアーキビストが雇用されている。そのうえ、実務の記録にかかわる専門職員も活動している。たとえば、コンサートホールなど大型の建物を設計する際の事例があげられる。ホールなどの大型の建物は、国際的に標準化された規格にそって建設される必要があるため、関連する記録を体系的に管理・運用する必要がある。そのため、記録管理に関する専門知識を持ち合わせている人材が重用される（より専門的には、この役割は「レコードマネージャー」

と呼ばれる）。さらに近年では、これまでの紙をはじめとした媒体以外も扱う。デジタル上で文書等のやり取りが直接なされるため、情報工学的な素養も求められている。

　アーキビストの活動は、日本国内にとどまらない。この章では、海外のアーキビストの活動と教育を通じて、世界への拡がりと、人類にとっての普遍的価値をもつ職業人としての顔を紹介する。ヨーロッパのアーキビストは、長い伝統をもつ。そのなかでもイタリアは、アーキビストの数も多く、多様な職務形態や役割をもったアーキビストが活躍している。こうしたアーキビストたちは、イタリア国内だけではなく、世界各地でも活動の幅を広げている。また、近年では「アーカイブズ学学校」（詳細は後述する）の修了生や国立文書館の修復士に日本人の姿もみられる。

　日本各地でも文書管理に関する条例が制定され、文書館、文書を扱う部署が設置されてきている。だが、専門職の配置は、これからの段階というところが多い。イタリアには、中世からのアーカイブズが体系的に残されている。一方、日本でもかつて各地の庄屋が文書を作成し、現代でいえば役所のように機能していた。そういった歴史的経緯から、日本各地には大量の資料が残されている。しかも、それは世界的にみても相当な量だという。こうした歴史遺産の面での共通点だけではなく、海に囲まれた国土に急峻な山脈が連なり、地震や水害などの災害の危険が多いことでも日本とイタリアは共通している。イタリアにおけるアーキビストの多様な職務形態は、地域ごとにさまざまな事情を抱える日本においても、専門職や専門的な知見をもった人材を配置する際の参考となろう。また、日本と同様、イタリアも世界有数の高齢化社会である。その一方で、イタリアの各地域の共同体意識は、非常に強い。実際に共同体意識の形成においても、アーカイブズとアーキビストが果たす役割は重要なのである。

　この章では、まずはじめに、アーキビストたちの実地での活動を俯瞰する。その後、アーキビストを養成する多用な教育制度を学びたい。さらには、そうした活動や制度を学ぶことによって、持続的な社会や共同体のあり方をも探っていきたい。また、合わせてバチカンのアーキビスト等についても、少々触れたい。本章で扱う箇所を示したイタリアの地図を次に掲げる（**図1**）。

図1　本章で扱う箇所を示したイタリアの地図

2　フリーランスのアーキビスト

▶エルバ島

　エルバ島は、地中海のコルシカ島とイタリア半島のあいだに位置する。美しい海に囲まれ、ナポレオンの最初の流刑地としても有名な場所である。島内は岩の多い地形によって各地域が分断され、歴史的にも地域ごとに異なる支配者のもとにあった。面積にして石垣島と同程度の約220キロ平米、島内の人口は3万人程度である。現在でもこうした地形や歴史的背景から、島内は単一の自治体ではなく、7自治体に分かれ、都市ごとに独自性がみられる（イタリアでは市町村の区別はなく、すべて「コムーネ」と呼ばれる）。本土との大型船が行き来する港のあるポルトフェッライオを除き、各都市の人口は多くても5000人に満たない。したがって、各自治体で文書館やアーキビストを自前で抱えることが難しい状況で

ある。このため、この島では、フリーランスのベテランのアーキビストと若手の協力者が島内の各自治体を巡回する。アーカイブズの管理・運用は、この2名で行う体制をとっている。文書館や書庫に移管された文書の移動といった力仕事も、スーパーマーケットでも使われるカートなどを用いて行っている。

　島内で最も規模の大きい自治体は、ポルトフェッライオである。ここでは、自治体の文書館が図書館と同じ建物のなかに設置されている。書庫の一部を改良し、収蔵物に囲まれながら展示をみることができる（**写真1**）。文書館では、通常業務に加え、地域向けの企画展を開催したり、出版活動を行ったりしている。筆者が訪問したときには、キャンプ場の設立の歴史にかかわる文書や写真が展示されていた。島内のキャンプ場は、夏に人気のレジャーである。この設立に大きくかかわったのがグラート・マライーニ（1917～2004）である。彼の兄は、人類学者で第二次世界大戦前後の日本に暮らし、日本に関する数々の著作や映画撮影も行い、日伊交流に多大な貢献をしたフォスコ・マライーニ（1912～2004）である。

　それ以外の自治体では、書庫スペースの横に簡素な閲覧場所を設けている場合もある。また、元は電力会社の施設など、他の用途で建てられた建物を書庫に転用している。自治体の実情に合わせ、現実的なかたちで対応しているのである。文書館が図書館と同じ建物に設置されている場合でも、図書館の内部に文書館のスペースが設けられているわけではない。別々の入り口や階、スペースが必ず確保されている。また、収蔵しているアーカイブズの重要性や保存環境を考慮し、より適した場所やかたちがあれば、積極的に活用をしている。たとえば、ナポレオンが流刑となった時代に同島を治めていた統治官の文書や、島の不動産台帳といった歴史的に重要な文書は、本土の国立リヴォルノ文書館に寄託されている。島内の自治体が合併した際には、海沿いの低地に書庫を設けていたリオ・マリーナ地区から、丘陵地にあるリオ・ネル・エルバ地区へ移すなどの対応も行っている。

　このようにエルバ島には、フリーランスのアーキビストによる活動が、島の地形や、歴史的・地政学的に特殊な経緯をふまえ、適したものとなっている。アーキビスト自身も島のアーカイブズを守り、伝えるという気概に溢れ、島の人々からもその存在が広く認知さ

写真1　文書館の展示スペース

れている。さらに、アーカイブズを守り伝えるだけではなく、積極的に活用している。たとえば、関連する展覧会の開催や、島内各所に正確な史実に基づいた由来を記した看板等を設置している。こうして、離島での観光にも資する形で、社会の持続性にも寄与しているのである。

▶チェルタルド

フリーランスのアーキビストが活躍する例として、もう一箇所、トスカーナ地方本土の町を取り上げたい。フィレンツェとシエナのあいだにあるチェルタルドは、１万5000人強の人口からなる町である、この町は、14世紀半ばに『デカメロン』を著したジョヴァンニ・ボッカッチョ（1313〜75）のゆかりの地でもある。ボッカッチョは、ダンテやペトラルカと並ぶイタリア三大詩人である。また、町の紋章にもあしらわれているように、赤玉ねぎの産地としても有名である。この町は旧市街地と新市街地に分かれる。旧市街地は、中世の代官所や、ボッカッチョの博物館等がある丘の上に建てられている。新市街地は、丘の麓に近代になってから計画的につくられた。かつての代官所の壁には、代官（Vicario）を務めた者たちの家紋が陶器でつくられ、掲げられている（**写真２**）。なお、この町は群馬県甘楽町と友好親善姉妹都市である。そのためか、代官所の一角に日本の茶室も持ち込まれ、設置されている。建物だけではなく、伝統的な景観の保護にも力を入れているイタリアで茶室の設置を実現するには、かなりの苦労があったことが想像される。

旧市街地と新市街地は、ケーブルカーでつながれている。新市街地は、近代的な建物が整然と展開している。チェルタルドの自治体文書館はこの新市街地にあり、図書館や警察署が入っている複合施設のなかに設置されている（**写真３**）。チェルタルドの周辺地域は、小規模の自治体が田園風景の広がる丘陵地帯に点在するような地域である。したがって、エルバ島と同様、こちらでも、フリーランスのベテランのアーキビストと若手の協力者から成る女性

写真２　チェルタルドの旧代官所

写真3　文書館の入った複合施設

2名が周辺の自治体のアーカイブズも巡回するかたちをとっている。

中世期の文書は、代官を務めた者ごとの簿冊にまとめられている。旧市街地の代官所の壁にみられたように、簿冊の表紙には代官の家紋が描かれている。簿冊をみて、すぐに視認できるようになっているのである。また、協力者は、旧市街地にあるボッカッチョの博物館でも活動している。一人で何役かを担うことで地域の活動を支えているのだ。

チェルタルドでは、ボッカッチョという世界的な著名な詩人の出身地として、その文化遺産やコンテンツを活用している。さらに、代官所を中心とした旧市街地を活用した海外との友好親善も展開されている。こうした活動のバックボーンとなるのがアーカイブズの存在である。こうしたアーカイブズは、アーキビストたちによって支えられている。

また、エルバ島もチェルタルドもフリーランスのアーキビストの活動や、文書館を図書館と同じ建物内に設置するなど、予算規模に見合ったかたちで最適化された運営を行っていることも指摘しておきたい。

3　自治体やヨーロッパ連合のアーキビスト

▶フィエーゾレ

イタリア中部フィレンツェ郊外の丘陵地に位置するフィエーゾレは、人口1万4000人ほどの小規模な町である。古くはエトルリア人が居住地とし、ローマ時代の劇場遺跡も残る。ルネサンス期には多くのフィレンツェ在住の貴族が週末や休暇で過ごす場所として館を建てた。瀟洒で風情のある町である。この町の自治体の文書館は、警察署と同じ建物のなかに設置されている。同じ建物とはいっても、入り口等はもちろん別である。国立や州立の文書館とは異なり、小規模な自治体の予算の範囲内でうまくやり繰りをしているということだろう。一方で、歴史的遺産を多くもち、規模も大きい自治体などは、文書館が独立した建物のなかに設置されていることも多い。

建物の建てつけについては、先ほど紹介したエルバ島やチェルタルドの例と似ている。一方で、ここフィエーゾレの文書館では、専属のアーキビストが常勤職員として雇用され、活動している。さらに、常勤のアーキビストだけでは人手が充分ではないため、定年で退職したアーキビストも非常勤職員として引き続き活動を支えている。収蔵物も歴史的に重要な文書や、自治体で作成された公文書だけではない。フィエーゾレで行われる映画祭関係のポスター等も保存している。そのなかには、イタリアでも人気がある黒澤明監督の映画のチラシもみられ、展示にも活用しているようである。また、政治活動が活発な地域でもあるため、政党のアーカイブズだけではなく、各政党

写真4　フィエーゾレ市の旗

の旗までもが収蔵されている。文書館内で旗が掲げられているさまは、さながらイタリアの中世を模した祭で使われる町や地区の紋章が入った旗を彷彿とさせる（**写真4**）。文書館の収蔵物を元にした研究書や目録等の出版活動も盛んである。

　フィエーゾレは、エトルリア人にまで遡る古い歴史をもち、今でもローマ時代の遺跡も残され、夏の野外劇場などで活用されている。この町では、フィレンツェ近郊の歴史的な田園都市の歴史を継承するだけではなく、現代の映画祭や政党の活動に関しても積極的にアーカイブズ化したうえで活用し、持続可能な社会の姿を体現しているのである。

▶ヨーロッパ連合歴史文書館

　貴族の邸宅は、フィエーゾレの周囲の田園地帯にも点在している。そうした邸宅の一つ「ヴィッラ・サルヴィアーティ」（**写真5**）は、フィエーゾレ近郊のバディーア・フィエゾラーナに位置する。ここにヨーロッパ連合の文書館がおかれている。この邸宅の敷地は非常に広大で、ヨーロッパ大学機関も同敷地内に所在する。文書館の書庫は、文書館の前に広がる庭園一面の地下に設置されている。庭全体は、地面のレベルより高い段になっており、水害からも守られている。書庫内の設備も最新で、清掃も行き届いている。配置されているアーキビストも複数人いる。ヨーロッパ連合の文書館らしく、イタリア人だけではなく、イタリア語

写真5　ヴィッラ・サルヴィアーティ　　　写真6　庭園から望むフィレンツェ市街

を解する他国出身の人員も配置されている。また、かつて貴族が居住した邸宅の名残が感じられる部屋も修復されており、予算が潤沢であることをうかがわせる文書館である。

　ヨーロッパ連合の記録は、元々、ブリュッセルやルクセンブルクに所在する五つの保管庫に収蔵されていた。その後、ヨーロッパ大学機関の敷地内で集中管理するという決定がヨーロッパ委員会によってなされ、1977年に文書館が設立されたのが始まりである。ヨーロッパ議会や閣僚理事会をはじめ、ヨーロッパ連合以前の欧州石炭鉄鋼共同体や欧州経済共同体などの連合体や会計院、そして、経済協力や宇宙開発などのヨーロッパにおける国際諸機関や、私的性格をもつ協会や運動・政治団体、「欧州連合創立の父」とも呼ばれるアルティエーロ・スピネッリ（1907〜86）、アルチーデ・デ・ガスペリ（1881〜1954）、ポール゠アンリ・スパーク（1899〜1972）等の個人のアーカイブズ、統合のプロセスにかかわった政治家や官僚200人以上のインタビューのコレクションなど、幅広く所蔵している。また、ヨーロッパ統合と第二次世界大戦以後の国際関係に特化した図書館も備えている。

　ヨーロッパ連合というこれまでの国家の枠組みを越えた機関で作成された現代の記録を未来に受け継いでいくだけではなく、邸宅や庭園、そしてそれらを取り巻く田園地帯の景観といった地域に根差した文化とも融合し、社会の持続的発展にも貢献しているのである（**写真6**）。

4　団体のアーキビスト

▶銀行アーカイブズ
　モンテ・デイ・パスキ銀行は、トスカーナ地方の内陸に位置する古都シエナに

写真7　モンテ・デイ・パスキ銀行本店

写真8　本店内の文書館

端を発する銀行である（**写真7**）。その起源は1472年まで遡り、現存する銀行の内で世界最古である。現在、ローマからフィレンツェのあいだは、シエナからさらに内陸の地域に鉄道と高速道路の主要幹線が引かれている。しかし、かつては、ローマとヨーロッパ北方の都市をつなぐフランチージェナ街道が古代から用いられ、その中継地としてシエナは大いに栄えた。同地では金融業も発展し、ピッコローミニ家やキージ家などシエナ出身の教皇も輩出した。現在でもシエナ地域では、世界的に知られる葡萄・ワインの生産業者等が各地で活動している。世界遺産にも指定されているトスカーナの田園風景とともに、非常に豊かな滋味溢れる土地柄である。したがって、同行のコレクションは、同行発祥当時の貴重なアーカイブズが残されているだけではない。歴史的な美術品をはじめとする文化財も所蔵し、展覧会も随時開催されている。なお、イタリアでは、アーカイブズも文化財の一部を構成するものと考えられている。同行の文書館は、銀行の本店が所在するシエナ中心部のサリンベーニ邸内に設けられている（**写真8**）。当意即妙なやり取りをする若手のアーキビストが専属ではたらいている。同行が所蔵するアーカイブズについてはもちろん、建築物や邸内の美術品などの歴史的由来についても解説ができる。また、銀行のアーカイブズで主要なものは、帳簿類である。

そのため、古い文字の読解や芸術的な素養だけではなく、数字にも強いアーキビストであることが印象的だ。

　企業が保有する資産の価値を担保しつつ、展覧会などを通じて企業イメージを向上させている。また、地域文化に貢献する際に、所蔵しているアーカイブズを基盤として活用し、地域社会全体の持続可能性を高めているのである。また、このあとに触れるが、地方の銀行は、地域のほかの民間所在アーカイブズの保護に際しても、さまざまな形で協力している。

▶大貴族のアーカイブズ

　シエナからフィレンツェ方面へ、赤ワインで世界的に有名なキャンティ地方へ場所を移そう。葡萄畑の広がる田園風景を望む丘の上にフィレンツェの貴族であるコルシーニ家の別荘が建てられている（写真9）。この館が建つ丘の内部が地下階となっており、レストラン兼ワインの販売所が設けられている。さらにその地下の広大なセラーには、巨大なワインの樽が並べられている。一方で丘の上に建てられた館は、3階建てとなっている。その最上階にコルシーニ家の一族アーカイブズを収蔵し、閲覧も可能な文書館が備えられている。一族アーカイブズと一口にいっても、コルシーニ家の規模になると、何世紀ものあいだにわたって周囲の農地から徴収した地代が記された分厚な記録簿などを所有する。そのほかにも地域に関するさまざまな活動を記した1万2000点以上の記録類を保有している。これらは、一族と地域の歴史を語るうえで欠くことのできない一級の記録群を形成している。文書館には専属のアーキビストが常駐し、一族のアーカイブズについて隅から隅まで知り尽くしている。

　コルシーニ家は、教皇クレメンス12世（1652〜1740、在位1730〜40）を輩出した一族である。彼は、18世紀前半に教皇庁の財政を立て直し、ローマ市内の観光名所として現在も有名なトレビの泉などを建設した。さらに、バチカン図書館の蔵書も充実させた。したがってコルシーニ家は、トスカーナ地方の枠のみにとどまらない有力な貴族である。この一族のアーカイブズは、元々はフィレンツェの町の中心部に所在し、一族が居住する館のなかに収蔵されていた。イタリア各地が水害に見舞われた1966年、フィレンツェも例外ではなかった。町の中心部を流れるアルノ川が氾濫し、コルシーニ家の館も被災し、一族アーカイブズも被害を受けた。また、古い建築様式によって建てられた館であったため、天井が高く、梯子を使わずには、書棚上部の文書を取り出すことができないなど、以前から使い勝手の面でも問題が生じていた。とはいえ、イタリアの歴史的地区内の館を一から建て替えることは認められていない。そこで、コルシーニ家が所有するキャン

ティ地方、サン・カシャーノ
の地にある別荘にアーカイブ
ズ自体を移転することが計画
された。

しかし、一口に移転といっ
ても、通常の引越しのように
はいかない。分厚な革装に綴
じられた羊皮紙文書など1万
点以上から成る文書群につい
て目録を作成する必要があっ

写真9　文書館の入るコルシーニ家の別荘

た。さらに、元々の文書がおかれていた位置関係や、文書群の構造や秩序を損な
うことなく、移転先の書架などの環境整備を行いつつ、移転作業を実施しなけれ
ばならない。これらを実現するには、かなりの労力がかかり、専門的知識や資金
も必要となる。そこで、フィレンツェに所在する国の機関、トスカーナ文書保護
局（現、文書図書保護局）が中心となり、協力した。同局がアーカイブズの移転の
実務を専門とするコンサルタント会社や地方銀行などから構成される多業種での
タスクフォースを組み、無事に移転が実現したのである。なお、イタリアでは、
歴史遺産の文化的価値だけではなく、財としての価値も見出し、地方銀行もこの
種の活動を積極的に支援している。たとえば、フィレンツェ中心部でも銀行が所
有する著名な美術史家のアーカイブズに関する展覧会などを主催している。

モンテ・デイ・パスキ銀行の例と同様に、一族が保有する資産の価値を担保・
向上させるだけではなく、地域文化にも貢献するうえでアーカイブズの基盤を活
用している。双方ともに専属のアーキビストがおり、閲覧室が開放されている。
この点からも、所有者に資するだけではなく、地域の人々にとってもアーカイブ
ズの保存や活用が地域に価値をもたらす活動として認められ、閲覧される機会も
多いことがうかがえる。日々のアーカイブズの利用のみならず、関連した展示活
動や出版・広報活動、そして、それにともない、これらの地域への訪問客も適正
な規模で増加するなど、地域の持続的な発展にも寄与していることがうかがわれ
る。

5　国家資格アーキビスト

現代の日本にも企業や旧華族のアーカイブズを扱う機関が存在し、各地の自治

写真10　トスカーナ文書図書保護局

体でも文書館等の設置が進められている。必ずしも専門職員が配置されているわけではないが、何十年もアーカイブズを取り扱ってきたエキスパートが担当していることも多い。だが、制度全体を俯瞰した際に日本とイタリアでは大きな違いがみられる。

　ここまでイタリア各地で活躍するアーキビストを紹介してきた。紹介したアーキビストは、大学等で専門教育や実地での専門的な経験を重ねているものの、必ずしも国家資格を取得しているわけではない。専門教育ののちに非常勤として活動している場合や、州にアーキビストとして認定された者、また、これまでの経験によって自治体や団体等に乞われて活動する者もいる。しかし、個々の団体やアーキビストだけでは、対処できない事態も発生する。先ほどみたような大規模なアーカイブズの移転や、災害時のレスキュー活動などがその一例である。そこで、私的なアーカイブズを含む各種団体・個人や、自治体のアーカイブズを継承していく際の手助けをするための保護活動を担うのが、国の機関である文書図書保護局である（**写真10**）。

　イタリア共和国で国家資格を得たアーキビストは、主として全国各地に設置されている国立文書館か、同じく各所に所在する国の機関である文書図書保護局で活動している。国立文書館は、世界各地にみられる組織なので想像しやすいだろう。一方で、文書図書保護局という組織を設置しているのは、ヨーロッパでも珍しく、イタリア独自の機関であるため、少々説明をしたい。かつては各州に、現在は2州に1局程度が設置されている同局は、自治体や私企業、各種団体が所有するアーカイブズ（これらはまとめて「非国有アーカイブズ」と呼ばれる）の管理・運用のため、ガイドラインを策定し、調査を行い、関連プロジェクトを実施する。また、地震や水害が起きた際は、災害発生地域を管轄する局が軍や消防と協力し、管轄地域のアーカイブズの救出を行う。さらに、かつてフィレンツェ中心部でマフィアによる爆弾テロ事件が起きた際も塵煙の上がるなか、アーカイブズの救出にあたり、身を挺した活動にも従事した。さらに同局は、「文化財および景観法」に基づいて、重要なアーカイブズに対して「最重要歴史的価値宣言」を発する権限をもつ。この宣言によって、対象となるアーカイブズを所有する団体や個人は、アーカイブズの保護・修復作業にかかる費用に対し、税控除が受け

られ、国からの補助金支出が認められる場合もある。また、所有者は、こうした権利だけではなく、義務も負うこととなる。対象アーカイブズを散逸や廃棄・破損から守り、整理や目録化を行い、外国へ一時的に輸出や修復を行う際、国に許可を申請しなければならず、所在地の変更や国が先買権を行使することが予想される場合は、事前通知を行う。たとえば、従来からアンティーク商でのオークションが行われる際、事前に出品カタログを文書図書保護局に提出し、チェックが済んでからオークションが実施されていた。近年は、インターネット・オークションにも目を光らせている。さらに、非国有アーカイブズの閲覧請求の際には、文書図書保護局を通じて許可を取得することとなる。同局を通じて、非国有アーカイブズの保護や活用に対して国が手を差し伸べる制度が構築されているのである。

　先ほどから、アーカイブズの「保存」ではなく、「保護」と書いてあることにお気づきだろうか？　国有アーカイブズに関しては、全土にくまなく設立されている国立文書館で物理的に所蔵し、保存を行う。一方で、各地の文書図書保護局では、非国有アーカイブズの所有者に対する手助けを行う。しかし、基本的に同局がアーカイブズそのものを収蔵や保存を直接行うことはないため、「保護」と呼ばれているのである。こうした非国有アーカイブズの保護活動を文書図書保護局が担うことで、全土に所在するあらゆる種類のアーカイブズを網の目のように捕捉し、情報を集約可能にしている。各地の収蔵状況は、国際標準に基づいて統一されたフォーマット上に記述される。これらは、インターネットからもアクセス可能な情報システムを通じて、瞬時に一目で確認できるようになっている。

　こうした活動上の特性があるため、文書図書保護局で活動するアーキビストは活動的で、対人能力にも長けた人物が多い。どちらかといえば、物静かなタイプの多い国立文書館所属のアーキビストとは対照的で、「アーカイブズ・ハンター」といった面持ちの人材が集結している。それもそのはずで、彼らは、各地のアーカイブズの所有者やアーキビストと良好な人間関係を築くことを保護活動の基本としている。そのほかにも、たとえば各種プロジェクトに出資する銀行や財団、もしくは災害時に、たとえば水害でカビの繁殖を防ぐために協力を要請することとなる卸売市場や冷凍施設業者といった多様な業種の関係者とも密接な関係を構築する必要があるのだ。ときには、アーカイブズ自体の認知度や価値を高めるため、銀行等をスポンサーに巻き込みつつ、展覧会等も開催するために汗をかく。また、これまでみてきたような非国有アーカイブズやアーキビストの情報を管轄地域ごとに各文書図書保護局で集中的に管理し、日々、最新の情報に更新している。場合によっては、関係者にインタビューを行い、オーラルヒストリーを収集

する場合もある。保護活動に前向きな所有者に対しては、積極的に手を差し伸べる。一方で、損得勘定のみを考え、保護活動に前向きではない場合、強く指導・監督を行う場合もあるのだ。

6 バチカンのアーキビスト・修復士

　周囲をイタリア共和国に囲まれ、カトリックの総本山でもある世界最小の国、バチカン市国にも多数のアーカイブズ関連機関が存在する。ローマ教皇の身の回りに関する文書を中心に、多くのアーカイブズが保存されているバチカン使徒文書館をはじめ、国務省、福音宣教省、教理省などの各省庁でも独自に記録管理を行い、文書館を有している。使徒文書館の書庫は、バチカン美術館内の中庭の直下に拡がる広大なものである。フランス革命以前の古い所蔵文書の書架総延長に関しては、イタリア共和国内のどの国立文書館の書架総延長よりも長い。バチカンに多少詳しい読者でも「使徒文書館」の名はあまり耳にしたことがないかもしれない。これまで「Archivio Segreto Vaticano」は、「機密文書館」や「秘密文書館」と訳され、映画や小説等にも登場していた。だが、イタリア語の「Segreto」には、「機密、秘密」の意味もあるものの、第一義は「身の回りの」という意味である（英語の「Secretary　秘書」に近い）。日本語だけではなく、英語圏でも「機密、秘密」の誤用がみられ、バチカン側も再三ホームページ等で注意喚起をしていた。そして、2019年10月に「バチカン使徒文書館（Archivio Apostolico Vaticano）」へと名称変更された。また、ベネディクト会やイエズス会などの修道会も独自の文書館を備えている場合もある。さらに、使徒文書館のお隣のバチカン図書館にも何世紀前にもさかのぼることのできる歴史的アーカイブズや古い書籍類が収蔵されている。

　そこではたらく専門職の人々は、図書とアーカイブズの双方に明るい。実際に、使徒文書館と図書館を統括する高位聖職者の役職の正式名称は、「聖ローマ教会アーキビスト兼司書（Archivista e Bibliotecario della Santa Chiesa Romana）」である。歴史的経緯をみても、17世紀前半の教皇パウルス5世（1552〜1621、在位：1605〜21）とウルバヌス8世（1568〜1644、在位：1623〜44）の時代に、図書館からアーカイブズを分離するかたちで、規則や組織が定められた。また、図書館に所蔵される古い書籍の蔵書管理の技術面でもアーカイブズ的な方法が用いられている。すなわち、書籍の1ページを1アイテムとし、節や章を上位の階層構造とみなす管理・記述方法であるEADが用いられている（EADについては、第

Ⅰ部第4章を参照されたい）。

　バチカン図書館には、大部分が日本の江戸時代に作成された切支丹関連のアーカイブズから構成される「マレガ資料」も収蔵されている。これらの資料は、第二次世界大戦前後にマリオ・マレガ神父（1902～78）という宣教師が日本で収集し、バチカンに送付したものだが、長年、書庫のなかで手つかずの状態にあった。2013年から日本の人間文化研究機構とバチカン図書館のプロジェクトとして調査が開始された。日本からも多くの研究者や関係者がバチカン図書館を訪れ、調査・研究に従事した。バチカン図書館側の専門職員も概要調査や簡易目録の作成に参加した。簡易目録を作成する際には、資料に管理番号を付与していく。最終的に管理番号を資料に鉛筆で書き込んでいく役割は、資料の所蔵先であるバチカン図書館の専門職員のみが行うことのできる業務であった。なお、日本では資料に番号を書き込まないため、書き込むことの是非について日本側とかなりの議論が行われた。

　また、資料の損傷の程度に応じて、バチカン図書館の修復士の手によって修復作業が行われ、次に別の部門でデジタル化が行われた。日本の修復士がバチカンの修復士に、墨で和紙に書かれた日本資料に対する特殊な修復方法を伝授し、独自に修復作業が可能となった。加えて、修復等の理論に関する学習と作業の実践から構成される修復ワークショップを開催した。これにより、世界中の修復士とも方法論と技術を共有した。修復部門の責任者はスペイン人、デジタル化部門の責任者はドイツ人、と、バチカンらしく国際的な体制がとられている。また、日常の共通言語はイタリア語であるが、正式な協定書等は英語で取り交わされる。

　使徒文書館側の専門職員は、基本的にはアーカイブズのみを扱うため、イタリアの文書館と同じく「アーキビスト」と呼ばれている。それに対し、バチカン図書館の専門職員は、その歴史と伝統から「スクリプトール」と呼ばれ、地域や分野によって担当が分けられている。「マレガ資料」を担当したのは、「東方部門担当のスクリプトール」で、中央アジアの言語や古代の中近東に関する著作も出版するなど、広範囲の地域を担当する専門職員である。

　バチカンにおけるアーキビストやアーカイブズの位置づけは、通常の世俗国家とは異なり、教会の教義やカトリックに関係する文化を伝えることも目的としている。しかし、空間的な拡がりや長い歴史を通じて、カトリック以外の周囲に与える影響も大きく、結果的に持続的な社会を支える一翼を担っているのである。

7　世界に羽ばたくアーカイブズ

　ここまでさまざまな場所で活躍するアーキビストをみてきた。日本の国立公文書館のように、首都ローマで一部を除く中央省庁の記録を受け入れる国立中央文書館ではたらくアーキビストもいる。また、中央文書館とは別に、国立ローマ文書館や大統領府、議会や裁判所、一部の省庁の文書館も設置されている。さらに、全土に100ほどの都市にも国立文書館が設置され、豊かな文化と持続的社会を支える記録遺産が守られ、活用されている。なお、国立中央文書館の名称に「中央」とついているが、各地の国立文書館を束ねる役割ではなく、中央省庁の記録を扱っているため、そうした名称となっている。

　こうした膨大な記録は、羊皮紙や紙だけで閲覧されたり、活用されたりしているわけではない。各地の文書館や文書図書保護局によるプロジェクトによって、デジタル化が行われている。近年では、「ボーン・デジタル」、つまり従来の媒体を経ずに、はじめからデジタルで作成された「記録」も生み出されている。また、書籍とは異なり、通常、記録の一点一点だけではアーカイブズとしての意味をなさない。記録群の概要や伝来といった中身にかかわることから、収蔵量などの物理的情報に至るまで記録に関連するさまざまな情報が記述され、体系化されて、はじめてアーカイブズとして機能する。従来であれば、各文書館等で紙の目録やガイド等がその役割を果たしてきた。だが、デジタル時代になり、こうした記述情報もシステム上に登載し、各記録と紐づけがなされている。

　主に国立文書館に収蔵されている国有アーカイブズに関しては、「国立文書館情報システム（SiAS；Sistema Informativo degli Archivi di Stato）」上に記述情報が網羅されている。また、文書図書保護局が保護を担当する非国有アーカイブズに関しては、「文書保護局情報システム（SiUSA；Sistema Informativo delle Soprintendenze Archivistiche）」に情報が登載されている。どちらもいながらにして、全国の情報を一覧できるため、非常に有用である。特に後者は、各地に散在しているだけではなく、所蔵者自身もさまざまな状況にあるため、一度に関連情報が入手できるメリットは、利用者にとっても管理者にとっても計り知れない。

　2011年からこうした情報システムや、各地でデジタル化されたアーカイブズのためのポータルサイト「全国アーカイブズシステム（SAN；Sistema Archivistico Nazionale）」が運用されている。単に各システムやアーカイブズへのリンクだけではなく、モードや自動車、デザインの特許など、「メイド・イン・イタリー」の背骨となるアーカイブズなど、プロジェクトやテーマごとにもまとめられてい

写真11　ピサ高等師範学校

る。また、建築や音楽などの芸術も含め、過去の記録や情報を現代で再活用可能な情報資源化する試みも行われている。数値にはあらわれにくいが、イタリアの「無形の力」といえよう。もちろん、年代ごとに参照できる歴史地図、テロ事件や虐殺事件等の歴史的な記憶、オーラルヒストリーなど、広く国民にかかわる内容も充実させている。2021年からは、「デジタル・アーカイブズ（Archivio Digitale）」というサイトも立ち上げられ、デジタル資源へのアクセスをより容易にする取り組みも行われている。

　こうした情報システムのまとめ役として、ローマに「アーカイブズ中央機構（ICAR；Istituto Centrale degli Archivi）」が設けられている。そして、国立中央文書館、各地の国立文書館や文書図書保護局、アーカイブズ中央機構を管轄するのが、文化省内のアーカイブズ総局である（2021年から文化財・文化活動・観光省から名称や役割が変更された）。アーキビストは、アーカイブズ中央機構にも深くかかわる。ただし、アーキビストがシステムを一から構築できるような技術者であることは、まれである。電子化やシステム構築にあたっては、大学や企業、ときには財団等と積極的な協力関係を築きながら、実現している。したがって、アーキビスト自身が技術を駆使する必要性は低いが、協力関係を構築する際に技術要件の理解は求められる。また、アーカイブズは、個人情報等の機微にかかわる情報を含んでいる。したがって、法律的な要件や倫理綱領にも照らし合わせた理解や判断も求められることになる。

　協力関係の実例をいくつかみてみよう。一般的に、システム構築にあたっては、イタリア学術会議（CNR）やピサ高等師範学校（**写真11**）およびイーペルボレア（Hyperborea）社の学術・技術協力の元に行うことが多い。イーペルボレア社は、早い時期から「アリアンナ（Arianna）」と名づけられたアーカイブズのシステム構築を行うソフトウェアを運用している。このソフトウェアは、全国の多くのア

ーカイブズ機関で採用されているものである。

　2010年代初頭から続くトレンドとして、デジタル化され、常時アクセスが可能となったデータ群を活用した分野横断型の研究が行われている。膨大に蓄積されたビッグデータを、デジタル・ヒューマニティーズをはじめとした情報工学的な手法や人工知能技術を用いて大規模に解析する。そして、これまで知られていなかった過去の姿を蘇らせ、現代に利活用する試みが行われているのである。また、アーキビストと研究者がこれまで以上に密接な協業関係を築くことにより、歴史研究も深化している。具体的な事例として、スイスのローザンヌ工科大学と、ヴェネツィア大学・国立ヴェネツィア文書館、そして同じくスイスのロンバー・オディエ財団の資金援助によって、2012年から開始された「ヴェニス・タイムマシーン・プロジェクト」があげられる。グーグルなども強い関心を示したという。その後、社会的にデータアクセスに関する懸念が高まりをみせた。そういった情勢もあり、2019年末に倫理面や法的側面等からの懸念によって一度中断された。しかし、2020年からはヨーロッパ連合の大型研究費「ホライゾン2020」も獲得し、「タイムマシーン・ヨーロッパ」として規模が拡大し、再開している。まさに国を越えてアーキビスト等が協力するだけではなく、大型の研究資金も流入し、活況を呈しているのである。

　こうした流れに日本も無関係ではない。すでにみたように、バチカン図書館では、人間文化研究機構をはじめとした日本の諸機関・研究者との協業が行われている。また、国会図書館などのシステム構築やデジタル化を担当した経験により、NTTデータ株式会社もバチカン図書館とともに、同図書館が所蔵するアーカイブズや古典籍のデジタル化等を実施する大規模プロジェクトに従事した。

　ここまで、イタリア共和国とバチカン市国のアーキビスト等の活動をみてきた。どの事例でもアーキビストがアーカイブズを支え、伝えていくだけではなく、アーカイブズ自体が新たな価値や文化を生み出し、次世代へとつながる創造の源となっている。したがって、「アーカイブズ」という物体やそこに書かれた情報だけが守られ、伝えられるのではなく、アーカイブズを通じて社会そのものの持続的発展も可能となる。アーキビストが果たす役割は、まさにそれを実現する鍵となり、大きな重要性をもつのである。

8 イタリアにおけるアーキビスト教育制度

　イタリア各地に国立文書館が設立されていることは、先述したとおりである。

写真12　国立トリノ文書館付属 アーカイブズ学学校

このなかでもフランス革命以前に国の首都であった都市には、重要な歴史的アーカイブズが多く所蔵されている。このため、「アーカイブズ学・古文書学・公文書学学校（アーカイブズ学学校）」が主要な国立文書館に併設されている（**写真12**）。なお、学校名にもなっている各学問の原語表記は、イタリアとフランスでとてもよく似ているが、実際に扱う内容や歴史的経緯が両国で異なる部分がある。イタリア語では、「古文書学（paleografia）」や「公文書学（diplomatica）」という用語が伝統的に用いられるが、フランス語では、それぞれ「古書体学」や「文書形式学」等に翻訳される。一般的にヨーロッパは、大陸側でひとくくりにされる場合が多い。しかし、実際には、イタリアとフランスという隣国でもさまざまな違いが存在する。そのため、綴りが似ていても、実際の意味や内容が異なることは、アーカイブズ以外でも頻繁に起こり得るのだ。

　「アーカイブズ学学校」は、1963年の「アーカイブズ法」によって全国で17校の体制となった。さらに、同年の大統領令第1409号により、国立文書館や文書保護局の管理職をめざすアーキビストは、「アーカイブズ学学校」の修了証書を取得する義務が課せられている。また、自治体を含む他の文書館で管理職をめざすアーキビストは、大学の専門課程やローマのアーキビスト・図書館司書特別学校、もしくはバチカンの「アーカイブズ学学校」のいずれかの修了証書を取得する義務が課せられている。ここでは、国立文書館付属の「アーカイブズ学学校」と、大学の専門課程について、それぞれどのようなものかみていこう。

　まず、大学についてみてみよう。20年ほど前までイタリアの大学は、日本と同じく学部が4年制で、学位の取得もかなり大変であった。しかし、主としてヨーロッパ連合内での留学の利便性を向上させるため、学部が3年制、修士が2年制、博士後期が3年制という形に改革が行われた。一般的に人文系の学部や修士までは、選抜試験が課されないことが多い。文化省がアーカイブズを管轄しているこ

ともあり、アーカイブズ学に関係する学問も文化財関連や史学関連の学科で学ぶことができるのが一般的である。学部でアーカイブズ学の概論や文化財に関連する法制の基礎だけではなく、哲学や歴史、古典ギリシア語やラテン語といった伝統的な学問、さらには図書館情報学やデジタル人文学などの最新の事情も学ぶようになっている。なお、イタリアの大学の学部教育では、かなり広範囲の分野の学習が履修要件として求められる。

　次の修士課程では、デジタル・アーカイブズやアーカイブズに関するデータ解析といった最新の知見から、ラテン語文献読解や目録作成法、アーカイブズの歴史といった古くから存在する科目まで、アーカイブズ学に関するより実践的または専門的な学問を学ぶこととなる。この段階で、州や基礎自治体、各種団体における専門的なアーキビストとして活動するのに充分な教育を受けたこととなる。

　博士後期課程に進む段階で、二手に分かれる傾向にある。イタリアの博士後期課程の選抜試験は競争率が高く、研究計画および口頭試問により入学希望者の順位がつけられる。上位数人には、給付制奨学金や研究費が付与され、明確に研究者の卵として活動することとなる。給付対象にはならない下位の順位であっても定員内であれば入学は可能である。しかし、留学生等でなければ多くの場合、その選択はしないようである。博士後期課程では、期ごとに数回開催される分野横断的なセミナーや研究会などで、発表やコメントなど積極的な活動が求められる。それ以外は、基本的に自らの研究計画に基づいて、独立した研究を進め、最終的には博士論文を執筆することが主な活動となる。したがって、研究者としてより専門的な活動を希望する場合は博士後期課程に進学する。どちらかといえば、文書館等の現場での活動を希望する場合、各地で就職するか、または国立文書館付属の「アーカイブズ学学校」に通うこととなる。なお、博士後期課程に進学しながら、ダブルスクールを行うという選択をする場合もみられる。

　国立文書館付属の「アーカイブズ学学校」は、19世紀に創設された当初、アーカイブズにかかわる行政機関ではたらく人々の専門的な知識を養成するために誕生した。現在では、外部の人々にも開かれている。2年制で、入学時にラテン語、および歴史や文化に関する選抜試験が課される。この試験は、高等学校を卒業していれば、受験が可能である。しかし、入学試験の段階から非常に専門的な内容で、実際には、修士課程を修了後、または博士後期課程に在学中の学生の受験が多い。また、社会人の受験者もいる。奨学金等は支給されないものの、学費は無料であるが、出席は義務で、各講義で規定された時間割の6分の5を履修していない場合、第2学年への進学と最終試験の受験が認められない。講義内容は、アーカイブズ学、古文書学、公文書学に加えて、度量衡学、貨幣研究、紋章学、政

治史、そして近年ではアーカイブズに用いられる情報工学などから構成される。講師は、主として学校が設置されている国立文書館のアーキビストによって担われる。また、科目ごとに実践的な演習も実施される。なお、学生側も運営側も通常の業務や研究等に影響が出ないよう、通常、午前中に講義は行われない。

　2年制最後の最終試験は、古文書を筆写し、その文書の真贋やアーカイブズ学的な観点からコメントを付す2種類の筆記試験と、口頭試問が行われる。最終試験に合格した学生には、アーカイブズ学・古文書学・公文書学の証書が授与される。この証書は、ローマ大学「ラ・サピエンツァ」のアーキビスト・図書館司書特別学校やバチカン使徒文書館のアーカイブズ学学校で授与されるものと同等の効力をもつ。

　現在、国のアーキビストのキャリア組採用に求められる学歴は、法学、政治学、文学、哲学または、教育学部で取得した文学系か教育学の大学卒業資格と、アーカイブズ学学校の修了資格が求められる。採用試験は、歴史と法制史に関する二つの筆記試験と、口頭試問からなる。口頭試問は、紀元前476年から現代までのイタリア史、法制史、憲法と公共行政機構、アーカイブズ学とアーカイブズ関連法制、国家会計の概念、ラテン語と、選択制の古典語の文章の講読と発音、外国語での会話と文章の翻訳に加えて、文化省の業務と体制、文化財保護関連法制といった題材に関する討論が行われる。

【参考文献】

Giuseppe M. Battaglini, *Portoferraio Medicea*, Pisa 1980.

Carlo Tibaldeschi, *Gli stemmi dei Vicari di Certaldo*, Firenze 2009.

a cura di Maura Borgioli, *Inventario dell'Archivio preunitario del Comune di Fiesole*, Firenze 1991.

a cura di Andrea Becherucci, *Gli Archivi storici dell'Unione Europea*, Firenze 2018.

Monte dei Paschi di Siena, *The centuries of Monte dei Paschi*, Siena 2009.

松崎裕子「世界のビジネス・アーカイブズ概観」（時実象一監修・久永一郎責任編集『新しい産業創造へ（デジタルアーカイブ・ベーシックス：5）』勉誠出版、2021年）

a cura di Loredana Maccabruni, Carla Zarrilli, *Arno, Fonte di prosperità, Fonte di distruzione, Storia del fiume e del territorio nelle carte d'archivio*, Firenze 2016.

拙論「非国有アーカイブズと公的保護―イタリアにおける国家機関の創設―」（『国文学研究資料館紀要アーカイブズ研究篇』13、2017年3月）pp.51-60

マリア・バルバラ・ベルティーニ、拙訳『アーカイブとは何か―石板からデジタル文書まで、イタリアの文書管理―』（法政大学出版局、2012年）

【謝辞】

　本章は、科学研究費基盤研究(C)「20世紀の日本・イタリア・バチカンにおける民間所在資料や地方公文書の管理」（研究課題番号：17K03053、代表：湯上良）および科学研究費基盤研究(A)「アーカイブズによる「地域力」再生と持続的社会の基盤創成研究」（研究課題番号：19H00550、代表：加藤聖文）の成果である。

　また、ご協力をいただいた国立トリエステ文書館のクラウディア・サルミーニ前館長、トスカーナ文書図書保護局のルーカ・ファルディ副局長、エルバ島のグローリア・ペリーア博士、モンテ・デイ・パスキ銀行のカルロ・リージ博士に深く感謝申し上げます。(Ringrazio di cuore per le collaborazioni dalla dott.ssa Claudia Salmini, ex-direttore dell'Archivio di Stato di Trieste e di Belluno, dal dott. Luca Faldi, vice Soprintendente della Soprintendenza Archivistica e Bibliografica della Toscana, dalla dott. ssa Gloria Peria, dell'isola d'Elba, e dal dott. Carlo Lisi, della Banca Monte dei Paschi.)

湯 上 　良

第 7 章

アーキビストの
キャリアデザインと生活

　前章では、イタリア各地の多様なアーキビストの職務や形態、そしてアーキビストを養成するための教育課程について紹介してきた。本章では、イタリアと日本のアーキビストの具体的な経歴や職務、処遇についてみていきたい。

１　イタリアのアーキビスト

▶実習と公募

　経歴や処遇の話を始める前にまず、一般的なイタリアでの就職活動や就業に至るまでの過程について説明したい。大学等の教育機関における年度の開始はおおむね10月で、年度の終わりは６月となっている。大学の卒業論文や修士論文では、年に何度かの口頭試問の機会が設けられている。各々の研究や論文の執筆の状況に応じて、指導教授と相談しながら実施時期を決定するのが一般的である。したがって、日本のように４月に入学し、その後、ほぼ同じ時期に一斉に就職活動を開始し、内定を獲得し、３月になると一斉に卒業し、翌月から就業を開始するという感覚が一般的ではないことに留意が必要である。また、日本にみられるような大企業の数がそう多くはなく、中小企業や個人商店が非常に多いという社会構造も影響している。では、一般的にどのような過程を経て、就職に至るのだろうか。まず、就学時から「スタージュ」（フランス語から借用した用語）と呼ばれる実習を通じて各団体や企業などではたらくことから始める。そのまま、実習期間を経たあとに内定を得る場合もあるし、または、随時行われている面接や試験等を受けて、採用に至る場合もある。日本でお馴染みの「新卒採用」という形態がほぼみられないことが特徴である。

　アーキビストの採用に関しても似たような形態になっている。前章でみた大学院の修士課程や国立文書館付属の「アーカイブズ学学校」を修了してすぐにアーキビストとして、就業できるわけではない。大学院や同学校在学時にアーカイブズ機関や関連施設等での実習の募集があれば、積極的にかかわりをもち、まずは

写真1　国立中央文書館

実地経験を積むのである。また、日本ではすでに大学院の課程のなかに実習が組み込まれ、組織的に実施している場合もみられ、基本的には、教育を目的としている。一方のイタリアでは、たとえ大学や大学院の履修要件に実習が組み込まれている場合でも、基本的には個人で実習先を探し出し、手続等を行うのが一般的である。この点は、この実習のしくみが社会的に広く認知されているあらわれであろう。実習に送り出す側も、受け入れる側もすでに長年の経験の蓄積があり、人員的にも実習生への対応が可能な状況なのである。

　従来の実習では、簡単な閲覧者対応や書庫の管理業務、目録作成の補助を行うことが主であった。近年では、デジタル化作業や、AIによるデジタルデータの解析作業のための学習データの入力等、基礎的な情報工学的素養も求められるようになっている。そうした社会的要請を受け、各教育機関でも需要に則して、教育課程を柔軟に対応させている。

　実習期間が終わるとそのまま就職につながるかといえば、アーキビストの場合は、残念ながらそのようにはなっていない。一般にイタリアにおいて、多くの専門職の採用は、公募を通じて行われる。まず、「バンド（Bando）」と呼ばれる公募要項に従って、必要書類を提出する。「コンコルソ（Concorso）」と呼ばれる選抜に臨み、書類審査に通過すれば、面接が行われる。最後に「グラドゥアトーリア（Graduatoria）」と呼ばれる順位表が作成され、結果が発表される（なお、博士後期課程への入学試験も同じような選抜過程で実施される）。

　国立文書館や文書図書保護局に所属するアーキビストに関しては、全国規模の公募を通じて選抜されるのが通常である。しかし、1970年代にアーキビストを大量に雇用した影響もあり、長年にわたって大規模な公募は行われてこなかった。かつて大量に採用された世代が、近年、定年を迎え、多くの補充人員が必要となった。さらに、アーカイブズを巡る社会的・技術的変化が急激に進展し、新しい知見を備えた人材を必要とした。そうした事情などにより、再び大規模な公募が行われ、比較的多くの人材が登用された。このように、採用する人員の数と時期によっては、需給的に不均衡な状況が起きうる可能性もはらんでいるのである。日本でも認証アーキビスト制度が始まり、国立公文書館の新館建設・拡張が行わ

れることもあり、一時期に多く
の人員を必要とする状況である。
こうした事例は、留意点として
参考になるだろう。

前章冒頭でフリーランスのア
ーキビストについて述べた。ア
ーキビスト全体からみると、フ
リーランスのアーキビストの数
はそう多くはない。また、フリ

写真2　国立フィレンツェ文書館

ーランスのアーキビストのうち、80％は中小規模の基礎自治体を対象に業務を行
い、これらは常勤としての契約ではない。ただし、比較的財政状況の良い自治体
では、フリーランスのアーキビストであっても重要な外部有識者として認知され、
毎年契約が更新される。日本でも文書管理に携わる要員が非常勤で、発言力がな
かなか得られないことがしばしば指摘される。イタリアで現在、最前線で活躍し
ているアーキビストによれば、はたらき始めた頃は、自身の専門性をなかなか認
知してもらえなかったそうだ。しだいに仕事を通じて周囲の信頼を得るにつれて、
関連する研究も任され、重要な協力者であることが徐々に認知されていったとの
ことである。アーキビストとは時の経過とともに信頼を得るものであるという事
実は、場所を問わず変わらないようである。

エルバ島の場合、島内の各自治体のアーカイブズを運用するにあたり、自治体
同士がコンソーシアムを組み、アーカイブズにかかわる業務を常時ベテランのフ
リーランスのアーキビストに任せている。この業務形態は、全国的には例外的な
形態である。一般的には、フリーランスのアーキビストに頼っている自治体では、
評価選別や目録作成時など、個別の作業の必要が生じた際、個別に依頼を行う。
イタリアでは、こうした作業は専門とするアーキビストに依頼するものという社
会的なコンセンサスはすでに浸透していることが見て取れよう。

また、フィレンツェなどの規模の大きい自治体文書館等では、公募を経て採用
された複数のアーキビストが勤務している。国の公募同様、頻繁には公募が行わ
れないため、自治体ではたらく常勤のアーキビストもアーキビスト全体からみれ
ば決して多くはない。

▶キャリア

アーキビストは、どのようなキャリアを経るのだろうか。先にみたように、基
礎自治体や各種団体からの個別の依頼を受け、評価選別等の作業を行い、徐々に

能力や人柄が知られていくと、さらに依頼が来るようになる。その際に国立文書館付属のアーカイブズ学学校を卒業していれば、より専門性の高い人材として認知される。こうして、さまざまな種類の業務の依頼を受けながら、アーキビストとしてのキャリアもステップアップしていくのである。

　離島や山岳地域などで人口が少ない、または地域内の人口密度が低く、さらには地域に居住するアーキビストの数自体も少ないなど、居住している地域の条件にも左右される。たとえば、かつて世界有数の産出量を誇る辰砂の鉱山があったトスカーナ州南部のアミアータ山周辺の事例をみてみよう。辰砂とは、水銀の原料である。古来、日本では、「青丹よし」の丹色・朱色の顔料としても使われた。鉱山が操業していた当時のアーカイブズを整理し、活用するため、同地の公的機関によって10年以上にわたってアーキビストが専門的業務を行うために雇用されていた。また、この地域には、鉱山のほかにも重要な司教区がおかれていた。鉱山関連のアーカイブズに対する仕事ぶりを聞きつけた司教が司教区文書館のアーカイブズの整理・活用作業についても同じアーキビストに依頼を行った。その他の事例でも、建築関係のアーカイブズを専門とするアーキビストなどがその専門性によって名を知られ、仕事の依頼が得られた場合もあるようだ。

　自らの専門とする分野の依頼がつねに得られるとは限らない。だが、専門外のアーカイブズを扱う業務であっても、フレキシブルかつ積極的にかかわりをもつことが重要である。トスカーナ文書図書保護局のルーカ・ファルディ（dott. Luca Faldi）副局長の言葉を借りれば、「アーキビストの仕事は、専門とする部位の手術のみを行う外科医の仕事とは異なる」からである。このことは、日本の国立公文書館が設けた「アーキビストの職務基準に関する検討会議」で各構成員が「アーキビストは、どのような職場のアーカイブズに対してもその職務を果たせなければいけない」という趣旨で述べていた内容とも通ずる。公的機関や各種団体など、さまざまな職場を経ながら、経験を重ね、就業の可能性を拡げていくのがイタリアにおける専門職としてのアーキビストのキャリア形成において重要な位置を占めているのである。

　前章でみたように、自治体や団体のアーキビストは、ひとたび常勤となった場合、一つの機関に長年勤める場合が多い。また、地域の事情によっては、フリーランスのアーキビストが巡回する場合もある。さらにイタリア各地には、国立文書館や文書図書保護局が設置されているが、国のアーキビストに関しては、大まかに分けて2種類のタイプのアーキビストがみられる。一つ目は実績を積み上げ、随時、各地の機関の管理職としても経験を経ながら、キャリアを重ねるかたちである。一般的には、最初に規模の大きい国立文書館で研鑽を積み、管理職試験を

受験しつつ、周辺地域の規模の小さい国立文書館の館長等を務める。管理職としての実績も重ね、人事的にもタイミングが合う場合、規模の大きい国立文書館の館長や文書図書保護局の局長等を務めることもある。管理職経験のあるアーキビストによれば、かつては管理職試験で「グラドゥアトーリア」の1位になった場合、勤務先を選択することもできたそうだ。

　もう一つのタイプは、基本的に一つの国立文書館や文書図書保護局に務め続け、管轄地域のエキスパートとなるタイプのアーキビストである。このタイプのアーキビストは、先に紹介した転勤を重ねる管理職にとっても、各地の機関を利用する利用者にとっても、非常に頼りになる存在である。イタリアの規模の大きい都市は、かつては一国の首都であったことが多い。そうした都市に残されている文書は、歴史的に貴重なものが多く、収蔵量も膨大である。また、管轄する地域内にも質量ともに高い水準の資料が点在している。そのため、首都であった都市に規模の大きい国立文書館が設置され、フランス革命以前の旧体制国家で作成された文書も収蔵されている。また、文書図書保護局も設置されている。そして、その周辺地域の中小規模の都市にも、首都であった都市に設置されている館よりは規模の小さい国立文書館が設置されている。地域のエキスパートとなるアーキビストがこうした周辺地域の国立文書館や、文書図書保護局の所属であれば各地方自治体を担当する事例は頻繁にみられる。

　数は多いわけではないが、さらなる専門性を備えている人材の場合、アーキビストから大学に転身する場合や、その逆の場合もあり得る。かつては史学系や国際学系との人事交流の動きが多くみられたが、今後は情報工学等の分野との人事交流もみられることとなろう。また、次項で詳細に触れるが、アーキビストとして大学の教壇に立つこともある。このように、アーキビストと研究者が議論を活発に行うだけではなく、両者の立場自体も両立、または両者のあいだでの異動を行い、柔軟かつ視野の広い活動を続けてきたことで、アーカイブズ機関や学術研究が発展してきたのである。日本でもアーカイブズに限らず、多分野で世界の最新事情を学び、導入してきた。さらに場合により、日本の「特殊性」を考慮しつつ、発展につなげていった。日本でも「アーキビスト」が認知されつつあり、国や地域の事情を反映しながら発展する必要があろう。しかし、世界の潮流や最新事情から離れ、汎用性をもたない「ガラパゴス化」や硬直化を避けるためにも、こうした人材の流動性は有用である。

　イタリアでは、専門職に欠員が生じた場合、原則的には公募が行われるが、極めてわずかな事例ではあるものの、不測の事態に際しては、別の方法を取る場合もある。たとえば、事務官としての公募を経て採用された人員がアーキビストの

臨時公募を受けてアーキビストとなった事例や、元々、基礎自治体のアーキビストとしてはたらいていた者が国の機関へと移籍した事例もある。また、元々、高等学校の教員であった者が、数年の期間限定の形でアーキビストとして国立文書館ではたらく場合もあるようだ。この場合、必ずしもアーキビストとしての専門教育を受けていない場合もあるので、職務に就く前、または就業期間中に「アーカイブズ学学校」でも学ぶこととなる。

　また、アーカイブズ学や歴史学を学んだ者が企業で活躍する場合もある。冒頭で述べたように、レコードマネージャーとして、記録管理に関する専門知識を活かし、企業内で作成された記録を体系的に管理・運用する必要がある。また、クリスティーズやサザビーズなど、世界的な規模でオークションを開催する業界でも専門知識が重宝されるようだ。筆者がロンドンのクリスティーズ社を訪問した際も、専門の学識をもつ複数のイタリア人が研究および買いつけを担当していた。

▶職務や待遇

　国立文書館のアーキビストたちの朝は早く、開館時間である8時10分よりも前に出勤することもある。利用者は、各アーキビストたちが閲覧室内で日に3時間ほど解読の手助けや、目当ての文書を探し出すレファレンス活動にいそしむ姿しか目にしないことが一般的である。しかし、アーキビストたちは、書庫や事務所でも所蔵文書や納入文書の管理のほか、講演会や展示会の準備など、さまざまな事務作業も行っている。また、併設の「アーカイブズ学学校」や大学の教壇にも立つため、アーカイブズ学や歴史学、法学等の授業準備にも余念がなく、論文等の執筆も行っている。また、日本のアーキビストとは異なり、主として国立文書館のアーキビストは、評価選別の際に立ち上げられる委員会へ記録作成側の責任者とともに参加し、議論を行い、廃棄文書等の決定にもかかわる。

　イタリアのアーキビストは、高い学識や専門性が求められる。しかし、給与の面での条件は、決して良好ではない。たとえば、国立文書館に勤めるアーキビストの初任給の月額は、日本円にして20万円ほどである。管理職にならずにキャリアを終える場合、多少の昇給はあるものの、最終的にも30万円に届かない。ただし、日本とイタリアには、社会的または制度的な違いもあるため、一概に金額だけを比較して、多寡を問うことは適切ではない。たとえば、日本の家屋は木製が主であることが多く、建て替えや買い替えも比較的頻繁に行われる。また、相続する場合も、場所や規模にもよるが、関連の税金等が比較的高額である。一方、イタリアの住居は主として石やレンガを使って建てられている。修復を繰り返しながら、一つの物件に何世代にもわたって居住することも決して珍しくはない。

相続の際、関連の税金等も高額ではなくなっている。

また、イタリアでは、公務員であっても副業が認められている。アーキビストの場合、大学等での関連教育に従事する者も多い。また、管理職から許可を得れば、関連する教育以外の仕事を副業とすることも可能である。なお、管理職の許可を得ない副業も可能ではあるが、その場合は、半額の給与で従事することとな

写真3　ヴェネツィア大学本部から大運河を望む

る。ただし、この場合も美術史や修復、建築・考古・古典籍等を専門とし、仮に歴史的な文化遺産を扱う場合などは、かなりの副業収入を得られる場合もある。

さらに、職域等による労働組合の力関係で、給与などの諸条件が決まる要素も小さくはない。たとえば、労働組合の力が強い司法関係は、かなり好条件のようである。労働組合の反対も一因となり、アーキビストの世界には、中間管理職的な地位も存在しない。したがって、大きく昇給を望む場合、必然的に管理職試験を受験し、管理職になる必要がある。

さて、管理職となった場合、ようやく月収が30万円を越える額となる。小規模な国立文書館長もこの範囲の給与となる。一方、ヴェネツィアやフィレンツェなどの大規模な国立文書館長や文書図書保護局長となると、年収にして1000万円前後となる。このクラスになると、履歴書や給与内訳とともに公開の対象にもなっている。文化省のアーカイブズ総局の局長など、本省勤務の管理職となれば、さらに給与条件は良くなるようだ。いずれにしても、イタリアのアーキビストたちは、若手からベテランまで管理職であろうとなかろうと、イタリア文化を啓蒙、発展させる専門職員して、高い見識と誇りをもって職務にあたっている姿が非常に印象的である。

また、学識経験豊かなアーキビストは、定年退職後も社会から頼られる存在である。イタリアには、長い歴史をもつ地域の団体や組合などが少なくない。そうした団体に眠る手つかずのアーカイブズの整理や記述の作業に対して、専門的な知見を提供し、人材をあっせんする。ときには、引退したアーキビスト自身も直接かかわり、目録等の出版にもつなげることも決して珍しいことではない。本務から引退したあとも、社会的使命感をもち続け、貢献を果たし続けるイタリアのアーキビストの姿がそこにある。

2 日本のアーキビストのリアル

▶キャリアのスタート

　ここまで海外でのアーキビストのキャリアデザインと生活について、アーカイブズの保存と利用が社会にしっかりと根づいた国の一つであるイタリアを事例として紹介してきた。

　アーキビストとしてはたらくことは、もちろん職業としてその労働の対価を得ることだけが目的ではない。ボランティアとして社会に貢献するという選択肢もある。しかしながら、やはり現実的に生活の糧を充分に得ることができるものなのか、生業とするに足りるものであるのかは気になるところだろうし、少なくとも具体的なイメージをもつことができなければ、学びに向けた一歩を踏み出す勇気も生まれないはずだ。

　そこで、本節では日本のアーキビストがおかれているリアルを国立公文書館に勤務するスタッフを事例に迫ってみることにしよう。とはいえ、同館での専門職に対する処遇は国レベルの他機関や地方自治体のケースと比べれば、だいぶ恵まれているほうである。その点だけはあらかじめ了解しておいてほしい。

　さて、専門職の要件の一つに、試験による能力証明がある。同館の専門職員も独立行政法人の職員でありながら国家公務員としての身分をもっているが、その採用は人事院が執り行う一般採用試験ではなく、独自に実施する公募での選考採用という形式である。これは社会での実務経験や専門知識を有する人材を行政機関が獲得するためのしくみだ。

　かつて、同館で選考採用された職員（これを「プロパー」と称している）の人事は停滞気味で、数年に一度欠員補充の公募があるかどうかといった状況であった。全体の職員構成も所管官庁である内閣府からの出向事務官（いわゆる「ノン・プロパー」）がほとんどで、これによりかろうじて事務が運営されていたのである。

　状況を大きく変えたのは、2001年の独立行政法人化と09年の公文書管理法の制定だ。弾力的な採用人事が可能となると同時に、公文書管理制度の整備・運用のための中長期的な視点から人材の確保と育成をはかるため、まとまった数の非常勤職員の新規採用が始まり、常勤職員の採用も数名ずつながら、ほぼ毎年度行われるようになった。国家公務員の人員削減が問答無用で進められるなかで、こうした状況は例外的であり、職員構成もプロパーが半数以上を占めるようになっていったのである。

　選考採用の要件として、かつてはアーカイブズ学や歴史学、法学、行政学、情

報工学などを専門とする大学院修士課程修了以上かこれと同等と認められる実務経験を有する者であることが示されていた。現在では『アーキビストの職務基準書』に示された基礎要件や遂行要件にかかわる学問分野についての知識や能力が求められているが、やはりアーカイブズ学に限定されていない点に注意しておきたい。試験は書類審査を経て面接に進み、公募内容によっては記録アーカイブズの読解や語学力を確認する口述試験が面接に加わることもあるようだ。声量があってよくとおるということだけで合格した人物がいるというのはさすがに冗談だとしても、試験内容は柔軟といえば聞こえが良いが、何か具体的に確立された基準があるわけではないのが現状だ。

写真4　公文書管理法制定に際して採用された専門職員たちと当時の幹部

　ところで、常勤職員の場合は選考による経験者採用のしくみであるという趣旨から、現在では着任時に一定の年齢に達していることが基本となっている。このため、業務経験のない大学院修士課程修了直後に常勤での採用は期待できず、これにつぐポストである公文書専門員（非常勤）が理想的なスタートラインになることであろう。標準的な就学年齢をもとに計算していくと、4月採用で就職した年度には最短であれば25歳に達しているはずだ。とはいえ、資格認証制度が整いつつある近年では一定の研究業績や経験を備えていることも求められており、実態としては院卒でただちに採用とはならず、専門員に準ずる職からキャリアを始めることになるかもしれない。

▶ステップアップと認証

　専門員としての採用後の配属先は千差万別である。基本的には係長級の常勤職員の指導のもとで評価選別や収集、保存、利用、普及といった仕事についての専門的な事務に従事することになる。係には係員や事務補助にあたる期間業務職員がいる場合もあるが、係長の下に専門員が一人だけというケースもあり、対応すべき業務の幅は意外に広い。負担や責任も大きくなるが、やりがいがあるともいえるだろうか。なお、プロパー職員は公文書館の運営の中核となるべき存在であるから、総務・企画といった管理部門に配属される場合もある。

任期は１年間とはなっているが、特段の問題がない限りは更新され、実務経験を積み上げていくことが可能であり、万が一リタイアする場合には退職金まで支給される。

　勤務時間は通常の国家公務員と何ら変わりがない。国会対応業務が発生することもごくまれにあるが、本省勤務の公務員に比べれば頻度は少ない。日本の労働環境全般にいえることかもしれないが、業務の内容によっては超過勤務（残業）が多いセクションもあり、つねにその是正が組織的な課題になってきた。書庫で静かに佇んで記録のささやく「声」に耳を聳てることができたような牧歌的な時代は遥か昔に去ってしまった。専門職である国立公文書館のアーキビストといえども、やはり「体が資本」となる仕事なのだ。

　専門員の業務は、公文書専門官や係長級の常勤の職員としての任用をめざすためのOJT（On the Job Training）でもある。実務経験をとおしてのみ理解を深められることは非常に多い。さらに採用後数年のあいだには同館が開催している「アーカイブズ研修」を受講することでアーキビストとしての公的な認証をめざし、ステップアップをはかっていくことになるだろう。

　この研修にはⅠ（基礎コース）、Ⅱ（テーマ別実践コース）、Ⅲ（専門職員養成コース）があり、最終段階のⅢでは計15日間の長期研修の成果として修了研究論文を執筆し、その審査に合格することで修了となる。なお、認証アーキビスト制度が整うまではその修了者のみが館内でのアーキビストの指名を受けることができたが、現在は認証を受けるための知識・技能等の要件を充足する手段としても位置づけられている。

　『アーキビストの職務基準書』ができた今日では、これを手がかりとすることで担当を希望する業務に必要な知識と技能を特定し、大学等の高等教育機関の科目等履修や自己研鑽によって計画的に身につけていくこともできるだろう。そのような学びや活動の成果をアーカイブズにかかわる調査研究実績として取りまとめて発表することも、アーキビストとしての認証を得るための要件である調査研究能力の有無を判断する材料の一つとなる。

　このようなステップを進んでいるうちに、かつての「新米職員」は認証の要件である実務経験の年数（指定された大学院での科目修得または同等の内容を備えた関係機関の研修を修了している場合は３年以上、それら以外は５年以上とされる）を満たし、いよいよアーキビストしての認証に挑戦することになろう。

　さらに、それまでの勤務実績が評価され、一定の年齢（任用年度に満30歳以上とされる）に達することで、公文書専門官や係長級の常勤職員になるチャンスもめぐってくる。

▶給与と処遇

ところで専門職の要件には、能力に応じた明確な報酬（給与）を得ているというものがある。常勤と非常勤ではもちろん前者の安定性が高いことはいうまでもないが、国立公文書館の公文書専門官と公文書専門員の場合は、給与だけに注目するとそこまで大きな差はないのが実情である。

専門官と専門員は公務員としての区分でいえば、ともに「一般職の職員の給与に関する法律」（1950年法律第95号）に定める「行政職俸給表（一）」（通称「行一」）の適用を受ける一般事務職である。ちなみに、俸給表にはほかにも「研究職俸給表」というものがあり、その適用を受ける公文書研究官というポストもあった。

今日のアーキビストは、「公文書館法」が制定された当時に念頭におかれていたような、もっぱら調査研究にのみ従事する存在ではなくなっている。同法で定義された「公文書館専門職員」は「歴史資料として重要な公文書等についての調査研究を行う」存在であるが、第5章で紹介してきたようにアーキビストにはより広く、奥行きのある職務領域を担うことが期待されるようになってきている。このため、ジョブローテーション（異動）を繰り返すなかでキャリアアップや昇進をしていくにも限界のある研究職ではなく、あえて一般事務職として位置づけることが現在の同館における人事の基本になっている。

さて、気になる公文書専門員の給与であるが、新卒で特に職歴がない場合は行一の2級21号俸が支給される。その俸給月額は22万9500円（2021年4月1日現在）である。ここから公文書専門官に任用されると3級1号俸になり、俸給月額は23万1500円になる。さらに残業手当などの各種調整額が加わり、課税がなされることから、もちろん実際の手取り額は変わってくる。

参考までに同館のある専門職員の年収の推移をモデルとして**表1**に示しておく。

これは大学院博士後期課程を出て27歳で就職、30歳を迎える2011年度から常勤（係長級相当職）となったケースである。ちなみに2010～2011年度の収入が多いのは公文書管理法施行事務への対応で超過勤務手当が増えたためで、その翌年から2年間の落ち込みは消費増税にともなう国家公務員給与の特例引下げの影響を受けたものである。このようなイレギュラーな動きを除けば、勤務年数や昇格に応

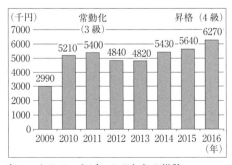

表1　あるアーキビストの年収の推移

じておおむね順調に昇給していくことが理解できるだろう。

　生活レベルの高低は個人の事情や感覚によるところも大きいが、民間も含めた平均年収の中央値よりは高い水準であるから、知的な専門職としての体面を保つだけの安定した生活は可能といった程度であろうか。

　同じ国家公務員でも大卒程度の総合職（いわゆる「キャリア」組）は2級1号俸、一般職は1級25号俸からスタートし、それらの俸給月額は18～19万円程度であるから、国立公文書館に限っていえば、専門職員の処遇は決して悪くはない。「公文書館法」でも、大学卒業程度の一般の職員との比較において専門的といえる程度の知識と経験を備えていることが採用の目安として想定されていた点が実際に反映されたものであろう。

　もっとも、その知識や技能の程度にもかかわらず、形式面では一般事務職の俸給表が適用され、特別な人事評価やキャリアアップのシステムもまだ確立していない点については今後の議論が必要かもしれない。仕事に対する正当な報酬と、専門性に見合った年功序列にこだわらない評価のしくみが独立した体系をなしていることも、ときには組織の利害に超然とすることが求められるアーキビストの活動と身分を保障する重要なファクターとなるはずであるから。

▶異動とキャリアデザイン

　国立公文書館のアーキビストの場合、一般的な公務員と比較すれば頻度は少ないものの、一定の期間で異動となる場合がある。所管官庁である内閣府へ出向して、館内では経験することができない実務経験を得る機会もあり、近年では他省庁への出向も行われているようである。定期的な人事異動は、多種多様な仕事をバランスよくこなせるゼネラリストの育成に重点をおいてきた戦後の日本社会に特徴的な雇用システムであるといわれているが、アーキビストのような存在がその専門性を深めていくには限界もある。

　海外のアーキビストはどうだろうか。内閣府が2015年度に実施した調査によると、雇用者側の都合での本人の意思によらない定期的なジョブローテーションは基本的には行われていないようである。たとえばドイツでは、備えた知識と技能に応じた特定の職務に従事し、ほかの職務に転じたい場合には、これに必要な知識と技能を獲得してアーキビストの側から公募に応じるなどして意思表示し、それを雇用者側が認めた場合に異動が成立する。ゆえにアーキビストは中長期的な展望をもって自らのキャリアをデザインすることができるのである。もっとも、ドイツのアーキビストは管理職でなくとも研究室のような個人スペースをもっているから、特定分野をどこまでも深めていく研究職としての性格や意識が強いの

かもしれない。

　日本の国立公文書館のアーキ
ビストは一般的な事務職と何ら
変わりなく、管理職以下、複数
の係やスタッフが混在する「大
部屋」で勤務をしている（もっ
とも筆者はイギリスの国立公文
書館でも「大部屋」で仕事をす
る職員をみかけたので、日本の
みが特殊なわけではなさそう
だ）。専門職でありながらゼネ

写真5　アーキビストの「仕事場」（ベルリン州立文書館）

ラリストをめざすようなスタイルは、地方自治体を中心に、数少ない職員数で多
くの業務をこなさなければならない現状としてはやむを得ない側面もあろうし、
多角的な視野を養うというメリットもあろう。若手にはローテーション制を適用
して「基礎体力」を養い、専門領域が定まってきた中堅層から固定するといった
バリエーションも含めて、アーキビストの資格制度が進展する今日であるからこ
そ改めて議論されるべきテーマであるかもしれない。

　これからアーキビストをめざす人の多くは、『アーキビストの職務基準書』を
手がかりに自らの志望に基づく特定の職務に重点をおきながら、就職する以前か
ら大学院などで必要な知識と技能をみがいていくことになるはずである。もちろ
ん基準書が示すその内容は、わずか数年間の学習のみで網羅的に習得できるもの
ではない。また、一つの人格にこれらすべての知識や技能を完全に備えた人間を
少なくとも筆者は知らない。

　自分自身で思い描いたデザインがあるなかで、まったく意にそわないかたちで
唐突な異動があると、専門とする分野に腰を据えて向き合っていくことは難しい。
また、専門職のキャリア形成を保障するのはその知識や技能であるから、成長で
きる機会に乏しい環境下では、若手のモチベーションを維持することも困難にな
る場合もあるかもしれない。結果として人材が外部に流出することにつながる恐
れもあるのだ。

　アーカイブズ機関の管理者には、基準書を一つの参考資料としながら、アーキ
ビストが継続的に知識や技能をみがくことができる環境や見通しの良いキャリア
プランを用意し、先端的な取り組みや活動をとおして成長の機会を創出するとい
ったビジョンをもつことが期待されるのではないだろうか。

【参考文献】

内閣府『公文書管理の在り方に関する調査報告書』（2016年3月、三菱総合研究所受託研究）

独立行政法人国立公文書館『アーキビスト養成・認証制度調査報告書』（2019年11月）

【謝辞】

　本章の内、イタリアの事情は、科学研究費基盤研究(C)「20世紀の日本・イタリア・バチカンにおける民間所在資料や地方公文書の管理」（研究課題番号：17K03053、代表：湯上良）および科学研究費基盤研究(A)「アーカイブズによる「地域力」再生と持続的社会の基盤創成研究」（研究課題番号：19H00550、代表：加藤聖文）の成果である。

　また、貴重なご教示をいただいたイタリア共和国文化省のディアーナ・マルタ・トッカフォンディ文化財景観最高会議前副議長、国立トリエステ文書館のクラウディア・サルミーニ前館長、トスカーナ文書図書保護局のルーカ・ファルディ副局長、東京大学文書館の森本祥子准教授に深く感謝申し上げます(Ringrazio di cuore per i consigli preziosi dalla dott.ssa Diana Marta Toccafondi, ex-vice presidente del Consiglio Superiore per i Beni culturali e Paesaggistici del Ministero della Cultura, dalla dott. ssa Claudia Salmini, ex-direttore dell'Archivio di Stato di Trieste e di Belluno, e dal dott. Luca Faldi, vice Soprintendente della Soprintendenza Archivistica e Bibliografica della Toscana)。

湯上　良（1節）・下重　直樹（2節）

第 III 部

アーキビストの「仕事場」から

第 8 章

国のアーカイブズ
―東京大学文書館における目録作成と利用―

1　私のプロフィール

▶アーカイブズとの出会い

　私は、アーキビストとしてはたらき始めてからまだ10年程度である。それまではアーカイブズと直接関係のない仕事をしてきた。

　転機が訪れたのは、国立国語研究所という研究機関に勤務していた折だった。第二次世界大戦中に中国で日本語指導員をされていた方の遺族からの寄贈資料、ダンボール約100箱分の資料整理を担当することになった。当時、資料整理という業務は私にとってはじめてのことであり、どこからどのように着手すればよいのか、さっぱりわからなかった。

　そこで当時、同研究所の研究員として在籍していたアーキビストに相談した。すると同氏から最初に渡されたのは、ある資料目録の冊子だった。それは、これまで目にしたことのある一点一点の表形式の目録と異なり、もともとの資料の保存状態の構成を活かしたかたちで記された目録だった。のちに ISAD（G）の考え方を取り入れたものだと気づくことになる。

　「資料整理とは単なる整理整頓ではないらしい！」と知った当時の驚きに始まり、アーカイブズの世界への好奇心をかき立てられ、大学院に進学することになった。

▶アーキビストの道へ

　大学院終了後に就職した民間企業では、企業や大学などへアーカイブズの知見や技術を提供する業務を行っていた。しかし、時がたつにつれて一つの違いによる悩みが生じた。自らの会社にアーカイブズをもたないこのやり方は、自らの組織の記録を管理する本来のアーカイブズの仕事とはまったく異なるので、このまま今の仕事を続けてよいのだろうかという悩みである。

　そこで、アーキビストの多様な仕事のあり方をさらに知りたいと思うようになり、正社員から非常勤職員への転換であっても迷わず東京大学文書館（以下、「東

大文書館」）の門をたたいた。

　本章では、国のアーカイブズの一つである東大文書館での専門職の仕事を紹介することに重点をおきつつも、「私」というフィルタをとおして垣間みえる日本のアーキビストの現実を伝えられたらと考えている。

　なお、本章で述べる同館の運営や取り組みについての理解や意見等は、あくまでも私個人の理解に基づくものであり、東大文書館、また東京大学の公式の見解でないことをお断りしておく。

2　東京大学文書館とは

　アーカイブズとは、組織または個人の活動にともなって生み出される記録のうち、重要なものを将来のために保存する施設であり、同時に記録そのものを指す（以下、本章では施設を「アーカイブズ」、記録あるいは文書を「アーカイブズ資料」とする）。したがって、東大文書館は、東京大学のアーカイブズ資料を保存・管理するアーカイブズである。

　具体的には、同大学が定める「東京大学文書館規則」によると、「文書館は、公文書等の管理に関する法律（公文書管理法）に定める特定歴史公文書等及び本学にかかる歴史的な資料の適切な管理、保存及び利用等を図るとともに、資料の保存・利活用のための調査研究を行うこと」を目的とする組織である。

　このような基本的なミッションのもとで、10名というごく限られた人数ではあるが、専門職を含む教職員が協力し合って運営されている。まずは同館の沿革と概要を整理しておこう。

▶背景・いきさつを知る―国のアーカイブズになるまで―

　同館の起源は、東京大学百年史編集室である。『東京大学百年史』を編さん・刊行後の1987年4月、東京大学史史料室に改組された。大きな転機は、公文書管理法が2009年7月に制定されたことである。同法により国立大学は歴史的に重要な自分たちの組織の文書を、独立行政法人国立公文書館に移管することが義務づけられた。東京大学は自分たちで文書を保存するために、特例的に東京大学の文書の移管等を受けることができる施設である「国立公文書館等」の指定を受けるべく、2014年4月に東大文書館を設置して準備を進めた。翌年4月に、同法に基づく指定を受けることになり、国のアーカイブズの仲間入りを果たした。また同年、同法施行令により寄贈・寄託資料などを中核とする同館の歴史資料部門が歴

史資料等保有施設に指定された。

▶施設を知る—本郷本館・柏分館—

　東大文書館は二つのキャンパスに施設をもつ二館体制で運営している（**写真1・2**）。各館は複合施設の一画にあり、それぞれに閲覧室・収蔵庫・事務室が備えられている。

　前身の東京大学史史料室は、もともと大講堂（本郷キャンパスの安田講堂）の一部におかれていたが、同講堂の耐震改修工事にともない一時移転することになった。2012年に医学部1号館に仮移転して現在に至る。しかし、この仮移転において医学部1号館に収まらない同室の所蔵資料については、新たに柏キャンパスに収蔵スペースを設けることになり、2013年2月から3月にかけて柏キャンパス総

写真1　本郷本館入口（上、医学部1号館）と閲覧室（下）

写真2　柏分館入口（上、総合研究棟）と収蔵庫（下）

合研究棟へ移された。翌年7月には本郷本館・柏分館となり、現在に至る。

▶業務を知る

　東大文書館は、次に示すような三つの部門で活動している。

法人文書部門　こちらは、東大文書館のミッションのうち、「特定歴史公文書等」を扱う部門である。東京大学では、役員や教職員などによって日々膨大な文書（媒体は紙だけでなく、図画や電子・磁気媒体などを含む）が作成される。これらを「法人文書」として各部署で管理している。保存期間を満了すると、そのなかから歴史的に重要な文書が評価選別され、東大文書館へ移管後、「特定歴史公文書等」として永久保存されるしくみである。

　評価選別については、公文書管理法上、保存期間を満了した文書を廃棄するか移管するかの判断は、法人文書の作成者（東京大学の教職員）が個別にすることとされている。しかし、実際には東京大学のアーカイブズである同館が協力するかたちで選別を実施し、文書の作成者である部署等と移管協議を経たうえで移管する運用がなされている。

歴史資料部門　こちらは、特定歴史公文書等に対して「東京大学にかかる歴史的な資料」を扱う部門である。主に個人や団体などから寄贈・寄託された東京大学に関係する資料を、同館では「歴史資料等」として法人文書に由来する特定歴史公文書等とは異なるルールのもとで保存・管理している。たとえば、総長や教職員の資料をはじめ、学生が作成した講義ノートや同窓会組織の資料などである。

デジタル・アーカイブ部門　日本の大学アーカイブズのなかでこのような部門があるのは、現在のところ東大文書館のみである。所蔵資料の検索システムを開発し、「東京大学文書館デジタル・アーカイブ」として情報を発信している。また、同館における特定歴史公文書等や歴史資料等のアーカイブズ資料を、外部機関と連携することなどにより、幅広く利活用するための研究の推進も期待されている。

　以上の3部門を支えるのが東大文書館の教職員である。次節では、アーキビストが担う職務である（1）評価選別・収集、（2）保存、（3）利用、（4）普及のうち、同館の特徴を考えるうえで重要な業務である（2）保存に含まれる目録作成と、（3）利用（利用審査・レファレンス）について紹介したい。

3 アーキビストの仕事①
―目録作成―

　公文書管理法では、特定歴史公文書等の目録の作成と公表を義務づけているが、同法の規定にかかわらず、アーカイブズは利用者にアーカイブズ資料の目録を公開することが必要である。なぜなら、アーカイブズ資料は保存の観点により、原則的にすべて閉架扱いで収蔵・管理されており、利用者が直接に資料をみて利用の手続を行うことができないためである。したがって、調べたい資料を指定し、利用の手続を進めるためには、目録がその助けとなる。

　東大文書館では、私たち教職員が作成した目録をデジタル・アーカイブで国内外へ公開している。たかが目録、されど目録。その作成に至る過程と東大文書館が重視している取り組みを紹介する。

▶目録作成の過程

　まず、東大文書館の受け入れから目録作成までの流れをあげておく。

　特定歴史公文書等のほか、歴史資料等のような個人や団体から寄贈される資料もあれば、学内刊行物なども受け入れの対象となる。また、ある部署から「この書庫のここからあそこの棚までの古そうな文書を文書館さんでみてもらって、要るものをもって行って下さい」と依頼されることもあり、資料の選び出しと運搬をスタッフ総出で行うこともある。さらに、私が勤務した柏分館では、前身の東京大学史史料室時代までに収集されたダンボール数百箱分の未整理資料も存在していた。このように、資料整理を始める入口には複数ある。

　受け入れ後、実際の資料を確認し、分類・目録作成から保存に至る整理全体の方針を立てる。このあたりについては、『アーキビストの職務基準書』（国立公文書館、2018年12月）の職務内容を参考にしてもらいたい。

　そして、資料のかたまり（集合物のこと。「資料群」とも呼んでいる）を一つの単位とする概要目録と、資料１点ごとの詳細目録の２種を作成する。前者は Access、後者は Excel ソフトを使ってデータ入力する。並行して、物理的に資料IDを書き込んだり、ラベルを貼付したりする。目録作成後、資料の保護措置を施したうえで収蔵庫に排架し、デジタル・アーカイブへ登録の準備をする。

▶東大文書館の目録作成とは？

概要から詳細へ　同館では、設置当初より概要目録を優先して作成・公開してき

た。これは、資料の整理・記述にあたって資料どうしの関係性を重視し、それを表現するための「概要から詳細へ」という流れで記述および検索を行うというアーカイブズ学の考え方に基づいている。具体的には、ISAD（G）第2版を採用し、概要目録と詳細目録を段階的に作成している（図1・図2）。この方法は現在、ほかの日本のアーカイブズでも主流となっている。

　資料のかたまりを前提に行う整理・記述において、この「かたまり」のとらえ方がのちの分類にかかわってくる。アーカイブズの基本的な考え方に、受け入れる前段階において、文書を作成・管理していた人々がつくった配列や分類を、他所で管理していた文書と混ぜることなく、極力そのまま保持する原則がある。いわゆる「出所原則」と「原秩序尊重」の原則である。東大文書館もこの原則にそって資料整理を行っている。整理・記述の段階で、たとえば、「東大紛争」や「戦前の東大」、「写真資料」などのように、一時的な使い道のために意図的にテーマや年代、形態などで元のかたまりを崩し、分類することはない。出所と原秩序を保持した状態で資料を提供することが、結果的にさまざまな人々が多様な目的で利用することに対応できるためである。

事例①　個人資料（歴史資料等）　もう少し具体的な事例をみてみよう。図1・図2で紹介したのは「古在由直関係資料（資料群番号：F0003）」の概要目録と詳細目録である。この資料群は古在の遺族より寄贈されたもので、青年期から晩年にわたる活動の全体が反映されたものである。

　古在由直（1864〜1934）は農芸化学者であり、東京帝国大学（現、東京大学）総長も務めた人物である。19世紀後半の日本で起きた足尾銅山鉱毒事件において、古在は被害農民の依頼により流域の土壌分析調査を行い、足尾銅山の鉱毒の主成分が銅であると証明した。そのときに作成された報告書の下書き原稿や写真（ただし後年撮影されたもの）の一部が伝わる（写真3）。

　同事件関係の資料はこの資料群の一部分に含まれるものなので、「足尾銅山鉱毒事件」というテーマのもとに、この資料群から切り離して分類し、別の由来の資料と混ぜて目録を作成することはない。概要目録をみれば資料を作成した人物やその活動、東大文書館で受け入れるまでの経緯などの背景（コンテクスト）を理解でき、詳細目録と合わせて相互にたどることができる。利用者が幅広い視野で資料の内容解釈が可能となるように、東大文書館では記述を進めている。

事例②　組織資料（特定歴史公文書等）　一方、法人文書に由来するアーカイブズ資料である特定歴史公文書等は、組織的に用いられてきた文書である。東京大学

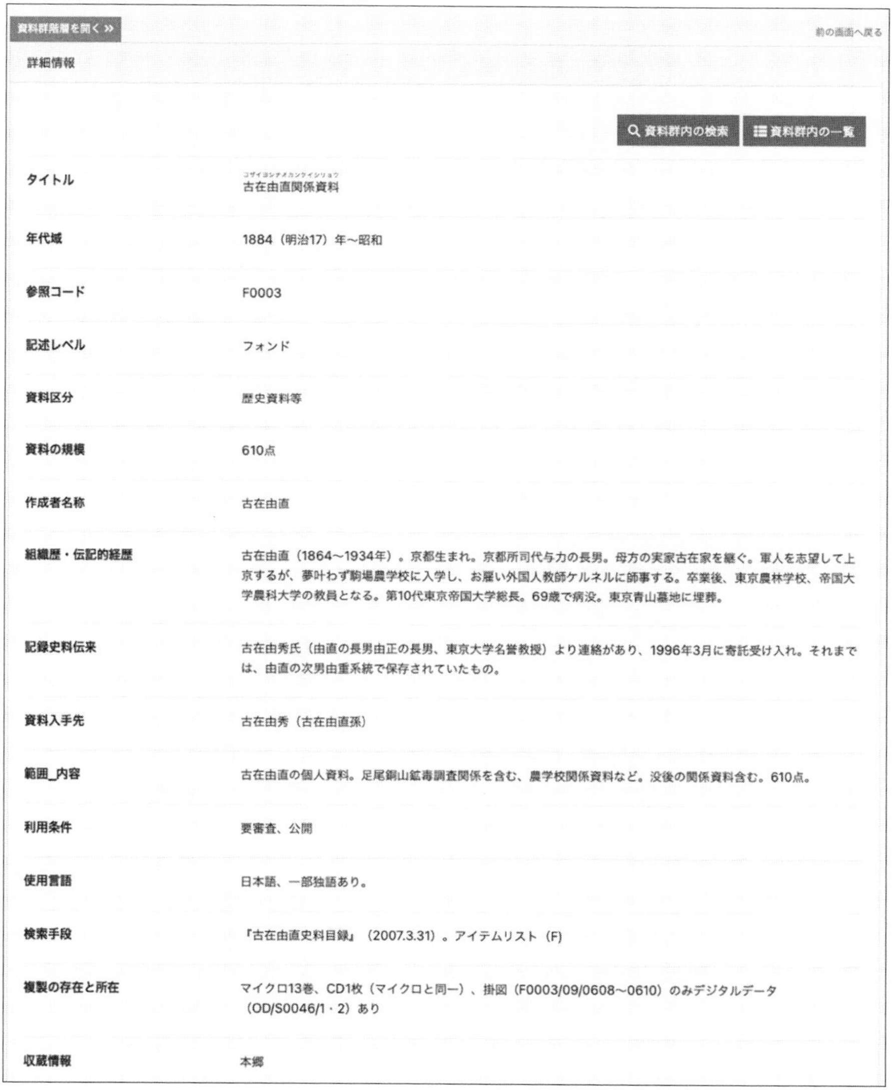

詳細情報

🔍 資料群内の検索 ▪ 資料群内の一覧

タイトル	コザイヨシナオカンケイシリョウ 古在由直関係資料
年代域	1884（明治17）年〜昭和
参照コード	F0003
記述レベル	フォンド
資料区分	歴史資料等
資料の規模	610点
作成者名称	古在由直
組織歴・伝記的経歴	古在由直（1864〜1934年）。京都生まれ。京都所司代与力の長男。母方の実家古在家を継ぐ。軍人を志望して上京するが、夢叶わず駒場農学校に入学し、お雇い外国人教師ケルネルに師事する。卒業後、東京農林学校、帝国大学農科大学の教員となる。第10代東京帝国大学総長。69歳で病没。東京青山墓地に埋葬。
記録史料伝来	古在由秀氏（由直の長男由正の長男、東京大学名誉教授）より連絡があり、1996年3月に寄託受け入れ。それまでは、由直の次男由重系統で保存されていたもの。
資料入手先	古在由秀（古在由直孫）
範囲_内容	古在由直の個人資料。足尾銅山鉱毒調査関係を含む、農学校関係資料など。没後の関係資料含む。610点。
利用条件	要審査、公開
使用言語	日本語、一部独語あり。
検索手段	『古在由直史料目録』（2007.3.31）。アイテムリスト（F）
複製の存在と所在	マイクロ13巻、CD1枚（マイクロと同一）、掛図（F0003/09/0608〜0610）のみデジタルデータ（OD/S0046/1・2）あり
収蔵情報	本郷

図1　概要目録　東大文書館デジタル・アーカイブの検索画面より。このように、ひとつひとつの資料群の概要を解説した目録を、詳細目録とは別に作成している。

図2　詳細目録　同デジタル・アーカイブの検索画面よりみる資料1点単位のリスト。クリックすると詳細情報がみられる。

を含む現代の組織では、創設以降、組織や部署などの改編が繰り返されている。また、部署名が同じであっても、管轄する業務の変更に伴い、同様の業務が別の部署に引き継がれる場合もある。このようなことから、東大文書館では、個人資料のように作成・発生源がある程度限定された個人資料と同じように組織資料を整理・記述する方法に限界があるとし、異なる方針を立てた。

写真3　「古在由直資料」の一部

　具体的には、ISAD（G）の階層構造を土台にしながらも、文書の作成者にかかわらないかたちで文書シリーズを切り離して相互にリンクさせる「シリーズ・システム」の手法を取り入れている。これは、オーストラリア国立公文書館で導入されている考え方である。

　たとえば**写真4**の「文部省往復」（文部省との文書のやりとりの記録）という文書シリーズは、1871年から1962年までに作成されたものが残っていて、東大文書館に引き継がれている。この間に作成者がずっと同一であったわけではない。個人資料

写真4　「**文部省往復（S0001）**」（重要文化財）「文部省往復」のうち、明治10年に作成された東京大学創設期公文書。

の整理・記述の手法をとる場合、作成者が変わるたびに異なる資料群を設定するので、同一の機能をもった資料の関係性を断ってしまうことになる。シリーズ・システムの手法をとれば、「文部省往復」のかたまりとしての意味を損なうことなく、本来の意味での原秩序を維持した管理も行うことができる。

▶まとめ―目録作成は誰のため？―

　目録作成は、単に資料の所在を公開するための業務ではない。アーカイブズ資

料を信頼できるかたちで残し、確かな証拠として利用してもらうための基本となる業務である。目録作成とは、すべての人々が資料を自由に利用できるようにするためのツールを提供することである。そのためには、同時代に限らず次世代の人々も資料への理解が深まるよう、わかりやすく情報を記述することが大切である。目録を整備し続け、品質を維持・向上していくことが重要である。

4 アーキビストの仕事②
―利用・レファレンス―

　東大文書館を含む国のアーカイブズの最大の特徴は、だれでも閲覧室で資料を手にとってみられることである。ほかには無いオリジナルな資料を目にすることができるのはまさに博物館のようであり、それでいて図書館のように実際に閲覧するために触れることもできるという魅力にあふれている。

　同館を含む国のアーカイブズでは、公文書管理法によって特定歴史公文書等の利用のための手続が定められている。それに基づき、同館の「東京大学文書館利用等規則」において利用に関係する次の①～④について詳細に定め、「東京大学文書館利用細則」において必要事項を補足している。

　①利用の請求…手続にともなう館の各種取扱い

　②利用の促進…手続の簡便化、展示会開催、資料の貸出し、レファレンス

　③移管元部局等の利用…移管元の部署に所属する職員等による手続の扱い

　④開館日及び利用時間…東大文書館の開館日と利用時間

　本節では、下線を付した閲覧のための利用提供とレファレンスについて、東大文書館の業務を一例として紹介したい。なお、歴史資料等の利用については、別に「東京大学文書館歴史資料等利用細則」で定めているが、基本的に特定歴史公文書等の取扱いに合わせながら運用している。

▶利用提供のための業務

　資料の利用請求から閲覧までのあいだ、東大文書館では先の規則類や基準にそって対応する。これは利用者の権利を保護するために行うものだが、過程で生じる業務が複雑なわりに、利用者がみえない部分がありわかりづらい。

　そこで同館では、実際にどんな業務にあたっているかを理解してもらうために、年2回発行している同館刊行物の表紙にすごろく風に見立てた図を掲載する取り組みを行った（図3）。

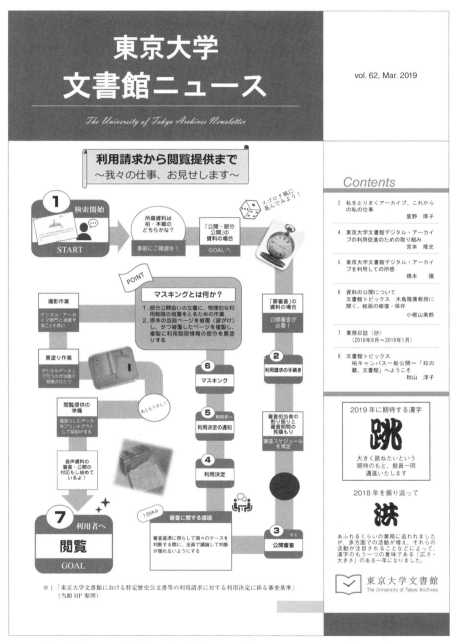

図3 「利用請求から閲覧提供まで」（『東京大学文書館ニュース』第62号表紙部分）

図中の①から⑦に至る流れは、あらかじめ資料の公開可否を同館が判断する必要があり、判断結果によって利用制限が生じた場合に行う作業である。つまり、利用者は資料を全部閲覧できる場合とそうでない場合とがあるということである。

　公文書管理法では原則公開の立場をとりつつも、個人の権利利益や公共の利益などを害する恐れがあり、利用に適切でない情報が記録されている資料については利用制限の対象としている。ただし、この利用制限は一定期間が経過すれば順次解除され、公開されるしくみである。他方、資料の劣化による破損など、その利用が物理的に困難な場合も利用を制限する場合がある。

　同館で利用審査を行う際、館の審査基準を参考にする。しかし、実際の資料に記録されている情報をこの基準と照らし合わせても、判断が難しいことが多い。その場合、担当者によって判断が揺れないよう全員で問題を共有して議論し、審査結果を導くように心がけている。今後、大学という教育研究機関ならではの利用のあり方について、さらに議論を深めていくべき業務になるだろう。

▶レファレンス対応

　日々、口頭や書面、Eメール、電話などによる問い合わせがある。東大文書館では利用提供と同じ考え方に基づき、全員が持ち回りで担当している。

　その内容は、たとえば「東京大学のホームページや入学式などで用いられる学部配列順（「法医工文理……」）が国立学校設置法第3条の各大学学部配列順でないことの理由は何か？」や、「祖父の在籍情報と、そのとき（明治期）の大学院に入る条件を教えてほしい」など多岐にわたる。全員が問い合わせとその回答の情報を共有できるように、Excelファイルの表に入力し、一覧化して運用している。同じような問い合わせが来たときにどんな資料を参考にしたかがわかるので大変便利であり、回答者によるバラつきやミスを回避することもできる。

　ところで、日本におけるアーキビストへのレファレンス・サービスの教育・研修は発展途上にあるといえる。私自身も大学院で実践的な教育を受けた記憶が無い。東大文書館の現場で学んだことは、レファレンスは利用者が「答え」をみつけるのであって、アーキビストが答えを下してはならないことである。あくまでも利用者の知りたいことを理解し、資料を提供することに徹するべきだ、それがサービスであるという基本的な考え方である。

▶まとめ―利用と保存のはざまで―

　ここまで紹介してきた目録作成やデジタル・アーカイブによる公開、利用提供、レファレンスは、つまるところ利用とこれを促進するための活動である。さらに、

ここ数年で東大文書館における資料展示のスキルも向上しており、オープンキャンパスやキャンパス一般公開などでその腕を発揮する普及の機会も増えてきた。新型コロナウイルス感染症による活動制限の際には YouTube に公式チャンネルを開設し、館の活動を公開するなどの工夫も凝らしている。今後は、大学に限らず初等教育から高等教育にアーカイブズ教育を導入できる機会があると、利用者のすそ野はより広がっていくだろう。

　一方で、資料保存という観点を忘れてはならない。劣化の激しい資料に対しては、デジタル変換した画像データを閲覧に供することもある。資料の利用頻度が高くなるに比例して、劣化のリスクが高まるからだ。利用提供と保存管理は相反する動きである。両者のバランスを保ちながらアーカイブズとしての使命を果たすことへの難しさに、アーキビストはつねに直面している。

5　アーキビストは「所変われば品変わる？」

　本章で紹介してきた東大文書館の業務は、ほんの一例であり、それぞれに特色のある活動を行っている国のアーカイブズの全体を代表するものではない。したがって、私自身の経験もアーキビストを代表するものとはまったく考えていない。それでも、今までの経験と気づきをまとめるのであれば、次のように考えることができる。

　私は、当初は民間企業に勤務して、企業や大学から相談を受けて資料整理の知識や技術を提供する仕事をしていた。その仕事は、会社の一室にある古い資料を整理するものから、親企業へ吸収される会社整理の仕事までと広範囲のものであり、大学院で学んだような典型的な「アーカイブズ」という学問的な枠組みで捉えることが難しい世界であった。一方、東大文書館での仕事により、「アーカイブズ」の基本的な枠組みを実践することができる機会に恵まれた。

　アーカイブズなるもののあり方は組織によってさまざまである。多種多様なアーカイブズの存在に戸惑うなかで私を支えていたのは、物事を客観的に捉え、記録の前では公平でいようとする意識であった（しかし、それが損なわれかねない場面においてはジレンマにもなり得る意識でもある）。そのような職業人としての意識に気づいた私は今、私立学校のアーカイブズに勤務している。

　私立学校や企業など日本の組織・団体のほとんどは公文書管理法の適用を受けていない。私自身、そのようなさらに広く奥深い世界で、アーキビストとして通じるか通じないかはまだわからない。しかし将来、アーカイブズの世界に飛び込

むことになった本書の読者と出会ったとき、再びなにかお伝えできるような経験を積みたいと願っている。

　最後に、私の経験に照らした自問自答ではあるが、アーキビストをめざそうという方のためにQ&Aをつくってみたので、参考になれば幸いである。

Q.「アーキビスト」は必要？
A.　必要だと思う。正直いって、アーキビストがいなかったとしても社会は回るが、アーキビストがいれば（正確にはアーキビストだけでは成り立たないが）、めぐりめぐって、たとえば記録の改ざんのような不適切な行為を防げる社会になるのではないか。また、あるべきものをありままの姿で残し、伝えるというアーカイブズの精神は、人々が真実を知るうえで大事なものだと思う。未来の人へ記録や記憶をつなぐ役割として重要。
Q.　アーキビストになるにはどうすればよい？
A.　アーキビストとして仕事をしたいならば、専門職を養成している大学院や関係機関で学んだほうが近道である（もちろん日本に限らない）。また、専門的な知識や技能を身につけたとしても、アーキビストという職業を選ぶことが必須というわけではない。自分のおかれている場所でその専門性を活かし、輝くこともももちろん可能である。記録はいつどこにでも私たちの身近にあるものだから。
Q.　アーキビストの募集はどうやったらみつけられる？
A.　求人は多いといえないが、企業ならば求人サイトに掲載される場合もある。興味のあるアーカイブズ機関のホームページをチェックする、知り合いをつくる、学会などの団体に加入するなどで情報をキャッチしやすくなる。
Q.「アーキビストあるある」を教えて。
A.　あくまでも私の場合に限るが、腰をサポートするベルトをもっている（資料運搬時に着用するとラク）、他機関の収蔵庫の見学が趣味、「これ、わけのわからないものなのですがどうしたらよいですか」といわれるとやけにはりきるなど。アーキビストどうしの場合、相談するとすぐにレスポンスをくれる。総じて面倒見のいい人が多いと思う。

【付記】
　本章の執筆にあたり、東京大学文書館の森本祥子先生をはじめ、スタッフの皆さまには多大なご協力をいただきました。ここに御礼を申し上げます。

小根山　美鈴

第9章

豊島区の公文書管理

―現場に寄り添い、ともに考える―

1 アーキビストを志したきっかけ

▶未来を生きる子どもたちのために

　2011（平成23）年3月11日。東日本大震災が発生した当時、私は美術大学の助手としてはたらきつつ2歳になる直前の小さな娘を育て、おなかのなかには新しい命を宿していた。震源から離れた東京で、体験したことのない大きな揺れのなか、娘を抱えてへたり込んだまま津波が町を飲み込んでいくのをテレビでみていた。その日から、節電のため薄暗くなったスーパーマーケットや駅構内、輪番停電、テレビからは余震を知らせる緊急地震速報の不協和音チャイム、そして瓦礫の山になった街並みと水素爆発を起こす原子力発電所の映像が流れ続ける日々がやってきた。インターネット上には、「有害物質の雨が降る」「ヨウ素入りのうがい薬が放射性物質に効く」など真偽も根拠もわからない噂が拡散していた。翌年初頭には震災・原発関係で政府が設置した15の会議体のうち10の会議で会議録を作成していなかったという不祥事が発覚。それまで気づきもしなかったけれど、この国は自分たちの生活を守るために必要な情報、出所がしっかりした情報がうまく取得できない状態なのだということを知った。震災前とはがらりと変わった薄暗く不安な世の中で、子どもたちが生きる未来の社会に、記録を、情報を適切に残す仕事がしたいと思った。そうして出会ったのがアーキビストという存在だった。

▶大学院でアーカイブズを学ぶ

　美術大学を卒業し、編集プロダクションでの雑誌やマンガの編集者を経て、さらに美大の助手と、アーキビストの王道たる歴史学や社会科学とはまったく領域が違う分野で生きてきて、30歳を過ぎてからの遅いスタートにはなったが、2015年の春、学習院大学大学院アーカイブズ学専攻への入学を果たした。

　ここは社会人入学が多く、さまざまな経歴の人たちがいた。すでにアーカイブズの現場ではたらく先輩もいたし、私と同じように別の分野ではたらいてきた人も、学部からストレートで進学してきた若い人たちもいた。齢30過ぎの新入生な

んてものすごく浮くのではと思っていたが、杞憂であった。大事なのは年齢ではなく学びへの熱意だと知った。

博士前期課程の2年間という短い在学期間ではあったが、バラエティ豊かな授業カリキュラムと安藤正人教授から紹介してもらった戸田市立郷土博物館での仕事(アーカイブズセンターの学芸員・公文書の整理作業)から豊かな学びを得ることができた。必修科目でアーカイブズ機関の実習もあり、学生でありながら実際の資料に触れる機会が多いのがうれしかった。

今の仕事に特に役立っているのはアーカイブズ法制論だ。それまで法律など読んだこともなかったので独特のわかりにくい言い回しに苦しみ、課題には毎回泣いたが、現在の職場である豊島区の条例案や規程など文書管理のしくみをつくるにあたってとても役に立った。そもそも公文書は法令にのっとって行われる仕事から派生するものだから、法令を読むことを拒んでいると文書の成り立ちが理解できないこともある。さすがに法律の専門家になる必要はないが、法令を読むことに慣れておくことは必要だと感じている。

修士論文では、マンガの編集者時代に担当していたマンガ家の作品と資料を対象に、もし「マンガアーカイブズ」を構築するとしたらどのようなことをするべきなのかということを考察する実証研究をした。編集者になったばかりの頃、はじめて原画に触れた日、その美しさと迫力に圧倒された。しかし出版社において原画は本を出すための素材なので、あまり丁寧に扱われていない場面にも幾度となく出くわした。「こんなに素晴らしいものをきちんと保存・管理しないのはもったいない」と思ったのが心に残っていて、それがこの研究テーマを選んだ理由だ。

まずはマンガ原稿が世に出るまでの過程、マンガ家の仕事の進め方と発生する資料について調査した。マンガの資料というとイコール原画、と思われがちだが、物語の題材に対して取材した資料、作画のための写真資料、物語の筋を文章や箇条書きで構築するプロット、コマを割って絵に描き起こしたネーム、編集者とのやりとり(修正やリクエスト)、原画、印刷所が作成するセリフが入った雑誌掲載前のゲラ、掲載した雑誌、コミックにする前に絵やセリフに修正を加えたゲラ、完成したコミックと、マンガは作品の完成までのそれぞれの段階で新しい資料が発生する。さらにマンガの制作には関係者が多く、マンガ家の手元に原画は戻ってきても、セリフを入れた印刷データは印刷所にあるなど、資料が分散しやすく、マンガ家の手元だけですべての資料が収集できないのが特徴だ。

次に、マンガ資料の物理的な保護について調査した。今はほとんどのマンガ家がデジタル環境で作画しているが、私が調査したマンガ家はまだ手書きをメイン

にしており、修正液、セロテープなどのほか、過去の作品には登場人物が喋るセリフを、ワープロなどで活字にして原稿に貼りこんだ写植の原画もあった。作成から20年程度の経過で、ほんの少し触っただけでスクリーントーンやら写植やらテープが剥落する状態になっており、原画を保存するのはとても難しいことがわかった。温湿度管理や酸化防止、防虫、分解してしまってもパーツが散逸しないよう封筒で保護するなど、原画を守るためにすべきことはたくさんあることもわかったが、マンガ家個人で保護に適した環境を用意することはほとんど不可能だ。原画のほかにも、編集者とのメールやマンガ家が発信しているSNSなど、作品の成り立ちにかかわるデジタル資料も存在する。マンガ資料の保護を考えるとき、電子データの取扱いについても考える必要があるとわかった。

　アーカイブズを構築するためにはまず基本となるのが目録だ。マンガ家がもっている資料、ネタ帳や原画、イラストなどの目録をISAD（G）にそって記述し、文化庁のメディア芸術データベースやマンガ学会などのデータベースと照らし合わせて、分類の方法や、記述項目に関する考察をした。資料の種類によってとるべき情報が変わったり、利用者の使いやすさを考えたり、考えるほどに改善の余地が出てくる。目録作成の面白さや大変さを知った。

　さらに目録をとりながら、マンガ家に資料がどの段階でいつ発生したものかなどをヒアリングした。そのなかで、マンガ家は法律や契約に関してあまり詳しくなく、自分のなきあと、原画などの行き先や活用はどうなるか気になっているという話を聞いた。著作権の権利関係をはっきりさせないまま出版社が原画を好き勝手に利用、処分してしまってトラブルが起きたり、原画をもてあました遺族が原画を古本屋に売ってしまい資料が散逸することはある。マンガアーカイブズを守るためには、マンガ家が存命中からアーキビストが関与し、資料の保全と権利関係の確認などのサポートをしていくことで、その適切な保存と文化資源としての活用につながっていくのではないかと結論づけた。

　残された資料の整理と保存だけでなく、資料の作成者（＝クリエイター）とコミュニケーションをとってその成り立ちを理解し、適切な保存につなげるのもアーキビストの重要な仕事である。この考え方は今の仕事においても大切にしている。大学院の博士前期課程を修了し、2017年4月から現在に至るまで、公文書等専門員として豊島区総務部総務課文書グループにて勤務している。

2 公文書管理条例ができるまで

▶職場の環境

　このグループは、公文書に関係する事務全般を所掌している。現用公文書の管理（文書管理システムの運用管理、各課からの紙文書の引継ぎと文書倉庫の管理など）を中心に、公文書の評価選別と公文書等管理委員会の運営、移管された特定重要公文書（歴史公文書）の保存、文書の廃棄処理にかかわる事務、公印の管理、文書交換室（庁内外の文書・物品交換便や郵便・小包の受領及び配布）の運営、告示公告事務のほか、最近ではペーパーレス・ハンコレスのプロジェクトチームの運営や新しい公文書管理システムの導入にあたっての要件の検討なども行っていて、基本的に事務量が多い職場だ。これらの業務を係長、正規職員2名、公文書等専門員2名のほかに、文書交換室の非常勤職員2名とシルバー人材センターのスタッフ数名、総務係と兼任の人材派遣会社から派遣されたスタッフ1名で回している。

　豊島区の公文書等専門員は2017年から同区が歴史的な公文書の収集と活用を目的に設置したポストだ。会計年度任用職員という雇用形態で、月16日の勤務が定められている。私のほかに、もうひとりは区役所OB（元係長）の再任用職員が雇用されている。この方は親しみやすい人柄と長年の区役所勤務により広い人脈があり、公文書が発生した背景（文書に記されている区の事業の位置づけや経緯など）についての調査能力が非常に高い。また、公文書等専門員には文書箱を運ぶ、棚を組み立てるなどの肉体労働もたびたび発生するが、重労働もサクサクこなし、区内の一方通行の多く狭い道路も熟知していて車の運転も巧みである。非常に機動力の高い、信頼のおける相棒だ。私も育児で培った筋力が役立っていて比較的肉体労働に強く、相棒の方とは逆に庁内に特段のしがらみがないので、独立した専門職として問題点をみつけて解決方法を提案することや、文書の歴史的文化的重要性を判断することができている。体力仕事は協力して、知識面ではお互いに違う強みをもって業務にあたれるので、とてもいいバランスだと思う。

　職場の雰囲気としては、基本的に会話が多く、賑やかだ。公文書管理条例によって発生した新しい事務（評価選別）により、問い合わせや相談が数多く寄せられるので、公文書等専門員だけではなくグループ全体で対応できるよう、条例や規則、文書管理の実務の状況に照らし合わせて間違った認識で案内をしていないか互いに確認をし、新しい問題が起きたときは最適解を探すための議論を活発に行っている。紙文書の倉庫への移動・保存・廃棄など物を大量に動かす業務をはじ

め、人海戦術で作業を行うことも多々あるので、日ごろからコミュニケーションをしっかりとり、協力体制を築くようにしている。

▶豊島区の文書管理の転換期

　入職当時は新設のポストであったことから業務の内容や進め方が確立されていない状態だった。雇用されてすぐの4月から夏までは、公文書等専門員2名で保存期間が終了した文書のなかから歴史的価値がある公文書を収集するために倉庫のなかで廃棄予定の文書箱をひと箱ずつ開けて中身を確認し、歴史的な価値がありそうな資料をピックアップしていた。試行段階なので、収集した公文書を並べては「この公文書は歴史公文書に該当するか」という確認と検討を行っていたが、「この資料の本体(起案文書と添付資料の最終版)は永年保存文書のなかにあるのではないか」という疑念がつねにある状態であった。区では10年以上の保存期間を設定した文書はすべて「永年保存」として、各課で常用しないものは総務課に引き継ぎ、外部の倉庫に保管していた。本当に永年保存文書のなかにあるか確かめようにも、各課が作成したその管理票(台帳)が正確ではなく、該当文書がどこにあるのかわからないことが多かった。主管課にしても、自分が求める文書が入っている箱を確実に探し当てられる状態でなければ円滑な利用を妨げる。保有する公文書の全容把握と検索性向上のため、約2600箱の永年保存文書を対象に、目録作成事業を実施することになった。さらに民間の知見とマンパワーを取り入れるため、プロポーザル方式によって事業者を選定することとなった。

　その準備を進めているさなかの2017年9月の第3回定例会で、区議会議員から区役所跡地の76年間の長期定期借地権にともなう開発の契約などから派生して公文書管理条例にかかわる質問があった。これに対し区長が制定に向けて前向きに検討するという答弁をする手はずになっていたが、翌年の「第2回定例会での上程に向けて検討を深める」と回答。私たちは急遽、公文書管理条例をつくることになり、豊島区の文書管理制度は一気に変革を迎えることとなった。

▶文書管理の仕組みづくり

　公文書管理条例の策定にあたり、行政情報公開条例と対になるべき性質の条例は庁内の職員の意見だけでつくるのは適当ではないという当時の総務部長(現在の副区長)の判断から、学識経験者と区民からなる豊島区公文書のあり方検討委員会(以下「あり検」)を設置し、公文書管理条例の策定に向け審議を行うことになった。その下に管理職からなる豊島区公文書のあり方検討部会(以下「部会」)と、数課の文書取扱主任(係長)からなるプロジェクトチームが組織された。それ

らの事務局は文書グループが担った。

　部会やプロジェクトチームにおいて最も注目されたのは公文書の定義だ。公文書とは①職員が作成または取得したもの、②組織共用性があるもの、③組織が保有するものであり、職務に関係のあるものは記録として撮影した動画や写真、会議の音声、図面、メモ、メールなどどのような媒体であろうとも公文書となる。しかし、職務上作成しているとはいえ、メモやメールなど、それまで公文書として認識しなかったものを公文書とすること、そしてそれらが管理対象なることに抵抗を感じる職員は多いようだった。

　ただでさえ、紙の文書のほかに、文書管理（決裁）システム内の起案文書、各課に割り振られた共用サーバーのなかに格納する各種資料（電子データ）、個別業務システム（戸籍などの基幹システムのほか、母子保健システムや道路管理に関するシステムなど100以上存在する）で管理するデータ、キャビネットのなかに保存されているDVDやHDD、ビデオテープなど多種多様なかたちで公文書が存在している。そのなかには業務のためにインターネット等で下調べした参考資料や、ルーチン業務の当番表や簡単な手順書など、軽易な文書も多分に含まれ、日々増殖している。私も役所のなかの状況を実際にみるまで知らなかったが、外部からみるよりも公文書の量は圧倒的に多く、過去からの蓄積も膨大だ。これらを管理するには職員全体を巻き込んでいかなくては手に負えない。当たり前のことだが、職員は公文書を管理するために仕事をしているのではなく、仕事の必要に迫られて公文書をつくっている。公文書管理はとても重要なことだが、それだけに時間と労力を割くことはできないのだ。しっかりとした公文書管理を行うためには、管理しやすい制度と環境が必要であると痛感した。

　検討の結果、従来は「豊島区文書取扱規程」と「豊島区文書保存規程」「文書保存年限設定基準について（通知）」という三つの定めによって公文書を管理していたが、管理の対象が行政情報公開条例と少しずれていたこと、作成から保存までが一体的に行われる電子文書の管理まできちんと想定したかたちではなかったことから、新たに「豊島区公文書管理規程」を策定し、規程類を一本化することとなった。

　実務的には紙文書だけでなく、文書管理システム（起案文書）、課に割り当てられてサーバーで保存している電子文書（資料等）を「公文書の保管場所」と定め、「年度管理」かつ「統一のフォルダ体系」で管理することで文書の作成から廃棄または移管までの期間を制御するリテンションスケジュールを設定できるようにした。個別業務システムなど他の場所に保存されている情報も統一されたフォルダ体系のもとに名称を登録することによりひもづけ、全体の情報が一元的に管理

できるようにした。もちろん過去の文書のすべてに一気に手をつけるのは無謀なので、条例の制定年度からフォルダを整備して年度管理を行い、過去の資料は順次整理してゆくこととした。

▶条例制定後の公文書管理の実務

　ここで条例制定後の豊島区の公文書管理の実務の流れを紹介しておこう。公文書は主管課で収受または作成され、処理の過程を経て各業務に関連するフォルダに整理され、保管される（図1）。

　紙の公文書は作成年度とその翌年度は主管課で保管し、3年目に各課でキャビネットから文書保存箱に詰め替えて総務課に引き継ぐ。総務課は、引継ぎを受けた文書を区内外の倉庫で保存期間が満了するまで保存する。豊島区では庁舎内を除いて区内に4カ所の文書保存用の倉庫をもっており、3年、5年、10年保存の文書を分散して収蔵している。この倉庫の管理は文書グループの仕事だ。なお、条例施行前の永年および30年保存文書は民間業者の外部倉庫に保存しており、その取寄せや返却も文書グループで行っている。

　文書管理システムは総務課が管理しているので、電子起案文書は総務課の管理下にあるが、個別業務システムと課共用フォルダ内の電子文書（資料）に対してまでは干渉できないので、保存期間が満了するまで各課が管理することになる。

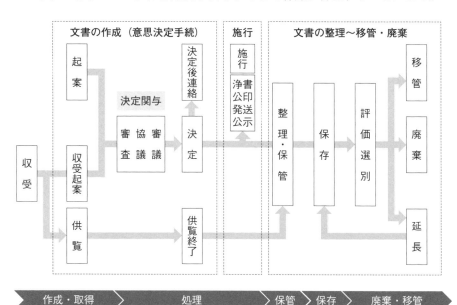

図1　豊島区の公文書管理実務の流れ

保存期間が満了する公文書は評価選別を行い、移管・廃棄・延長を判断する作業を行う。延長になった公文書はその期間が終了するタイミングで再度評価選別を受けることになる。

3　評価選別と現場との対話

▶アーキビストの文書作成段階からの関与

　豊島区では、毎年、文書管理システム上で文書のファイルを作成するときには前年度を踏襲（＝コピー）するかたちでフォルダが作成される。だが、そもそも条例施行以前は必ずしも統一的なフォルダ管理はされておらず、各課にその管理方法は任されている状況で、文書管理システム以外の公文書は媒体ごとに独自の方法で文書が整理されてきた。たとえば地域振興にかかわる補助金の紙文書であれば、都から受給するまでは一つのフォルダで管理できるが、区から各商店街に交付したあとは補助金関係の文書を個別の商店街ごとにフォルダを分け、補助金を受けて行った事業に関する文書とともに保存するようになる。必ずしも年度管理で文書が整理できるわけではなく、また土木関係や福祉関係、文化関係の事業など、業務の種類が多岐にわたる自治体という組織では、自然と文書管理方法がそれぞれの業務のかたちに合わせて、まるで「ガラパゴス」のように独自の進化を遂げてしまうのだ。条例制定後は過度に多様化しないよう、文書グループで各課から丁寧に話を聞き、条例を遵守しつつ業務がやりにくくならないように管理方法を提案するといった相談業務は年間とおして行うようになった。業務の性質としてはレコードマネージャー的ではあるが、骨格がしっかりしたアーカイブズをつくるためには、文書が作成される現場に寄り添ってどうやって文書を管理するとよいかを一緒に考える存在が必要なのではないかと思っている。

▶試行錯誤で評価選別

　公文書管理条例の施行にともなって発生した評価選別の業務は、文書グループだけではなく、各課に多くの事務的な負担と意識の変革をもたらした。

　評価選別では、当年度末に保存期間が満了する保存期間が２年以上の公文書に対し、移管・廃棄・延長を判断する。評価選別は三段階で進行する。総務課での一次選別、主管課での二次選別、公文書管理委員会による三次選別だ。一般的には主管課が一次選別、総務課で二次選別、公文書管理委員会で三次選別を行うのが標準的らしいが、まだ新しい文書管理制度の考え方が浸透していないなかで、

突然文書が重要公文書かどうか選別しろといわれても各課が困惑することは容易に想定できる。また、そのあとで総務課が後出しのようにあれこれいうのもあまり感じがよいものではないと思われた。全庁的な協力がなければ条例がめざす文書管理の実効性は担保できない。まずは文書グループが評価選別して案を提示し、次にその判断が妥当であるかを各課が確認するというかたちを取ることとした。

一次選別もダブルチェックをしている。すなわち最初の確認では文書グループの職員(係長)と公文書等専門員(区役所OB)が「豊島区重要公文書選別基準」に基づき重要だと思われる事務文書をピックアップし、次にアーキビストが中長期的な視点も加えて、その文書が作成された当時の区の活動に影響しそうな時事関係のニュースや区政上の重点事業を確認し、文化的歴史的な価値をもつ資料が含まれていそうなフォルダを追加でピックアップするようにしている。

豊島区で毎年作成される起案文書は平均で11〜14万件、フォルダは2万件弱である。起案文書の大多数は物品購入の契約・支出関係などごく定例的なものなので、区政において大きな意思決定を行う部長以上の職位が決定した公文書と、フォルダは全件確認するようにしている。ちなみに2021年度は約5600件の起案文書と約1万9000件のフォルダを確認した。

二次選別は各課による選別だ。実際に業務を行い、文書を作成しているクリエイターの視点から文書の重要性を判断してもらう。ただし、慣れない事務に戸惑う職員はまだ多いので、実施の際にはリストとともに基本となる考え方や具体的な方法を示した手順書を示す。毎回、図やフローチャートを入れ、手順書にわかりにくいところがないか、文書グループ内で慎重に確認している。

二次選別を受け、文書グループと評価選別で意見が違う部分のすり合わせる。すり合わせの作業のなかで、各課のフォルダの立て方や文書の整理の方法など、管理上の問題点が浮き彫りになってくることもある。個別具体的にフォルダと格納されている文書を確認しながら、次年度以降どうしたらより文書管理がしやすくなるか相談をすることもある。

すり合わせの結果完成したリストは区の原案として公文書等管理委員会に提出する。各委員には厚みにして6〜8センチ程度のリストが宅急便で一挙に届くことになる。公文書等管理委員会の委員は区の判断の妥当性を確認しつつ、公文書が適切なファイル名で管理されているかなど管理事務の状況を確認・審査する。ファイルの内容が推察できず判断ができないなど、照会が必要な事項が発生した場合は総務課に問い合わせがある。今まで外部の人たちにみられる前提でファイルをつくってこなかったので、ファイルから内容の推測がしにくく、委員からの質問は結構な件数になる。文書グループが質問事項を集約し、公文書管理委員会

の開催までに各課に照会をかけ、委員にかわってフォルダの内容を実際に確認する。これを年末から年度末に差し掛かる時期に行うので、だいたいどの課も忙しく、ファイルの内容を聞きに行くと「うわ、また来たぞ……」という顔をされることもある。このような細かな確認作業を繰り返し、やっと年度末に答申を得られる。

　評価選別の結果を受けて重要公文書の移管の作業が発生するので、選別の精度を上げていくことが公文書を的確に残すことに直結する。公文書等専門員にとってこの評価選別作業はまさに正念場、業務の主軸だ。

▶公文書の移管・延長

　新年度が始まると、まずは公文書等管理委員会で審議した結果を受けた最終のリスト（移管・廃棄・延長）を整え、作業マニュアルを添付して各課に通知する。現用文書の管理作業の兼ね合いもあり、作業の依頼が6月、実際の移管文書の受入れは8月になる。

　移管・延長する公文書は紙はもちろん紙の状態で、各課の共用サーバー内のデータはDVDに焼いた状態で提出を受ける。紙の公文書は各課の職員がそれぞれ区内の文書倉庫に赴き、持ち出すことにしている。現用文書の利活用が最も活発なのは作成した年度とその翌年度であり、文書グループに引き継いでからの利用はあまり多くない。移管や延長の作業ではじめて倉庫に足を踏み入れる職員も多く、「文書ってこんなにたくさんあるんだ」「自分たちでどの箱に何が入っているか把握しないと探すのが大変だ」と文書管理に意識が向くきっかけにもなっているようだ。

　移管締め切り直前の8月末は目が回るほど忙しい。通常業務に加え、移管や延長についての問い合わせや各課からの提出物の受付でてんやわんやになる。受けつけた紙文書にラベルシールを貼り、保存箱に整理する。提出されたDVDにきちんと移管の電子文書のデータが入っているか、またデータが開けるかの確認もする。リストどおりに移管されているかの確認をし、不足や疑問点があれば各課に問い合わせをする。

　アーキビストとしては移管された文書の管理が本分なので、腰を据えてじっくり目録をとりたいのだが、実は同時進行で翌年に保存期間満了を迎える文書の評価選別が進んでいる。移管が終わった課からは次の評価選別に向けた質問が来るので、自分がどの年度のどの段階の文書の話をしているのか、間違った回答をしないよう気をつけるので精いっぱいの日もある。さらに選別基準や業務の精度を向上させる必要があるし、知識も足りないと感じる。アーキビストだと名乗って

はいるが、まだまだ未熟だなと思い知ることばかりだ。

▶公文書管理を知ってもらう

　当区では新人に対する実務研修のほかに、文書取扱主任等文書管理の実務を担う職員に対する特別研修を実施している。2019年度までは特別研修に外部から講師を招聘していた。ところが新型コロナウイルス感染症の影響で講義室の収容人数が限られてしまい、講義の回数を増やさなくてはならなくなったことと、条例の施行によって事務に大きな変化が生じたので実務的な講義も必要とされることから公文書等専門員が講師を行うことになってしまった。公文書管理とは何かという理念的な説明から始まって公文書のリテンションスケジュールの説明、実用的な文書管理の方法までを約1時間に詰め込んで説明している。公文書管理のしくみやメリットをなるべくわかりやすく、身近に感じられるよう実例を交えて、というのを意識している。今年度は1回あたり25名程度の受講者で、4回の講義を1日で実施した。実は人前で話すのがとても苦手で、研修の時期が近づいてくるととても憂鬱である。前日は眠れないし、終わったあとは家でひとり反省会だ。これもアーキビストの重要な職務だと「蚤の心臓」に鞭打っている。

　区ではEラーニングと新任管理職のためのテキストも用意している。適切な公文書管理には職員全体の意識の改革や知識の底上げが不可欠だ。研修や配布するテキストの末尾で必ず毎回「文書管理で何か困ったことがあれば文書グループに連絡を」と呼びかけている。条例ができ、しくみを変えていくなかで、各課の職員と話をする機会も増え、「フォルダ体系を再構築したいから相談に乗ってくれないか」「文書管理を見直すための課内プロジェクトチームをつくろうかと思うのだが出前授業のようなことはできないか」など、職員がよりよい文書管理に取り組もうとする現場に立ち会わせてもらえる機会も生まれた。少しずつ組織風土が変わっていくのを感じている。

▶公文書館機能をもつために

　冒頭で紹介した永年保存文書の目録化事業は2017年から始まり、目録の項目や採録方法の検討を重ね、2020年末でひと通りの作業が完了した。箱、簿冊（ファイル）、アイテム（区長など、最も高い決定権をもつ職位が決裁した決定文書）で階層を分け、画像も撮影し、20～40項目の情報（階層によって項目数は異なる）を採取するかたちになった。総目録数は約5万1000件に及ぶ。数年以内に永年保存文書について目録をもとに評価選別を行い、重要公文書の移管と不要な公文書の整理を進める予定である。すでに2021年度から文書グループで一次選別に着手し

ており、いずれ二次選別、三次選別と進めてゆくことになるだろう。時間はかかるが、いずれは庁内で全庁的に資料を共有し、活用できるようなデータベースを充実させたいと考えている。

　現在のところ、この目録は文書や資料を探すときに大いに役に立っている。最初に述べたとおり、永年保存文書の管理票があまり正確でないことから、職員が文書探しに苦労する場面がたびたび起きる。そういうときにこの目録で文書を検索する。探していた資料をみつけたり、ほかの課がもっている類似した資料の存在を示したりすることによって、「困ったときは文書グループに聞こう」と信頼してもらえるようになってきている。

　豊島区ではいまのところは施設としての公文書「館」をもっていない。高密都市であり用地確保も難しく、一方で、区民が情報を利用する手段も多様化している。このため情報管理の母体として記録アーカイブズの保存とアクセスを実現する公文書館「機能」をもてればと考えており、目録はその礎となるのだ。

まとめ―地方自治体のアーキビストとして―

　豊島区の公文書等専門員になるまでは、アーキビストとは「残された資料」に向き合うものだと思っていた。しかし、現実には文書を残すための土壌をつくることから始まっている。

　豊島区の公文書管理は今からすればさまざまな課題があったようにみえるが、かつて事務が遂行不能に陥ることもまったくなく、地方自治体としてはごくごく一般的な文書管理をしていたのだと思われる。ほかの自治体もだいたい同じようなレベルなのではないだろうか。だが、充実した情報公開が求められる時代に変わってくるなかで、公文書管理もさらにしっかりとしたしくみと職員の意識の変化が求められるようになった。自治体は、世の中から求められ、期待されていることはわかってはいるが、組織内では過去から連綿と受け継がれてきた膨大な文書と事務の慣習が今はまだ根強く残っていて、変わりたくても具体的にどう変わればいいかわからない状態なのだと思われる。法律や条例で示される「あるべき姿」をかなえるためには、アーキビストが現用文書の生成される現場で、クリエイターである職員に寄り添って実現可能な方法をともに考え、重要な公文書を守る道筋をつけることが必要なのだと考えている。

　一方で、区が発信する YouTube や Twitter、Instagram などの SNS や、LINE など、今の社会にあわせて新しい公文書のかたちもどんどん生まれてきている。

これらをどのように扱い、保存していくか、アーキビストは慎重に観察し、新しいメディアに関する知識を補充し、保存の方法を考え続ける必要がある。未来に資料を残すための仕事には限りがないが、アーキビストになりたいと思ったときの「子どもたちが生きる未来の社会に、記録を、情報を適切に残す仕事がしたい」という気持ちを忘れず、これからもクリエイターである職員との意思疎通を惜しまず、研究と試行錯誤を重ね頑張っていきたい。

【参考文献】

小谷允志編著『公文書管理法を理解する―自治体の文書管理改善のために―』（日外アソシエーツ、2021年）

早川和宏「これからの自治体公文書管理（特集　自治体公文書管理と情報公開）」（『都市問題』108、2017年）

【付記】

　本稿は筆者の私見を記したものであり、所属機関である豊島区の公式見解ではないことをお断りしておく。

宮平　さやか

第10章

民間企業の記録管理を支える
―ワンビシアーカイブズでの情報資産管理―

1 アーカイブズとの出会いと再会

　この原稿を執筆している2021年時点で私は社会人2年目ということもあり、ほかの執筆者と比較するとアーキビストとしての経験は浅い。本章では現在携わっている業務に加え、筆者がアーカイブズ学と出会ったきっかけやアーキビストをめざした動機、大学院での研究についても述べたい。進路選択の一つの参考事例にしていただければ幸いである。

　はじめてアーキビストという職業を耳にしたのは高校生のときであった。オープンキャンパスに参加する前、将来の職業についてまだ明確な希望がなかった私に対して父が「アーキビストという職業があるらしい」と教えてくれた。ちょうど公文書管理法が施行された年だった。父は地方公共団体の職員であり、同法が施行されるにあたって新聞などで組まれていた特集を読み、アーキビストという職業を知ったのだろう。オープンキャンパス当日、某大学の個別相談ブースで対応してくださった教員の方に「アーキビストにはどうすればなれますか？」と質問して困惑させた。その方曰く、法律学や行政学は役に立つのではないか？　ということだった。大学教員でさえもはっきりとしたことがわからない職業を具体的にイメージできず、アーキビストという職業に対する興味はひとまず落ち着いた。当時は「アーキビスト」とインターネットで検索しても具体的なロールモデルに出会うことができず、未知の領域に飛び込む勇気ももてなかったのである。

　両親や親戚が公務員ということもあり、身近に民間企業ではたらく人が少なかったことから、私は比較的公務員志望の学生が多い法学部に進学することにした。進学した法学部では、法律学や行政学のほかに政治学も学んだ。政治学の授業は特に面白く、政治哲学や国際政治学など興味のある授業はほとんど履修した。当時は欧米でポピュリズムや排他的ナショナリズムが台頭してきた時期であり、目まぐるしく変化する情勢を理解したい気持ちがあった。普遍的な価値と認識していた民主主義は意外と脆く、人々の不断の努力によって維持されていることを知った。アーカイブズは民主主義を支える説明責任にかかわることから、法学部へ

進学したことはのちにアーカイ
ブズ学を学ぶ際の土台となった
と考える。

　政治学の勉強も楽しかったが、
学部生時代で一番勉強したのは
第2外国語であるフランス語で
あった。授業で聞くフランスの
文化や政治の話に興味がわき、
百聞は一見に如かずという気持
ちで大学の交換留学制度を利用

写真1　フランス国立公文書館（スービーズ館）

してフランスへ留学した。この交換留学中にアーカイブズ施設を訪れたことが、
アーキビストという職業に再び興味を抱くきっかけになった。

　パリのマレ地区にあるフランス国立公文書館（スービーズ館）（**写真1**）は、展示
に力を入れている施設であり、下調べもなく訪れた私のような外国人観光客でも
充分楽しむことができた。

　私が留学していた2018年は、パリを中心に勃発した学生運動である五月革命か
ら50年という節目の年であったため、関連する記録の展示が行われていた。この
ときまでアーカイブズ施設の展示や歴史系の展示というと、旅行先の歴史資料館
でみる程度の経験しかなく、強く興味を惹かれるものではなかった。さらに、展
示物に記載されている内容をすべて理解するだけの語学力はなく、五月革命につ
いても留学先の大学で軽く学んだだけであり、展示を楽しめる自信はなかった。

　しかし、展示室に一歩足を踏み入れると、それまでもっていたイメージが一転
した。そこでは記録のほかに五月革命で使用されたポスターや当時の写真、映像
も展示されていた。視聴覚資料が効果的に使用されていることにより、記録が生
まれた背景を鮮明に思い描くことができた。

　さらに、一つ一つでは断片的で限定的な意味しかもたない記録が、相互につな
がっていることで大きな意味をなすということが面白かった。また、本来の役目
は終えた記録が残されることによって「歴史」という新たな価値が生み出される
ことも興味深い点であった。

　その経験を機に、忘れかけていたアーカイブズについての興味がよみがえり、
インターネットで情報を検索していくうちに、私はアーキビストという職業に再
会した。直前に展示をみていたこともあり、自分自身が歴史に何かを残すことは
できないが、今残されている歴史を残し、現在を未来に伝える役割を担うことは
できるかもしれないと感じた。現在を伝える記録を残すことによって、将来の人

たちが過去をより鮮明に想像することができるかもしれない。そして、記録を保存し、後世に残す行為により新しい価値が生まれ、何かに活用できるかもしれないのである。大学で学んだ法律や行政の知識も無駄にならないだろうと感じ、大学院ではアーカイブズ学専攻に進学することを決心した。

2 大学院への進学と修士論文

▶入学試験準備

　当時の私には大学の学部レベルの授業でアーカイブズ学を学ぶことのできる機会がなかったため、入学試験勉強は独学だった。同じ年に入学した同期も独学で試験対策をしたと話していたことを記憶している。なじみのない専門用語と格闘しながら専門書を読み進め、なんとか入学できるだけの知識を身に着けた。入試準備で何より難しかったのは、研究計画書の作成であった。一般的に大学院に進学する人は、ある程度研究テーマが決まっている。しかし、私はアーキビストになりたいという気持ちが先に立って進学を決意したため、具体的に何を研究対象として、どのような研究をして学位を取得するかについては深く考えていなかった。試験勉強で得た知識と当時感じていた問題意識をもとに研究計画書を作成したが、入学後、授業や実習をとおしてアーカイブズ学について少しずつ理解してきたところで研究テーマを改めて練り直すことになった。

▶授業と実習

　入試準備を進めていくなかで、アーカイブズ学は知れば知るほど対象とする記録の幅が広く、奥深い世界だと感じた。入学直後は、2年間という短い期間でこの幅広い学問の世界を知ることができるのか不安もあった。

　大学院の授業は社会人学生を念頭にはたらきながらでも履修できるように、平日の夕方から夜、土曜日に設定されていた。授業の内容も、アーキビストに要求される基礎的な知識・技能を広く身に着けられるように設計されていた。もちろん大学院であるから、専門的な掘り下げは自分自身で進めていくことになる。私は授業で取り上げられた書籍や論文を読んだり、紹介されたアーカイブズ施設に訪問したりした。授業で得た知識・技能をどのように掘り下げ、研究に結びつけるかは自分次第であった。難しく感じることもあったが、自分の力でアーカイブズ学の世界を少しずつ進んでいくことの面白さの方が大きかった。

　ここでは授業内容の詳細には触れないが、当時履修していた授業の一部につい

て紹介したい。アーキビストとアーカイブズ学の歴史や国内外の理論について学ぶ授業から、未整理の文書を実際に整理、目録の記述を行う実践的な授業まで、さまざま授業が用意されていた。基礎的な知識・技能を身に着けていくなかで、少しずつアーカイブズ学とは何かがわかってきた。

　通年の授業のほかに年に1回2週間程度のアーカイブズ機関での実習があった。私は1年目には国立公文書館、2年目は埼玉県立文書館で実習を行った。国立公文書館での研修では、1週目に行政機関や地方公共団体の公文書館職員向けのアーカイブズ研修に参加した。グループごとに研修で取り扱ったテーマについて議論する機会があり、現場ではたらく人からの生の声を聞くことができた。2週目からはアーキビストが行う職務ごとに用意された講義を受け、簡単な実務も体験した。

　埼玉県立文書館では、2週間じっくりと実務を体験した。国立公文書館とは異なり、古文書や掛け軸の取り扱い方を習うなど、博物館実習的な要素も含まれていた。

　2回の実習をとおして一番印象に残っていることは、所蔵資料を使った展示企画を考える実習であった。冒頭、学生時代にフランス国立公文書館の展示に興味をもったことに触れたが、私は記録が利用され、新しい価値が創造される点に強い関心があることを改めて自覚した。アーカイブズとして保管されている記録には価値があり、利用されることによって新たな価値が生み出される。私は、アーカイブズの利活用のサイクルに特に惹かれ、修士論文でもその後の就職活動においてもポイントとなった。

▶修士論文―テーマの決定と調査―

　アーカイブズの利活用への関心から、修士論文では、ファッションビジネスにおける記録アーカイブズをテーマとして取り上げた。

　授業や実習をとおして、アーカイブズ学の知識・技能だけではなく、記録のもつ力についても理解できるようになり、記録を作成した組織や団体の性格によって、記録が有する意味合いも異なるということにも気が付いた。公的なアーカイブズ機関で保管されている記録は、主に社会に対する説明責任や権利保障、過去の行為の検証を目的として保管されている。一方、企業など民間組織で保管されている記録は、共通した目的もあるが、製品開発やマーケティング、ブランド戦略などの参考として活用されるという異なる目的もある。

　記録を活用し、新しい価値を再生産するという過程を考えたとき、ファッションが思い浮かんだ。ファッションは繰り返されるといわれる。以前の流行がかた

ちを変えて再び流行するのだ。

　ファッションをテーマに研究しているというと、それは博物館学(学芸員の分野)ではないか？　と指摘されることがある。確かにファッションというとブランドがシーズンごとに発表する衣服や靴などの服飾品をイメージすることが多い。しかし、衣服や服飾品が制作されるまでの過程に発生したデザイン画や制作における指示が書かれた書類、マーケティング資料など、一着の服が生まれるまでの過程にはさまざまな記録が発生する。そして、制作過程の資料は未来の作品の参考資料にもなっている。

　さて、研究テーマは決まったものの、調査に協力してくれる企業を探すのは困難なことであった。企業資料を対象とする研究の難しさは、調査対象の企業をみつけることにあるといっても過言ではないと考える。公文書と異なり、そもそも企業資料は関係者以外に公開する予定で作成されていない。使用されていない非現用文書であっても社外秘の情報が含まれる可能性が大いにある。外部の人間が容易に触れることができるものではないのがほとんどだ。

　ファッション業界に伝手があるわけでもなかったため、まずは有名ファッションブランドの資料部門に飛び込みでアプローチし、そこから中小アパレル企業に連絡をとり、研究に協力してもらえないか交渉した。また、他大学のファッションに関連する授業を聴講し、講師の方に話を聞かせてもらうこともあった。なかなか協力先がみつからず、順調に調査を進める同期の姿に焦る時期もあった。

　ファッションビジネスの全体を捉えたときに、衣服や服飾品をデザインして生産し、販売するファッションブランドやアパレル企業だけではなく、衣服の原料となる繊維やテキスタイルを生産する企業も対象となることに気が付いた。ちょうどその頃にご縁があり、テキスタイル(織物、布地)を生産する企業に調査協力をいただけることになった。

　調査の結果、過去のサンプルを保管して製品開発に活用していること、同業他社と比較しても膨大な数のサンプルを保管しているため、他社から閲覧希望を受けていることがわかった。自社内での活用に止まらず、他社からの利用もある点から、テキスタイル業界にとってもアーカイブズは有益なものであると結論づけることができた。

　修士論文の調査では、ファッション業界に属するデザイナーや製作者、雑誌編集者などの立場の異なる人とかかわり、アーカイブズについて話す機会があった。そこで、立場によってアーカイブズに求めるものが少しずつ異なることに気が付くことができた。この視点は、現在仕事をするうえでも大切にしている。

▶大学院時代の生活――一日のスケジュール――

　さて、ここで視点を変えて大学院生時代の生活スケジュールを紹介してみよう（**図1・2**）。私はアーカイブズ学の勉強を大学院入学後にスタートしたようなものだったため、可能な授業はすべて履修するようにしていた。そのため、授業ごとに出される課題の量に苦しむことになったが、今から考えるとどの授業も興味深く、多角的にアーカイブズ学を捉えることができたと感じている。

　月曜から土曜日までほぼ毎日大学に通っていた。平日の授業は基本的に5限目と6限目に設定されていたため、日中の時間は自由に使うことができた。私は9時から16時頃までは大学内でのバイトや一般企業で事務のバイトなど複数のバイトを掛け持ちしていた。バイトのない日は調査協力先の企業に調査に行ったり、研究テーマであるファッションに関係する展覧会に足を運んだりした。

　バイトや調査のあと、16時から20時頃まで授業を受けた。授業後は研究室で授業の課題や研究を進めたり、帰宅して研究テーマに関係のある論文を読み進めたりした。研究室は遅い時間まで利用可能であり、特に修士論文の執筆中は助けられた。

　土曜日は3限目にゼミがあった。1限目と2限目には1年生向けの必修の授業が開講されていた。3限目のゼミでは修士課程から博士課程までの学生が参加し、各自年に数回ほど研究の進捗状況について報告した。1年目は報告担当の回には毎回緊張していたが、2年目からは少しずつ慣れはじめ、参加者から質問を受けることが（怖い部分もあったが）楽しめるようになってきた。ゼミが終わると研究室で博士課程の先輩に研究の相談をしたり、研究作業を進めたりした。

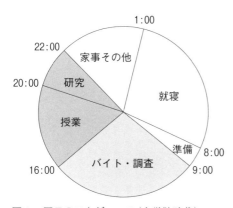

図1　平日のスケジュール（大学院時代）

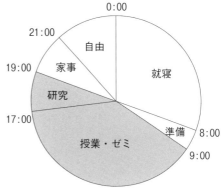

図2　土曜日のスケジュール（大学院時代）

　アーカイブズ機関の求人が決して多くはないことはあらかじめ認識していたため、就職活動は１年生の夏頃から行っていた。私の調べた範囲では、アーカイブズ機関の求人は、３年から５年程度の実務経験を必須としている場合が多い。非常勤職員の場合は実務経験の有無を問われない求人もあるが、経済的に自立できる待遇とは限らなかった。

　もちろんアーキビストになるために進学したこともあり、正職員としての就職先がみつからなければ非常勤職員として実務経験を積むことも選択肢には入れていた。実習や修士論文の調査をとおして、アーキビストとして自立するためには知識や理論だけではなく、実務経験が大切であると感じていた。研究だけではなく、専門的に学んだ知識を実際に現場の課題に落とし込んで解決することもアーキビストとして重要な能力なのだ。

　就職活動の過程で、現在の職場である株式会社ワンビシアーカイブズのことを知った。修士論文で企業の記録について扱い、卒業後も企業の記録管理に携わりたいと考えていたこともあり、幸いにも新卒枠で採用されるに至った。

3 企業の現用文書から非現用文書まで扱う仕事
－株式会社ワンビシアーカイブズ－

　ここでは現在勤務している株式会社ワンビシアーカイブズ(以下、「ワンビシ」)での業務や平日のスケジュールを示しつつ、仕事をとおして得られる学びを紹介しながら、今後の個人的な展望について述べてみたい。

▶どんな会社か

　ワンビシは、半世紀以上前から「情報資産」管理を行ってきた企業である。「情報資産」とは、企業や組織が業務を遂行するうえで必要不可欠な書類や記録(デジタルデータも含む)のことだ。ワンビシでは顧客にかわり、これらの書類や記録を保管している。

　顧客から預かった書類や顧客のデータが保存された磁気媒体や電子媒体は全国に数カ所ある情報管理センターで保管される(**写真2**)。情報管理センターは大きな倉庫のような場所であり、周囲には防犯カメラを設置し、構内への入構や保管場所への入室にはセキュリティカードが必要など、高いセキュリティ環境で書類を預かっている。そこでは書類の保管のみならず、付随する業務の代行処理や書

類の電子化を行い、遠隔地での利用を可能にしている。

ワンビシで提供しているサービスは大きく分けて「書類関連サービス」と「データマネジメントサービス」、「医療・製薬業界向けサービス」の３種類ある（**図3**）。書類保管サービスでは、紙の書類や電子記録、その両方の管理を行う。紙の書類を対象

写真2　情報管理センター

としたサービスでは、預かる書類の使用頻度に応じて箱単位から書類一枚単位で管理番号を付与している。原本を参照する必要があれば、付与した管理番号によって出納し、顧客の元へ届ける。

また、非現用文書や特別な保管環境を要する歴史資料を対象とした永年保存サービスも提供している。保管場所では書類の劣化を最小限に抑えるために温湿度管理や害虫対策を実施している。さらに、情報管理センターは地震や水害の影響を受けにくい立地にあるため、ワンビシは「情報資産」の保管先としてリスク対策の面でも評価されている。

BPOとはBusiness Process Outsourcingの略称であり、顧客の業務フローの一部を請け負うサービスのことを指す。請け負う業務内容は顧客により異なるが、代表的な業務としては書類の電子化がある。顧客が保管していた書類を電子化し、電子化後の書類原本については保管または機密抹消（廃棄）を行う。

図3　提供サービス図

近年ではデジタル BPO 分野のサービスも行っている。その代表的なサービスである電子契約システム（WAN-Sign）は、従来紙の契約書で行っていた契約締結をシステム上でできるようにしたものだ。電子契約は、電子署名とタイムスタンプを使うことにより、その契約が改ざんされていないことを証明する。電子契約した契約書についてはクラウド上に保存される。このシステムの特徴は、電子署名とタイムスタンプが付与されるボーンデジタルの契約書と電子化した紙の契約書の一元的な管理が可能な点である。このようなハイブリッドな電子契約システムは他社では見当たらない。

　顧客の社内に入り、文書管理についての助言や文書管理規定の策定、保存すべき文書の特定などを行うコンサルティングサービスもある。

　このほかにも、データマネジメントサービスでは磁気媒体の保管や長期保管が必要な電子データのバックアップサービスを行っている。アーカイブサービスは、大容量のデータを消失や漏えい、改ざんから守り、安全な環境で長期保管するサービスである。

　医療・製薬業界向けのサービスも行っている。GxP とは、医薬品の研究・開発や製造、流通などを対象とする規制やガイダンスのことを指し、医薬品の安全性や信頼性を保証することを目的としている。例としては、医薬品の製造や品質管理に関する基準である GMP（Good Manufacturing Practice）がある。ワンビシでは、基準を満たす保管環境で医薬品開発などにかかわる資料を専用の場所で保管している（GxP 関連資料保管サービス）。細胞・検体保管サービスでは、温度帯の異なるフリーザを使用して保管物を預かっている。

▶私の仕事

　現在、私は情報管理センター内にある BPO サービスを行う部署に勤務している。担当は某企業の事務センター業務である。事務センター業務は図のように示すことができる（図4）。

　まずは、事務センターに到着した申込書類に対してシステムを使用して受付処理を行う。その後、書類を電子化してサーバに画像を保存する。電子化された書類の原本は書類の種別ごとに設定された保存期間まで倉庫で保管する。保管している書類について問い合わせがあれば、出納を行い、原本を顧客に届けている。

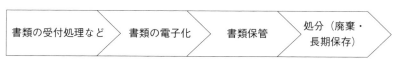

図4　事務センター業務図

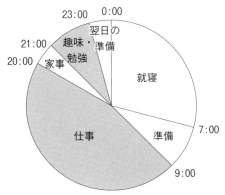

図5　平日のスケジュール(現在)

保存期間の過ぎた書類は顧客の指示のもとで機密抹消(廃棄)される。

　一般的なアーカイブズ機関と比較し、ワンビシが特徴的なのは、半現用・非現用文書だけではなく、BPO サービスも提供することから、現用文書も取り扱っている点である。一部ではあるが、書類の動きをとおして顧客の業務フローやレコードマネジメントにかかわることになる。

　また、公的なアーカイブズ機関と大きく異なる業務としては、顧客から請負っている業務の手順を考えたり、その手順を実施するためのコストを計算したりすることだろう。紙の書類を取り扱うためには人手を要す。ワンビシでは作業を行うために多くのパートタイムスタッフが勤務している。会社として高品質なサービスを提供しながら、利益を生み出すことは大変なことであると感じる。この民間企業ならではの効率性追求の観点や、いわゆるレコードマネジメントの分野まで業務対象となる点は、公的なアーカイブズ機関のアーキビストと異なる点であると考える。

　平日は図のようなスケジュールで生活している(**図5**)。出勤後すぐに一日のタスクを決めて、当然ながら優先順位の高いものから着手する。業務中は目の前の書類一枚一枚が重要な書類であることを意識しながら、取扱いに注意している。

　定時は9時〜17時半であり、日中は顧客から問い合わせ対応やパートタイムスタッフへの指示で終わることが多い。残業は1〜2時間ほどであり、遅くても20時頃には帰宅をしている。実務に携わるようになり、自分に足りない知識を具体的に認識できるようになったため、帰宅後はアーカイブズ学に関連する書籍を読んだり、IT や語学の勉強をしたりしている。

▶キャリアデザイン

　民間企業を相手とするアーキビストはコンサルタント的な要素も含まれているため、アーカイブズ学の知識のほかにも営業の知識や実務経験が欠かせない。私は新卒採用でワンビシに入社したため、社会人としての経験はまだ浅い。まずは実際に書類を取り扱う場所で社内システムの知識や社会人としての基本能力を身に着けることが必要であった。

　将来的には民間アーキビストとして、実際に企業の記録を調査し、適切な管理方法について助言できるような存在になりたいと考えている。ワンビシでは、レコードマネジメントとアーカイブズの両方について学ぶことができ、記録が生まれる「川上」から保存・廃棄が決定される「川下」までのライフサイクル全体がわかる。また、数多くの顧客がいることで、現在のペーパーレス化やレスペーパー化などの動きもいち早く把握することができる。

　社内には、多くの企業や団体の文書管理に関するコンサルティング業務を行った経験のある先輩社員も複数在籍している。近い将来、その先輩方と一緒に仕事をすることを目標に現在の部署で幅広い経験を積みたいと考えている。

▶今後の目標

　ここ1、2年で急激に進んだデジタル化であるが、すべての記録が一挙にデジタルに移行するとは考えにくい。もっとも、文書作成ソフト等で作成された文書を紙に出力するシーンは着実に減っている。デジタルでの管理が進むことで、保存媒体としての紙の役割は小さくなるだろう。現在、担当している事務センター業務でも、手続のオンライン化などにともなう影響が表れるかもしれない。

　しかし、デジタル化が進むなかでも、アナログ媒体のまま保存される記録は少なからず存在するはずだ。たとえば、私が修士論文で研究対象としたテキスタイルのサンプル資料はその一つであると認識している。大学院時代にメーカー企業を調査した範囲では、サンプル資料を体系的に保管している企業は少なかった。ほとんどの企業が、社内にある倉庫または書庫の一部に段ボールなどを使用して保管しているとのことだった。前述したように、修士論文ではサンプル資料をその生産過程で生じた記録とともに保存することで商品開発などに活用できる例を取り上げた。モノをつくる企業において、サンプル資料は紙の資料と同等かときにはそれ以上の価値があると考える。しかし、紙の書類と比較し、サンプル資料はかさばり、素材によっては環境による劣化リスクも大きいため適切な保管環境を確保することは難しい。

　今後、書類の大半はデジタル化され、クラウドやサーバ上で保管されるように

なるだろう。しかし、現状の技術ではデジタル化できないモノ資料については、依然として従来のアナログな管理が必要となる。現状のようなデジタルとアナログを峻別する管理方法では、記録のつながりが薄れてしまう。記録は単体でも価値はあるが、関連する記録どうしがつながることで新しい価値を生み出すことが可能であるのだから。

　私は今日の急激なデジタル化にともない、ボーンデジタル記録とデジタル化の難しいアナログ記録とが分断されてしまうことを不安に感じている。サンプル資料などのアナログ記録にかかわるメタデータをしっかり抽出し、デジタル記録と一括して管理することで、デジタル記録とアナログ記録のつながりを分断せず、関係性を維持した状態で管理・利活用できるようなしくみをつくりあげていく必要がある。

　記録を取り巻く環境は日々変化しており、目まぐるしく感じるときもある。アーカイブズ、レコードマネジメントはこれまで紙のようなアナログ媒体を前提として管理方法などを積み上げてきた。進展するデジタル化に則した管理方法とはどのようなものなのかが、現場においては切実な課題として問われていると考える。民間企業は公的なアーカイブズ機関よりも早くその状況に直面しており、不安もあるが、同時に新しい状況への期待も覚える。

　先輩アーキビストが守ってきた記録や信念を守りつつ、新しい環境やツールの出現を恐れずに積極的に取り入れていきたい。そして将来、民間で活躍するアーキビストのロールモデルの一つとして若い世代から参考にしてもらえるように日々多くのことを学び、経験していきたい。

小川　実佳子

第11章

アーキビストの研究活動と社会実践

1 資料保存との出会い

　はじめに、私をのぞく第Ⅲ部の筆者は、アーキビストとして国立公文書館等や地方自治体、あるいは民間企業で活躍する方たちである。私の場合は、彼女たちとは異なるかたちであることを、あらかじめおことわりしておきたい。

　私は、アーカイブズの保存環境管理と、民間所在資料の保存と活用に関する研究を行っている。本節のタイトルには「資料保存」と記したのだが、イメージが浮かびにくい読者もいるかもしれない。学芸員資格の取得にあたり、「博物館資料保存論」の受講が必須となって認知度は増したものの、まずこの用語について説明しておきたい。アーカイブズに限らず、われわれの身のまわりに存在するものすべてには寿命がある。資料保存の目的は、資料をできる限り長くのこし、広くたくさんの人が利用できるようにすることである。具体的には、資料を保存している環境の整備や、保存容器への収納、代替化や利用方法の検討、修復等があげられる。私が研究する保存環境管理も、資料保存の一部分として位置づけることができる。

　さらにイメージを膨らませるため、誰もが一度は訪ねたことがあろう博物館を思い浮かべてほしい。展示室に入った瞬間、室内が暗いと感じた経験はないだろうか。これは、展示物の褪色や損傷を最小限にするために、展示室内の照明をロビーやほかの部屋より暗く調整するからである。次に、キャプションという展示物の情報を書いたものが展示物には添えられるが、そこに複製と記されていることがある。これは、資料保護の目的でオリジナル（原品）ではなく複製品を展示する場合がある。また、近年は資料をデジタル化して公開することも増えてきた。時間や場所にとらわれることなく資料にアクセスできるメリットのほか、収蔵庫から閲覧室への資料の移動、資料を手にとって閲覧する頻度が減ることで、温度・湿度等の環境変化や事故のリスクを低減させるメリットも指摘できる。これらは特別なことではなく、資料の利用と保存を両立するためにさまざまな場面で実践されている。

それでは、高校卒業以降の私の経験を振り返りつつ、現在の研究活動について紹介したい。私は、2004年に東京学芸大学の文化財科学専攻に進学した。学芸員としてはたらくことを志望して選んだ進路だった。4年間の学生生活では、考古学、歴史学、美術史、保存科学、分析化学の基礎を学んだ。折しも大学に進学した2004年は、虫やカビから資料を守るためのガス燻蒸に使われていた燻蒸剤の一つ、臭化メチルがオゾン層を破壊することから年末での使用全廃を控えた時期だった。博物館・資料保存機関ではたらく関係者のあいだでも、臭化メチルの代替となる燻蒸剤や、新たな殺虫処理方法への関心が高まっていた。環境破壊のみならず、燻蒸剤が人体にもたらす影響への指摘もあった。そうしたなかで、薬剤を使わない殺虫処理方法の開発や、予防を重視したIPM（Integrated Pest Management：総合的有害生物管理）という新しい生物被害対策の考え方が東京文化財研究所を中心に紹介されていた。リアルタイムで発信される情報に刺激を受け、学芸員資格取得のための博物館実習では、保存科学の学芸員が配置されている博物館に実習を受け入れていただいた。これを機に、収蔵資料の保存管理や化学分析を担当する保存科学担当の学芸員をめざしたいと考えるようになり、より専門的な知識を身につけるため、東京学芸大学大学院の文化遺産教育コースに進学した。大学院では二宮修治教授の研究室に所属し、資料の保存環境に関する調査研究に携わることとなった。

　現場でのはじめての調査は、二宮研究室が国文学研究資料館の青木睦准教授との共同研究として取り組んでいた大気汚染物質のモニタリング調査であった。国文学研究資料館とは、50万点を超える近世から近現代の歴史資料と国内屈指の古典籍を収蔵する機関である。2008年4月に私は大学院に進学したが、その2カ月前に同館は東京都品川区から立川市へと移転していた。移転まもない新営施設にて、大気汚染物質の測定のほか、青木准教授の指導のもと、温度・湿度の測定、IPMの一環である昆虫生息調査用トラップを用いたモニタリング調査等の保存環境調査にも携わらせていただいた。

　同館には大学院在籍中にアルバイト、修了後は非常勤の職員や研究員として約10年勤務した。研究に取り組みながら、収蔵資料の状態調査、歴史資料の閲覧サービスや保存手当、収蔵庫の保存環境管理、展示設営や展示環境の整備等のアーカイブズ業務の経験を積むこととなった。

2 アーカイブズ学の世界へ

　国文学研究資料館での調査に携わりはじめて少したった頃、学習院大学大学院人文科学研究科アーカイブズ学専攻の安藤正人教授(当時)が代表を務める星野家文書調査会に参加する機会を得た。古文書の解読が不得手なことを不安に思いつつ、調査に参加した。資料調査は、安藤教授を中心に提唱されてきた、アーカイブズの出所と原秩序を尊重した調査方法である「段階的整理」にのっとって進められていた。私は江戸時代の版本のクリーニングや、目録作成が済んだ資料を1点ごとに封筒等の包材に入れて容器に収納する作業を担当した。フィールドワークの楽しさもさることながら、企業や大学、自治体、文書館等の現場で活躍するアーキビストたちとの協働ははじめてで、とても新鮮な体験だった。そもそもアーカイブズ学や民間所在資料調査に関する知識が乏しいまま参加してしまったが、資料調査では綿密な工程が計画されており、そのなかに資料の保存対策が位置づけられていることにも驚いた。この調査への参加をきっかけに、アーカイブズ学に関心を抱くようになった。

　ほどなくして同館が毎年開催している講習会「アーカイブズ・カレッジ」を受講する機会を得た。「アーカイブズ・カレッジ」では、アーカイブズの収集・整理・保存・利用に至るまでのアーカイブズ学の基礎的な理論を幅広く学んだ。評価選別や編成記述等の多岐にわたる講義内容を理解することは大変だったが、アーカイブズの対象となる記録の多様さに衝撃を受けたことを今も鮮明に覚えている。ここではじめて、アーカイブズが現代を生きる私たちのいのちや権利を守る、社会生活を支える情報資源でもあることを理解した。アーカイブズ学には、さまざまな学問分野との連携が求められていて、海外の文書館等では保存管理担当者(Preservation Administrator)という収蔵資料の保存方針や保存管理に携わる職員が活躍していることも知った。

　大学院修了後は非常勤職員として同館で閲覧サービスや資料保存業務を担当していた。そうしたなかで、アーカイブズ学の知識を深めながら保存についてもっと研究したいと思い、2012年に学習院大学大学院アーカイブズ学専攻の博士後期課程に進学した。大学院では、多くの先生方にご指導いただき、現在に至るまでさまざまな調査研究プロジェクトにかかわる機会もいただいている。資料調査や共同研究をとおして切磋琢磨しあえる学友にも恵まれ、なんとか研究活動を続けている。前置きが長くなってしまったが、ここからは私が取り組んでいる研究活動について紹介していきたい。

3 アーカイブズの劣化要因

　そもそもアーカイブズの保存とは、なにから、どのようにして守り、保存するのか。繰り返すことになるが、この世界に存在するすべての生命や物質には、寿命や耐用年数がある。保管や利用の条件・方法にもよるが、アーカイブズとして扱われるさまざまな記録媒体もいつかは文字や画像情報の認識ができなくなり、かたちを保てなくなる時が来る。その現象が劣化であり、影響を与える要因を特定して、できる限り排除する必要がある。

　劣化の要因は、大別すると2種類ある。一つは、アーカイブズを構成する材質そのものが引き起こす「内的」要因による劣化である。記録媒体の一種である紙の場合には、酸性紙の劣化、紙どうしを綴じた鉄製ステープラーの錆による針やその周囲の腐食等があげられる。もう一つは、アーカイブズが保管されている状況でおきる劣化である。温度や湿度、カビや虫害、光による褪色、閲覧等の取り扱いの際の事故、自然災害、戦争やテロリズムによる破壊行為等と紹介しきれないほどの「外的」要因が存在する。外的要因が作用するスピードはそれぞれ異なり、たとえば『博物館資料の臨床保存学』［神庭信幸、武蔵野美術大学出版局、2014年］では、「資料を危険な状態に導く要因は、劣化や損傷の状態が確認できるまでに要する時間によって、10年から100年の「長期的な作用」、1年から10年の「中期的な作用」、1年以下の「短期的あるいは瞬間的な作用」の三つのカテゴリー」に分けて分類している。これを参照して作成したのが図1である。

　「内的」と「外的」、この二つの劣化要因は相互に作用しあいながら資料を劣化・損傷させる。アーカイブズ保存の現場では、これらの要因がどのように資料に影響を与えるかを検証して、その影響を取り除く、または最小限に抑えるための保存対策が実践されている。

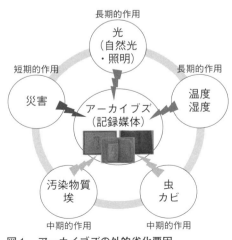

図1　アーカイブズの外的劣化要因

4　アーカイブズの保存環境管理に関する研究

　私は、保存対策や保存計画の策定にあたるアーキビストたちに対して、科学的な検証結果に基づく保存環境管理のあり方や実践方法を発信することで、アーカイブズの保存環境管理の適性化に役立ちたいと願い、研究を進めている。

　保存計画とは、アーカイブズの利用と活用を支えるために策定されるものである。計画の策定にあたっては、収蔵環境、収蔵するアーカイブズの全体量や材質、その状態、リスクとなる劣化要因の把握が必要である。そのうえで、環境の改善や必要な保存容器の選定、代替化や修復等、各々の状況をふまえながら総合的な視点でアーカイブズの保存管理の方針を決定する。利用頻度が高いアーカイブズや、記録媒体としての寿命が短いものはデジタル化や複製の検討も必須である。保存計画を職員全体で共有して、必要な措置や対策を講じることが重要である。

　国際規格や諸外国の規格、ガイドライン等の情報は、保存計画を検討する際にとても参考になる。たとえば ISO11799「情報と文書の作成―アーカイブズと図書館資料のための保管要件―」(2015年)では、アーカイブズと図書館資料の長期保存の適性化のために、収蔵庫の立地や設備、保存環境等の要件を細かく記している。展示環境に関しては、ICA の温帯気候における資料保存に関する委員会が監修した「アーカイブズ資料の展示に関するガイドライン」(2007年)が公表されている。このほか、英国規格委員会(British Standard Institution)が発行するBS4971：2017「アーカイブズと図書館資料の保存と管理」のように、国家規格を策定している国もある。日本では同様の規格は現時点では存在しないが、国際規格や他国の規格も参照し、アーキビストたちとの情報交流を重ねながら日本のアーカイブズの現場でも実践可能な方法論を追求していきたい。

5　アーカイブズと照明管理

　ところで、皆さんは公文書館、文書館、アーカイブズ、さまざまな呼称があるが、こうした施設を訪ねたことがあるだろうか。訪ねたことがある場合、どのような印象を抱いただろうか。資料保存の観点から、アーカイブズを収集、保存、管理し公開する施設となる建物の特徴を考えてみたい。

　国や都道府県のアーカイブズ施設の多くは、博物館や図書館等と同様に施設の機能に合わせて設計され、新営施設として建てられる。だが、市区町村の規模で

はアーカイブズ施設として設計された建物ではなく、廃校となった学校や公民館といった既存の建物を改修のうえ、転用することもめずらしくない（**写真1**）。

写真1　廃校となった小学校を転用した秋田県の大仙市アーカイブズ（写真は閲覧室、大仙市提供）

　そうした場合の問題を廃校となった小学校を例にみてみよう。小学校の建築について、文部科学省の『小学校施設整備指針』（2019年3月）には、「利用内容等に応じ、適切な採光を確保できるように、窓の位置、形式等を適切に設定することが重要」と記されている。学校建築では、光を確保するための窓の設置が求められる。一方、アーカイブズ施設の場合は、窓から射し込む光は資料を褪色、損傷させる要因となる。そのため、改修の際には自然光が入射しない対策を講じる必要がある。アーカイブズの保存環境管理では、立地から建物、収蔵庫・閲覧室・展示室の細部に至るまで、さまざまな制約があるなかでアーカイブズにとって最適な保存環境の整備が求められている。

　そこで私が現在取り組んでいるアーカイブズの照明管理に関する研究を紹介しよう。近年の省エネルギー化推進と水銀に関する水俣条約の影響を受けて、LED照明の導入が急速に進みつつある。2020年に発効した水銀に関する水俣条約によって、水銀添加製品に指定された蛍光灯の製造・輸入は禁止となった。この影響を受けて、2015年以降は、博物館やアーカイブズ施設でも広く使われてきた紫外線吸収膜のついた美術・博物館用の蛍光灯も国内メーカーによる製造が段階的に終了してきている。

　国内の美術館や博物館では2005年以降、徐々に展示照明をLED照明に切り替えられてきた。アーカイブズ施設では、2010年の展示照明の変更が最も早い事例となる。導入間もない2000年代後半から2010年代初頭では、資料保存分野からのLED照明の評価は充分なされていなかった。それゆえ、LED照明へ切り替える際、蛍光灯をはじめとする従来の光源と同じ照明管理が適切なのか判断できず、資料への影響も懸念されていた。

　私が当時勤務していた国文学研究資料館でも、2013年に展示照明を段階的にLED照明に変更することになった。**表1**は、国文学研究資料館の展示ケースを対象に、LED照明変更前後のケース内環境を把握するために温度を測定して、作成したグラフである。グラフは、連続で開室した5日間の5分毎の平均温度か

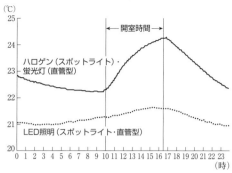

（℃）

表1　LED照明変更前と変更後の展示ケース内の温度

ハロゲン（スポットライト）・蛍光灯（直管型）

LED照明（スポットライト・直管型）

開室時間

写真2　国文学研究資料館収蔵庫での照度測定の様子（写真は筆者）

ら作成した。展示室の開室時間は10時から16時半の6時間半で、照明はその前後の時間に点灯・消灯している。照明条件は、①がLED照明変更前のハロゲンランプ（スポットライト）と蛍光灯（直管灯）、②がLED照明（スポットライト・直管灯）である。測定の結果、①では点灯するとケース内の温度が約2℃上昇した。一方、②では点灯後も緩やかに温度が上昇して、1日の温度上昇が1℃を超えなかったことを確認した。これは、LED照明の方が放熱を抑えられていることを意味している。展示ケース内の温度上昇は、展示物の表面温度の上昇と、熱による膨張に起因する寸法の変化や変形のリスクがある。LED照明に変更したことで、展示ケース内の温度は以前より安定したことがわかった。だが、ケース内の明るさの度合いを示す照度のばらつきは蛍光灯よりLED照明の方が大きい、LED照明では同じ製品でも色の再現性を示す演色性にバラつきがみられるといったことも国文学研究資料館での調査研究をとおして確認できた。日進月歩でLED照明開発は進み、特徴もさまざまな製品が市場に出回っている。引き続き、アーカイブズ施設における適切な照明の選択と管理を目指し、多角的にLED照明を評価するための研究を進めていきたい（写真2）。

　このほか、国内のアーカイブズ施設を対象として、2019年にはLED照明の導入状況と照明管理に関する調査を実施した。調査結果の一部を紹介すると、2019年6月時点で回答のあった機関107機関の約6割が施設内の少なくとも1カ所にLED照明を導入していた。LED化が最も進んでいるのは展示室で全体の4割程度、収蔵庫は2割程度であった。また、施設内のLED化が完了している機関は、2割にも満たなかった。こうした背景の一つに予算確保の難しさが指摘できる。それを裏づけるものとして、段階的にLED照明を導入している機関が多数みら

れた。展示の際の照明管理に関しては、展示替えがなされないまま長期間にわたって高い照度で資料展示を行う機関もみられた。

　LED照明が美術館や博物館に導入されはじめた頃、「LEDは資料を損傷する原因になる赤外線や紫外線を含まないから資料保存に適している」「従来の照明より省エネルギーになる」といった情報が強調されていた。一方で、アーカイブズ施設の現状は、そうしたメリットを認め、主体的にLED照明の導入を選択できる状況ではない。政府主導の省エネルギー政策と水銀に関する水俣条約によって、蛍光灯が入手できなくなる前に他の照明に切り替えねばならないという切迫した状況にある。しかしながら、モントリオール議定書締結会合による臭化メチル使用全廃によって薬剤を用いない殺虫方法やIPMが実践されてきたように、アーカイブズにとって安全なLED照明を選択し、適切な照明管理を行っていく必要がある。また、このような国際条約の発効等にともなう規制は、今後も起こり得るだろう。社会状況の変化を受け止めながら、資料保存のために必要な対応策を検討し、アーカイブズの利活用を支える保存環境管理のあり方を求めていきたい。

6　被災アーカイブズのレスキュー活動と防災

　アーカイブズの保存環境管理に関する研究に加えて、2011年の東日本大震災以降、私は自然災害で被災したアーカイブズのレスキュー活動に携わってきた。災害大国である日本は、阪神淡路大震災、新潟県中越地震、東日本大震災、東北・関東豪雨、熊本地震、台風や豪雨による洪水被害等の自然災害が各地で頻発している。そのため、アーカイブズ・レスキューへの社会的要請がますます高まっている。

　レスキュー活動を支える公的な体制としては、東日本大震災では東北地方太平洋沖地震被災文化財等救援委員会(以下、「被災文化財等救援委員会」)が発足し、文化財レスキュー事業として組織化されたかたちで行政文書を含めた全国的な救援活動が展開された。文化庁から協力要請を受けた団体、全国の博物館・図書館・美術館・文書館、文化財関係行政機関等から派遣された人々が被災地に赴き、レスキュー活動が実施された。被災文化財等救援委員会は2013年に解散したが、その後文化財防災ネットワーク推進事業へと発展し、2020年10月からは国立文化財機構の組織の一つとして文化財防災センターが設立された。また、阪神淡路大震災(1995年)を契機に設立された歴史資料ネットワーク、宮城県北部地震(2003

年）後に設立された宮城県歴史資料保全ネットワークのように、地域の大学や博物館・図書館の関係者、地域史の研究者等が連携するボランティア組織やNPO法人が先導するレスキュー活動もある。とりわけ東日本大震災以降は、被災地を中心にこうしたネットワークが各地で立ちあがった。日本における被災文化財・アーカイブズのレスキューは、さまざまな組織や機関、団体、個人が連携しあって活動を展開している。

　では、アーカイブズが被災した場合、どのような被害が想定されるだろうか。ICA防災委員会が1997年に公開した「アーカイブズの防災管理ガイドライン」には、附録として「災害と重大なダメージ」の一覧表が示されている。この表には、洪水や津波、地震、火山の爆発などの自然災害をはじめ、さまざまな事態で想定される被害とその影響に関する情報が集約されている。自然災害以外の事態としては、原発事故や大気汚染、さらには、放火や武力紛争、電子的な妨害などの人間の行動も災害として列挙している。こうした情報を念頭において災害に備え、被災時には適切な状況判断のもとレスキュー活動を行うことが求められている。

　実際の被災アーカイブズのレスキュー活動について、東日本大震災の津波で被災した岩手県釜石市と、関東・東北豪雨（2015年）の際に河川の氾濫で被災した茨城県常総市を事例に紹介したい。釜石市と常総市でのレスキュー活動は、国文学研究資料館の青木准教授らを中心とした資料保存・修復の専門家、アーキビストや学芸員、研究者、大学生、ボランティアや、関連する団体や機関、被災文化財等救援委員会、文化財防災ネットワーク推進事業との連携で展開された。レスキューの対象となったのは、釜石市が約2万点、常総市は約2万5000点の行政文書である（**写真3・4**）。ともに市役所の庁舎で管理されていたが、釜石市の場合は被災直後より業務のため閲覧する必要のある現用文書が含まれており、市外への持ち出しができない状況であった。一方、常総市の場合は永年文書庫が被災し、そこで保管されていた行政文書等は一時的な市外への持ち出しも可能な状況であった。どちらも行政文書が被災したが、文書の性質や性格は異なる。被災は、釜石市は津波で、常総市は河川氾濫により、庁舎が浸水したことによる。釜石市は海水、常総市は川の水（真水）によって水損した。被災地では、被災の規模や状況、文書の性格、被災直後の利用の有無等を確認しながら、レスキュー活動が進められた。先に紹介した理由から、釜石市では、現地で実施可能な乾燥作業とクリーニングが中心となった。常総市では、主に和紙を素材とする文書を中心に、奈良文化財研究所にて真空凍結乾燥処理が施された。自然乾燥が可能と判断した文書は、現地での乾燥作業を実施した。

写真3　釜石市役所地下文書庫　　　　写真4　常総市役所永年文書庫

　現地の作業では、被災地でも入手しやすい物品を使用した。たとえば、支援物資の梱包に使われて廃棄された段ボール箱である。これを文書のサイズに裁断し、キッチンペーパーでくるんだもので文書を挟み込んで縦置きし、乾燥を促進させるために活用した（**写真5**）。

　海外のレスキュー活動のなかで生まれた技術も導入された。その一つが、1966年イタリアのフィレンツェでのアルノ川の氾濫で水損した文書の汚れ落としに用いられた「フローティング・ボード法」である。この方法は東京文書救援隊を中心に東日本大震災で紹介され、国立公文書館の指導を受けて常総市の被災文書に対しても施された。

　東日本大震災で用いられたレスキュー技術については、トヨタ財団からの研究助成とバチカン図書館の協力を得て、ヨーロッパ各地の修復家との技術的な交流を2016〜2018年にかけて実施した。イタリアと日本両国でシンポジウムを開催し、双方の被災地を訪問してレスキュー技術について交流を深めた。日本では伝統的な記録媒体として和紙が、西洋では羊皮紙が利用されてきたが、このプロジェクトをとおしてそれぞれの修復技術、両国の文化財や図書・アーカイブズの制度の違いも知ることができた。たとえば、イタリアでは被災文化財やアーカイブズは被災地の所在する行政区域（県）からは移動させず、外部の協

写真5　段ボールとキッチンペーパーを使用した乾燥作業の様子

力が必要な場合は、修復家が現地に派遣される。日本では、東日本大震災後に被災文化財を全国各地の大学、博物館、図書館等に一時的に移動して修復等がなされることもあった。技術的な部分のみならず、イタリアにおけるレスキュー体制のあり方についても現地に足を運び見聞できたことは私にとっても特別な経験であった。

　話題を国内の被災アーカイブズのレスキューに戻すが、レスキュー措置を終えたあとの文書の状態も継続的に観察していく必要がある。釜石市役所の場合は現用文書が被災したが、そのなかには保存年限満了後に廃棄予定の文書も含まれていた。被災文書の性格も異なるため、現地では各々の状況にあわせた判断が求められている。加えて、被災文書の量は膨大であり、作業は長期間にわたる。人的にも金銭的にも継続的な支援が求められている。

　われわれは、アーカイブズの被災に対して、日常的にどのように備えるべきだろうか。災害発生を想定した防災計画の策定や対策、災害時対応については、アーキビストのみならず、アーカイブズ施設ではたらく職員全体で計画や発災時の役割等を共有しておくことが求められる。ICAでは自然災害や人的災害によるアーカイブズへの被害を防ぐのに役立つ防災計画として、1997年に「アーカイブズの防災管理ガイドライン」を公表した。ガイドラインには、災害のリスクを減らすための予防策や、災害時に混乱なく行動するための準備、外部機関等との協力体制の整備について詳細に記されている。2014年にはICA内で"Expert Group on Emergency Management and Disaster Preparedness（EG-EMDP：危機管理と防災の専門家グループ）"が設立された。このグループは、ブルーシールドとの活動調整や災害時対応のためのワークショップの開催等を行っている。さらに、2018年にはICA太平洋地域支部（PARBICA）によって"Recordkeeping for Good Governance Toolkit（善き統治のためのレコードキーピング・ツールキット）"が公開されている。24あるガイドラインのうち三つは、「災害防備計画」「災害対応計画」「災害復旧計画」について記したもので、翻訳版が日本の国立公文書館のウェブサイトで公開されている。災害に見舞われてからどうすべきかを考えるのではなく、災害を想定し、つねに備えておくことがとても重要である。

　実際に、日常的な保存計画のなかに防災対策をどのように位置づけ、実践していくのか。イタリアでの取り組みを紹介したい。**写真6・7**は、国立フィレンツェ中央図書館の書架に配架されている定期刊行物である。1966年のアルノ川の氾濫により、フィレンツェの街は大規模な水害に見舞われた。アルノ川に近接するこの図書館でも多くの図書資料が被災した。修復作業は、今なお継続されている。現在も被災当時と変わらぬ場所にある図書館では、防災対策として1階と地下の

書庫に配架している刊行物は、脱酸素剤を封入した専用の袋に入れシーラーで圧着し、密封して保管している。閲覧請求があった際には袋をハサミで開封し、閲覧後にまたシーラーで圧着してふたたび配架するのである。洪水に見舞われても、資料が1カ月あまり耐えられるように備えているという。日常業務に防災対策が組み込まれている例である。日本で同じ取り組みを行うことは予算的にも人員的にも難しいことであるし、そうした意図で紹介したわけではない。ここで強調したいことは、こうした一つ一つの日常の積み重ねが、アーカイブズをのこし伝えることにつながっていくということである。

写真6　国立フィレンツェ中央図書館の書架に配架されている刊行物

　アーカイブズの保存環境管理に関する研究と一括りにいっても、その範囲は広い。国際的なガイドラインや各国の基準、海外のアーカイブズ機関の動向もふまえながら、日本の気候条件や

写真7　脱酸素剤を封入した専用袋を使った刊行物の保管

それぞれのアーカイブズ施設を取り巻く状況に適用可能な保存環境管理のあり方や実践方法について、引き続き研究を継続していきたい。

7　民間所在資料調査の実践

　私にはもう一つ、注力していることがある。それは、アーカイブズの世界に足をふみいれるきっかけとなった民間所在資料の調査である。本稿で用いる民間所在資料とは、個人や団体が管理するプライベートなアーカイブズをさす。調査では全国各地の個人宅や学校、社会福祉施設、私設の資料館や記念館等を訪ねる。対象となるアーカイブズの性格、所有者が抱える問題もさまざまである。調査はアーキビストだけではなく、歴史学、民俗学、社会学、経済学等の専門家や、地域の関係者と協働して試行錯誤を重ねながら進めている（**写真8**）。

写真8　島根県内所在の土蔵内での清掃（防護服・ゴーグル・マスクを着用、2014年）

　2018年から沖縄の祭祀を記録したことで知られる写真家・比嘉康雄（1938〜2000）の資料調査について紹介したい（**写真9**）。比嘉康雄は、戦後の沖縄を代表する写真家の一人で、警察官から転身して写真家となった人物である。1970年から1990年代にかけて沖縄各地をたずね、沖縄戦、27年間に及ぶアメリカ統治、日本復帰等で変容する沖縄社会を生きる人々の姿をカメラとペンで記録した。沖縄県の比嘉康雄アトリエには、写真のほか、各地で執り行われた祭祀の詳細を記したノートや神歌を録音したテープ、取材先で出会った人々のインタビュー記録等、写真家としての活動をとおして生み出されたアーカイブズが保管されている。

　調査のきっかけは、比嘉康雄と親交のあった県内の写真家たちが中心になり、写真を"撮影された地域にかえす"ための写真展を企画するなかで、写真以外の比嘉康雄の記録を地域のアーカイブズとして活用する構想が生まれたことによる。

　資料調査に着手して3年ほどたち、いくつかの課題に直面している。その一つは、撮影された地域のアーカイブズとしての公開と活用にかかわる課題である。写真やノート、音声テープ等の場合は、「撮影・記録した側」と「撮影・記録された側（被写体や当事者側）」双方の権利についての配慮が必要となる。「撮影・記録した側」の権利とは著作権であり、比嘉康雄の著作物として写真や文字の記録に対する権利処理が求められる。「撮影・記録された側」の権利としては肖像権やプライバシー権等があげられるが、写真展を企画した写真家や、撮影の対象

写真9　コロナ禍での比嘉康雄資料調査（2020年11月）

となった地域の関係者との交流の際、アーカイブズの公開によって、祭祀の担い手や継承者である地域の人々にとって守り続けたい文化が不本意なかたちで公表されるという懸念があげられた。祭祀写真のなかには、本来であれば立ち入ることのできない祭祀の場に特別に立ち入ることを許されて撮影した写真がある。比嘉康雄が活動していた当時は外部に公開されていたが、現

在は非公開となった祭祀もある。また、神歌や祭祀の担い手に対するインタビュー等の音声テープは、言語著作物として著作権が話し手にあるため、許諾を得る必要がある。このような写真や記録の取り扱いについて今後、国際的な無形文化遺産保護の動向も探りながら、公開や活用のあり方を求めることもまた、私の研究課題である。

8 むすびにかえて

　2021年現在、私は国立歴史民俗博物館で「日本列島における地域社会変貌・災害からの地域文化の再構築」プロジェクトに従事している。このプロジェクトの活動の一つとして、東日本大震災で被災したアーカイブズや民具を地域の文化資源として活用することをめざして、当該地の教育委員会や勤務先の民俗学や文化人類学を専門とする研究者らと調査研究にあたっている。そのなかで、改めてアーカイブズ学とは、さまざまな場面で人間の生活や社会活動に密接にかかわりあい、求められる分野だと感じている。

　本稿は、私という個人が資料保存とアーカイブズにどのように出会い、研究活動にあたってきたのかを書き記したものである。個人の経験を読者の皆さんがどのように受け止められたか不安もあるが、アーカイブズ学や職業としてのアーキビストに対するイメージの獲得に少しでもお役に立てることを願っている。

【参考文献】
国文学研究資料館史料館編『アーカイブズの科学』上・下（柏書房、2003年）
安藤正人『草の根文書館の思想』（岩田書院、1998年）
高科真紀「収蔵庫を対象としたアーカイブズの照明管理—ISO・アメリカ・イギリス・日本の事例—」（『GCAS Report』8、2019年）、写真2を引用
青木睦「東日本大震災における被災文書の救助・復旧活動」（『国文学研究資料館研究紀要アーカイブズ研究篇』9、2013年）、写真3を引用
高科真紀「東日本大震災における最新のレスキュー修復技術」（『バチカン図書館所蔵マレガ文書の保存と修復—技術の交流と創発—』国文学研究資料館、2017年）、写真4・5を引用

高科　真紀

アーキビストには何ができるのか

▶デジタル情報の氾濫のなかで

　20世紀末から今世紀の初頭にかけ、情報通信技術は大きな躍進を遂げた。インターネットを介した表現やコミュニケーション、これを支えるインフラの革新は、かつて「IT 革命」と称され、2000年の流行語にもなった。この言葉がすでに死語として歴史の一部になってしまうほど、進化を続ける現代の ICT は私たちの生活と不可分の存在になっている。

　それは、従来の産業構造や行政サービス、文化、知的な活動のすがたを変えただけではなく、これにかかわる個人をとりまく情報量をも飛躍的に増大させた。今日ではスマートフォンのような大量の記憶装置（ストレージ）をもつデバイスが安価に供給されるようになり、だれもがデジタル情報を生み出し、流通させ、記録することが可能となりつつある。

　このようなデジタル情報の氾濫には負の側面もある。新たな犯罪の手段となったり、情報が金銭的な価値をもつようになったことで、プライバシーや個人情報の漏えい・悪用が行われたり、デジタル技術を使える人とそうではない人とのあいだでの格差も深刻な社会問題になってきた。さらに近年では「フェイクニュース」という言葉も聞き慣れたものになってしまったかもしれない。ときにソーシャルネットワーキングサービスなどを介して拡散される事実と異なる虚偽の情報によって、特定の個人や集団への悪意のある攻撃が行われ、国・社会の対立や分断、憎悪が煽られるといった、人類がその歴史上で経験したことのない問題が現実として生起しているのだ。

　インターネットにあふれる根拠のない情報はいうまでもなく、従来型のマスメディアによって流通する情報ですら、信頼できるものではなくなりつつあるのは深刻である。報道の自由や取材源の秘匿という考え方に立ち、もちろん正当な権利は守られるべきであろうが、自らの存在や活動、経営面での背景について記録アーカイブズの保存・公開を通して「説明責任」を果たすことが、組織としてのマスメディアにも求められる時代が来ているのかもしれない。

　これまで社会を支えてきた「確からしさ」の喪失のなかでは、結局のところは

各人が評価・分析のための情報リテラシーを備え、事実〔ファクト〕をチェックすることが何よりも重要である。ましてや、自身が直接に経験していない過去の記録であればその内容を無批判に信頼することは難しい。

ところが、デジタル技術によって生み出された情報の真偽を将来にわたって語り伝えるには、人間の一生は短すぎる。現在を立脚点に過去と未来との対話の材料を維持し、反証可能性を担保し続けることができる場所であるアーカイブ機関やアーキビストが果たす役割と期待は、デジタル社会においてしだいに大きくなっていくのではないか。

▶信頼できる記録のために

人間がつくり出したもので永遠に存在し続けることができる物体はない。だが、情報は書き込まれた媒体とかたちを変えながら、場所や時間を超えたコミュニケーションを実現してくれる。情報を信頼できる記録として維持し、必要なタイミングで活用するためには、人間の手による継続的な管理がされることが不可欠となろう。

もちろん、たび重なる僥倖〔ぎょうこう〕によって記録が後世に伝わるケースはある。たとえば、1947年に現在のヨルダン川西岸地区にあるクムランなどで発見された紀元前の旧約聖書の写本群である「死海文書」が、乾燥した気候と洞窟に守られたものであったことは良く知られている。この洞窟、よくみると開口部がかなり高い位置にあるのに気が付くはずだ（**写真1**）。これはユダヤ教徒がローマ軍による弾圧を避けるために逃げ込む場所であったと同時に、雨期に突如発生する鉄砲水を避ける意味もあったらしい（注目してみると写真の左手にワジ〈涸れ川〉があるのがわかるだろうか）。そうすると、「死海文書」もこれを保存し、後世に残そうという何らかの意思によって存在が守られていたわけであるから、単純に幸運が重なった結果ではないのかもしれない。

だが、デジタル記録には偶然の産物としての「死海文書」は生まれ得ない。デジタルデータはこれを維持管理しようという世代をこえた人間の意思と具体的な行動が継続しない限り、残すことはできないのである。

写真1　クムラン洞窟遺跡

アーカイブズの世界では、作成取得の段階からデジタル技術で生み出されるものをボーン・デジタル（born digital）と呼んでいる。これらの記録は、流通や複製、再利用や情報の検索が容易である反面、改ざんや消去といったリスクが高い点が指摘されている。もちろんその弱点を克服するためにブロックチェーンなどの技術が絶えず進化し続けているのであるが、信頼できる情報源として記録を維持管理するためには、実は紙などの従来の媒体よりもさらに長期的な観点に立った実施体制やシステムの構築、これにともなうコストが必要となる。アーキビストが「書庫の番人」に徹していられなくなったことは、これまでも本書で述べてきたとおりである。

▶デジタル記録と「情報の自由」

　そもそも、人類とデジタル記録との関係が本格的なものになったのは、コンピューター（もっとも当時は「電子計算機」と呼ばれていた）技術が大きく進展した1970年代以降である。

　先進国での社会福祉政策が拡大と深化を遂げる半面、日本では1973年と79年のオイルショック以降、経済成長が陰りをみせ、政策の原資である税収の落ち込みも進んだ。経済協力開発機構（OECD）が『福祉国家の危機』と題する報告書を公表したのは1981年のことである。このような行き詰まりを打開する手段の一つとして、増大する業務量や情報を処理するために新たな技術であるコンピューターの導入による行政サービスの機能や効率の向上が先進国でめざされることになった。

　国や地方自治体の行政能力を引き上げるには、確度の高い個人情報の収集と公的部門での共有・活用が不可欠と考えられた。公権力に基づいて個人とその状態が特定され、歴史上経験のないレベルで情報として掌握されるという現実に直面したのである。そのような国や地方自治体の活動が、支配を強化する方向に進むことで自由が奪われるのではないかという危惧が生じ、公権力に対する透明性の確保と説明が求められるようになったのは必然であったのかもしれない。

　たとえば、個人情報をコンピューターにより蓄積、組織化、利用するため、スウェーデンやアメリカなどでは70年代のはじめには公的部門を対象とした個人情報の保護とアクセス・利用停止権などを含むデータ法が制定されるようになった。アメリカは1966年に連邦政府の活動に対する情報自由法を制定した先進国であり、スウェーデンは1766年の出版自由法で検閲の禁止とともに民衆の請求に基づく公文書公開の原則が設けられた情報公開制度の先駆けとして知られている。このような動きは、1980年代にはオーストラリアやカナダなどのちにデジタル記録管理

の先進国として成長する国々にも広がりをみせることになった。ちなみに日本でも現在の個人情報保護法の原型であり、公的記録への部分的なアクセス権を認めた「行政機関の保有する電子計算機処理に係る個人情報の保護に関する法律」が1988年に制定されている。

　私たちを取り巻く行政の機能が急激に進化するなかでめばえた、公権力の行使に対して高い透明性と「説明責任」を求める発想は、ICT が躍進した今日であるからこそ、さらに力強いものになってきているように思われる。その具体的な手段であるアーキビストによる記録アーカイブズの保存とアクセスの実現は、技術革新の利便性を享受しながら国や社会を豊かに発展させると同時に、人間の自由をも守るという難問を解決する可能性を秘めているのである。

　もちろん、このような歴史的な経過は冷戦構造のもとでは西側諸国に共通した自由や民主主義といった価値観を背景としたものであるから、社会・共産主義圏では異なる観点での展開もあったかもしれない。記録アーカイブズは人間を自由にすることもできるし、管理や支配、ときには弾圧の道具にもなり得るのだ。

　唯一の救いは、デジタル技術の進化により記録のための装置を人々が手に入れ、共有することが容易になってきた点である。記録を保存し、維持し続けるリソースを限られた権力者のみが独占する時代が去り、弱者も記録を残すことができるような社会が実現するならば、アーカイブズやアーキビストの役割と期待も当然ながら変化を遂げていくことになるだろう。

▶倫理と存在の表明

　潜在的なちからを秘めた記録アーカイブズを取り扱うアーキビストは、社会からの高い信頼を受ける存在であるべきであろう。その社会的責任を表明し、自分たちを律するための職業倫理について考えてみたい。

　特定の職業が専門職であるか否かを判断する拠りどころの一つとして、構成メンバーが遵守し、行動の規範となる倫理綱領が存在する必要があることはすでに述べたとおりである。専門職が自らの責任と倫理を相互に確認しあい、仮にこれに反する行動があった場合には、専門職の外部からの関与によらず、自分たちのちからによって制裁を課すための指針とするためである。

　日本にはアーキビストの職能団体がないため、独自の倫理綱領を定めるに至っていないのが現状だ。『アーキビストの職務基準書』がそうであるように、基本的には ICA による倫理綱領をもってかえているような状態である。この綱領の起草作業は1993年から始まったとされるが、それ以前にもアーキビストの職業倫理を定めている国はあった。たとえば1980年にはアメリカのアーキビスト協会が

倫理綱領を取りまとめて公表し、1992年にはカナダ、1993年にはオーストラリアがこれに続いた。1996年の北京大会で採択されたICAのアーキビストの倫理綱領をめぐるプロジェクトは、こうした潮流を一つの背景として進められたものである。

　ICAの定めた綱領は、専門領域外の人々がアーキビストとは何者であるのかを理解し、公共の信頼を喚起することも期待されたドキュメントであった。しかしながら、すでに一定の知識と技能を備えたアーキビストが用いるツールであることから、各論部分に立ち入った記述も多く、その規定の目的や趣旨について予備知識のない人々がただちに理解できるものであるかどうかは疑問である。

　アーカイブズの先進国では、既存の倫理綱領を見直したり、ICAの決議に準拠して自国の綱領を定めたり、あるいは独自のものを定めるといった動きもみられた。アメリカの場合は、2005年の改正時に一般の市民にとっても分かりやすい構成と言葉で倫理綱領が書き直され、アーキビストの信条を宣言した2011年の「アーキビストの本質的価値」（Core Values of Archivists）と一体的に運用するといった展開もみせている。ICAも2010年に「アーカイブズに関する世界宣言」を採択し、アーカイブズとアーキビストの存在を社会に積極的にアピールしている。

　ICAによる倫理綱領は翌97年に日本でも全史料協国際交流委員会によって翻訳が紹介され、その普及のための取り組みが進められたが、アーカイブズやアーキビストに対する認知の低さから広く社会に浸透したとはいえず、専門職制度の実現に向けた具体的な動きにはつながらなかった。さらに翻訳の内容にも注意が必要である。正確なテキストが改めて共有されるとともに、アーキビストの育成が進んで職能団体が成立した段階で、日本の記録アーカイブズの固有性や実情に合った職業倫理についての本格的な議論がなされることが期待される。

▶対話と弱者へのまなざし

　ICAによる綱領はすでに二十数年以上も前のドキュメントであり、今日の社会や価値観の変化に応じて多角的な検証と議論が必要であろう。

　まずは専門領域の外部に位置する人々とアーキビストとの関係である。綱領の第1項は、アーカイブズの完全性を保護し、信頼できる証拠であり続けることを保証するため、アーキビストが客観性と公平性を備えること、特に事実を隠蔽したり歪めたりするあらゆる淵源をもつ圧力に対しても抵抗すべき存在であると説いている。第8項では、アーキビストがその専門性ゆえに享受できる特別な信用と地位を正しく用いること、とりわけ専門職以外の人々がアーキビストの実践や

義務に干渉することを許容すべきではないと注意を喚起している。

　しかしながら、専門職の外側からのアクションを「圧力」や「干渉」と認識するか否かは、極めて相対的で微妙なものである。法や社会規範から逸脱するなど、明確に不当であるといい得る主張や無理解に基づく非難に抗することは当然必要であるが、アーキビストも自らの行為に誤りがないかを顧みて、ときにこれを正す姿勢をも失うべきではないだろう。

　公文書の評価選別を例に考えてみよう。現場の公務員やアーキビストが考える記録としての重要性と国民の期待はつねに一致するとは限らず、ときに大きく乖離することもある。たとえば、政府の公文書管理をめぐる近年の問題で注目された陸上自衛隊の「日報」や、某学校法人への国有財産の貸借・売買に関する交渉記録は、自衛隊が憲法の枠内で活動しているか否か、あるいは国民共有の財産が適正に管理されているかどうかを証明する重要な記録として社会に認識され、政治や行政のあるべき姿に対する大きな議論も喚起したところである。

　ところが、これらの公文書には極めて短い保存期間が設定され、基準上も当初はアーカイブズである「歴史公文書」として国立公文書館に移管されるような対象でもなかった。マスメディアがセンセーショナルに取り上げたことで世論が影響を受けた面も否定できないが、アーキビストが社会とさらに開かれた対話の機会をもち、自分たちについても「説明責任」を果たしていくことがいかに重要であるかを気づかせる出来事であったように思われる。

　アーキビストは決して完全な存在ではない。評価選別に限らず、アーカイブズ機関のあらゆる業務に関して、自らの行動や判断について記録し、それを保存しながら対外的な説明に備える必要性が綱領の第5項などでたびたび謳われているのは、まさにこのためであるといえよう。

　次に注目するのは、弱者やマイノリティに対する視点である。第1章でも記したように、記録アーカイブズは、その歴史をたどれば、もともとは権力を支えるための重要なツールとして認識されてきた。弱者やマイノリティは、権力やマジョリティに認知された客体として記録されるのがつねであったわけだ。綱領の第7項の解説にも、記録の対象となった個人、ことにその使用や扱いに対して声をあげることができなかった人々のプライバシーを尊重することを説いている。

　デジタル技術が進んだ現代では、特別な管理がなされている記録アーカイブズの「確からしさ」は大きなちからになり得るはずである。だが、これが正しく行使されなかった場合はどうなるだろうか。情報によって人間を機械的かつ効率的に支配できてしまう監視社会においては、過去の言動の「事後検閲」のような間接的な暴力となる恐ろしさをもっていると表現しても大げさではないかもしれな

い。

　もちろん、アーキビストが記録アーカイブズの利用のその先にある世界にまで倫理的な責任を負うかどうかは、大いに議論の余地があるが、私たちはそのような「魔物」を生み出し、解き放ちかねない存在でもあることを自覚すべきときに来ているように思われる。

▶記録アーカイブズを活かす

　現在を立脚点として未来への展望を描くためには、過去に立ち戻って思考をめぐらせることが何よりも大切だといわれる。しかし、歴史をめぐる問題は未来に進もうという思考を萎縮(いしゅく)させる場合もある。

　たとえば21世紀に入った今でも、私たちは自らがあずかり知らない過去の戦争についてアジア諸国とのあいだで認識や意見の対立に直面している。むしろ直接的に経験した世代がいなくなりつつあるがゆえに、このような軋轢(あつれき)は、事実に基づかない誤解と過度に誇張されたイメージによる憎悪を含みながら拡大し続ける危険性もあろう。

　難題を乗り越えるには、過去そして現在の自分たちが生み出す記録アーカイブズを守り、将来世代に伝えていくだけではなく、これを深く理解するための情報リテラシーを備え、積極的に活かしていくことで、あくまでも理性的な対話を続ける姿勢を貫くことが重要ではないだろうか。筆者は、そのような人間の知性に基づいた営為を支える知識と技術を備えた専門職こそが、今日の日本に求められるアーキビストのすがたではないかと考えている。

　アーカイブズへの期待は、歴史・文化的な側面から「説明責任」の実現など社会的価値観の変化に応じて、これまでも「幅」をもちながら揺れ動いてきた。近年、グローバリズムや移民などによって社会の構成メンバーの多様性が進展するなかで、歴史や文化的な価値が再び重視されるようになっている。たとえば、イギリスやドイツでアーカイブズ制度を所管する組織が法務・内政系官庁から文化メディア・教育担当の官庁へと移されているのはこうした傾向を反映したものであろう。

　本書でも記してきたように、これらの価値認識はあくまでも相対的なものにすぎないから、いずれかに純化することは無意味である。「歴史資料」は記録を介した過去とのコミュニケーション手段であり、「説明責任」は現在とのコミュニケーションにほかならない。むしろ、これだけの「幅」をもつことを肯定的に捉え、活かしていくことで、未来に向けた対話を保証する公共財としてのアーカイブズの可能性を拓くことができるのではないだろうか。

しかしながら、記録アーカイブズを含むあらゆる情報を支配の強化や専制の継続のために利用する権威主義的な国家が存在することもまた事実である。

　アーカイブズ機関およびアーキビストが、現在を基点としながら、過去と未来の両方を向いているという理由から、ICA ではローマ神話に登場する双頭神であるヤヌス(Janus)をその象徴としている。ヤヌスは二つの顔が背中合わせになり、それぞれが物事の内側と外側をみることができる姿で描かれ、二面性を備えた存在の形容表現としても使われることがある。

　まさに「過去」と「未来」のメタファーとしてアーカイブズをとらえ、将来を描くための知的資源としての性格を絶妙に表現しているわけだ。だが私たちは、アーカイブズが国や社会、あるいは時代をも超越した人間の相互の対話と協調を裏付けるものでありながら、専制的な支配と隷属の構造を生み出す道具としての側面を同時に備えていることも忘れてはならないのである。

下重　直樹

アーカイブズに関する世界宣言

アーカイブズは決定、行動、記憶を記録する。

アーカイブズは、世代をこえて受け継がれてきた**固有でかけがえのない遺産**である。アーカイブズは、その価値と意味を**保存**するために、発生の段階から管理される。それらは**説明責任**と**透明性**のある管理行為を支える**権威**ある情報源。個人やコミュニティの**記憶**を保護し、これに**寄与**することにより、社会の発展に**欠かせない**役割を果たす。アーカイブズへの開かれたアクセスは、私たち人間社会の**知識**を豊かにし、**民主主義**を促し、**市民の権利**を守り、**生活の質**を向上させる。

よって私たちは認識する
- 管理上の、あるいは文化や知的な活動の真正な証拠として、そして社会の進化を反映するものとしてのアーカイブズの**固有の性質**
- 業務の効率性、説明責任、透明性を支え、市民の権利を守り、個人とその集合的記憶を築き、過去を理解し、将来の行動を導くために現在を記録するアーカイブズの**欠かすことのできない必要性**。
- 人間の活動のあらゆる領域を記録する**アーカイブズの多様性**
- 紙、電子、視聴覚その他の種類を含む、アーカイブズを生み出す**数えきれないフォーマット**
- 初期から継続的な教育を受け、トレーニングされた専門職としての**アーキビストの役割**。アーキビストは記録の発生段階から支援し、記録を選別し、維持しながら使用できるようにすることで、社会に奉仕する。
- アーカイブズの管理における市民、公務の執行および意思決定権者、公的または私的なアーカイブズの所有者または保持者、そしてアーキビストや情報を専門とする者すべての**共同責任**。

それゆえ、私たちはともに取り組むことを約束する
- 国としてアーカイブズに関する適切な政策と法律が採用され、施行されること。
- アーカイブズの管理が、その公私を問うことなく、業務の遂行過程でアーカイブズを生み出し、使用するすべての機関によって尊重され、実行されること。
- トレーニングを受けた専門職の雇用を含め、アーカイブズの適切な管理を支援するために充分なリソースを割り当てること。
- アーカイブズを、その真正性、信頼性、完全性、および使用性を確保できる方

法で管理、保存すること。
・関連する法律と個人、作成者、所有者、利用者の権利を尊重しながら、誰もが
　アーカイブズにアクセスできるようにすること。
・アーカイブズが責任ある市民権の伸張に寄与するよう用いられること。

【付記】
1、この文書はICAがオスロで開催した年次総会において2010年9月17日に全会一致で採択したものである（なお翌年11月10日にはユネスコの第36回総会でも承認された）。
2、底本にはUniversal Declaration on Archives, ICA, 2010.のオンライン版（英語）を用いた。体裁については可能な限り原文を反映したが、内容については趣旨を損なわない範囲で、可能な限り平易かつ自然な日本語となるように適宜表現を改めた。

（仮訳：下重　直樹）

あとがき

　本書では、「アーカイブズ」を維持し、将来にわたって利用ができるように管理していく「アーキビスト」という存在について、さまざまな視点から触れてきた。おそらく本書を手に取った読者の多くは、「アーカイブズ」や「アーキビスト」について、最初、おぼろげながら耳にする程度であったか、まったく初耳であったかもしれない。本書の目的、「アーキビスト」なるものについて知り、その存在について自ら考え、その価値や仕事に確信をもって、「アーキビスト」をめざそう、あるいは「アーキビストとしてはたらこう」という気持ちになったであろうか。また、本書はそのためのガイドブックとなり得たであろうか。執筆者一同、心から願うばかりである。

　実のところ、本書の執筆者は、ベテランのアーキビストや研究者というわけではない。本格的なかたちで「アーカイブズ」にかかわり始めて、長くても10年程度、短い場合は5年とたっていない。若い読者の皆さんと同じく、まだまだ「これから」の面々である。したがって、大学への進学を考えたときや、在学中に将来について抱いた想いも感覚として昨日のことのように記憶している。なかには、人生の転機のさなかにある者も少なくなく、これまで考えたことや体験したことなどをできるだけ反映しつつ、執筆に臨んだ。また、今、まさに展開されている現場の状況や、ときにはその息遣いまで伝わっていれば、執筆者一同、大きな喜びである。さまざまな分野が交錯する「アーカイブズ」なるものの特性上、どうしても概念や法律、学術的に複雑な定義や用語、行政的な観点など、読み進めるのに、やや難解なところもあったかもしれない。その際は、章立ての順番は気にせず、興味を引く箇所から読み始めても、できるだけ問題が生じないよう心がけた。

　本書は、これから大学への進学を考えている高校生や、大学在学中にその後の進路を考えている学生を主な対象として編まれたものである。だが、読者のなかには、この道ではすでにベテランの域にある方々もおられよう。そして、なぜこの時期にあえて「アーキビスト」を紹介する本が書かれ、なぜ若手を中心とした執筆者となったのか、不思議に思う向きもあるかもしれない。

　当初は、認証アーキビスト制度の開始に先立って、本書の「種」となる構想が編者の一人である下重により練られていた。ところが『アーキビストの職務基準書』の内容に寄り添うかたちで教育カリキュラムを改正し、関連業務を遂行する

なかで構想を具体化するのはなかなか難しい状態にあった。そして、2020年初頭には、新型コロナウイルス感染症の拡大を受け、大学でもインターネットを活用した講義や会議が本格的に開始された。そうした取り組みは、綿密な準備と実行が求められ、構想の実現も先送りせざるを得ない状況となっていたのである。

　しかし、これからの時代をともに担う世代に「アーキビスト」として活躍するきっかけを提供するのは、この世界に足を踏み入れた者の社会的な責務である。まして、ここ数年の「アーカイブズ」をめぐる時代の変化は大きく、また急激なものであるため、その重要性はなおさらであろう。そこで、2021年2月頃から編者らの挑戦は動き出し、温め直した企画書とともに出版社との交渉に着手した。幸い、社会的意義や「アーキビスト」の将来に共感していただいた山川出版社に出版の快諾をいただき、3月末には各執筆者へ依頼、夏には原稿が揃うという、再始動からは超ハイペースで出版の準備が進められた。速成とはいえ、丁寧な執筆・編集を心がけたつもりだが、ベテランからみれば、さまざまな「アラ」のある未熟な内容であるかもしれない。「アーカイブズ」や「アーキビスト」、そして次世代への愛情とともに、ご指導・ご鞭撻を賜ることがかなえば幸いである。

　また、若い読者の皆さんが「アーカイブズ」や「アーキビスト」にさらなる興味を抱いてくれたのであれば、巻末の文献案内や各章末にまとめられている参考文献等を手がかりに、さらなる扉を開いていくことを切に願う次第である。

　このように提案から執筆、出版に至るまで、かなり速いペースで展開されたにもかかわらず、ご快諾・ご対応いただいた山川出版社の皆さまに心より御礼申し上げたい。また、各章末にもお世話になった方々や外部資金等への謝辞もあわせて記載していることを申し添えたい。末筆ながら「アーカイブズ」と「アーキビスト」がさらに広く認知され、社会に定着することを執筆者一同、心から願い、本書を閉じたい。

　2021年9月6日

湯上　良

学びのための文献案内

　近年ではアーカイブズやアーキビストにかかわる文献も豊かな蓄積をもつようになった。1995年３月までに刊行されたものは、全国歴史資料保存利用機関連絡協議会関東部会編『文書館学文献目録』（岩田書院、1995年）にリストアップされている。ここでは比較的読みやすく現在でも入手可能なものを中心に、アーキビストをめざす初学者が理解を深めるための基礎となるような書籍を紹介する。

【これまでの模索から学ぶ】

　　安澤秀一『史料館・文書館学への道―記録・文書をどう残すか―』（吉川弘文館、
　　　1985年）

　　大藤修・安藤正人『史料保存と文書館学』（吉川弘文館、1986年）

　　国文学研究資料館史料館編『史料の整理と管理』（岩波書店、1988年）

【アウトラインをとらえる】

　　小川千代子・高橋実ほか編著『アーカイブ事典』（大阪大学出版会、2003年）

　　小川千代子ほか『アーカイブを学ぶ―東京大学大学院講義録「アーカイブの世界」
　　　―』（岩田書院、2007年）

　　小川千代子・菅真城ほか編著『公文書をアーカイブする―事実は記録されている
　　　―』（大阪大学出版会、2019年）

　　大阪大学アーカイブズ編『アーカイブズとアーキビスト―記録を守り伝える担い
　　　手たち―』（大阪大学出版会、2021年）

【アーカイブズから考える―理念や思想にふれる―】

　　大濱徹也『アーカイブズへの眼―記録の管理と保存の哲学―』（刀水書房、2007
　　　年）

　　山本清『アカウンタビリティを考える―どうして「説明責任」になったのか―』
　　　（NTT出版、2013年）

　　スー・マケミッシュ／マイケル・ピゴット／バーバラ・リード／フランク・アッ
　　　プウォード編（安藤正人ほか訳）『アーカイブズ論―記録のちからと現代社会―』
　　　（明石書店、2019年）

【歴史や海外の事例から学ぶ― 経 と 緯 ―】

　　高橋実『文書館運動の周辺』（岩田書院、1996年）

　　青山英幸『アーカイブズとアーカイバル・サイエンス―歴史的背景と課題―』（岩

田書院、2004年）

記録管理学会・日本アーカイブズ学会共編『入門・アーカイブズの世界―記憶と記録を未来に―』（日外アソシエーツ、2006年）

瀬畑源『公文書をつかう―公文書管理制度と歴史研究―』（青弓社、2011年）

渋沢栄一記念財団実業史研究情報センター編『世界のビジネス・アーカイブズ―企業価値の源泉―』（日外アソシエーツ、2012年）

マリア・バルバラ・ベルティーニ（湯上良訳）『アーカイブとは何か―石板からデジタル文書まで、イタリアの文書管理―』（法政大学出版局、2012年）

中野目徹『公文書管理法とアーカイブズ―史料としての公文書―』（岩田書院、2015年）

エリザベス・シェパード／ジェフリー・ヨー（森本祥子ほか訳）『レコード・マネジメント・ハンドブック―記録管理・アーカイブズ管理のための―』（日外アソシエーツ、2016年）

ブリュノ・ガラン（大沼太兵衛訳）『アーカイヴズ―記録の保存・管理の歴史と実践―』（白水社文庫クセジュ、2021年）

【社会とのつながりを知る】

安藤正人『アジアのアーカイブズと日本―記録を守り記憶を伝える―』（岩田書院、2009年）

松岡資明『日本の公文書―開かれたアーカイブズが社会システムを支える―』（ポット出版、2010年）

松岡資明『アーカイブズが社会を変える―公文書管理法と情報革命―』（平凡社新書、2011年）

企業史料協議会編『企業アーカイブズの理論と実践』（丸善プラネット、2013年）

大西愛編『アーカイブ・ボランティア―日本の被災地で、そして海外の難民資料を―』（大阪大学出版会、2014年）

九州史学会・史学会編『過去を伝える、今を遺す―歴史資料、文化遺産、情報資源は誰のものか―』（山川出版社、2015年）

松岡資明『公文書問題と日本の病理』（平凡社新書、2018年）

瀬畑源『公文書管理と民主主義―なぜ、公文書は残されなければならないのか―』（岩波ブックレット、2019年）

新藤宗幸『官僚制と公文書―改竄、捏造、忖度の背景―』（ちくま新書、2019年）

＊このほか、近年ではデジタルコンテンツの保存・活用をテーマ別に学ぶことができるテキストである「デジタルアーカイブ・ベーシックス」シリーズ全5巻（勉誠出版、2019～2021年）が刊行されている。

◆編者・執筆者紹介

阿久津美紀 あくつみき(目白大学・助教)
1985年生まれ。日本学術振興会特別研究員PDを経て現職。専門はアーカイブズ学、児童福祉、子ども学。博士(アーカイブズ学)。主著に『私の記録、家族の記憶―ケアリーヴァーと社会的養護のこれから―』(大空社出版、2021年)など。
担当：第1章

上代　庸平 じょうだいようへい(武蔵野大学・教授)
1981年生まれ。中京大学国際教養学部准教授、武蔵野大学法学部准教授などを経て現職。専門は憲法、ドイツ法。博士(法学)。主著に『自治体財政の憲法的保障』(慶應義塾大学出版会、2019年)、『アーカイブズ学要論』(編著、尚学社、2014年)、「財政憲法による自治体財政の保障」(辻村みよ子責任編集『憲法研究　第8号』信山社、2021年)など。
担当：第2章

宮間　純一 みやまじゅんいち(中央大学・教授)
1982年生まれ。宮内庁宮内公文書館研究職(内閣府事務官)、国文学研究資料館准教授を経て現職。専門は歴史学(日本近代史)、アーカイブズ学。博士(史学)。主著に『国葬の成立―明治国家と「功臣」の死―』(勉誠出版、2015年)、『戊辰内乱期の社会―佐幕と勤王のあいだ―』(思文閣出版、2015年)、『天皇陵と近代―地域の中の大友皇子伝説―』(平凡社、2018年)など。
担当：第3章

寺澤　正直 てらさわまさなお(国立公文書館・専門官)
1979年生まれ。内閣府大臣官房公文書管理課・専門職を経て現職。ISO/TC46/SC11(アーカイブズ／記録管理)の国内委員会委員。専門は図書館情報学、アーカイブズ学。博士(図書館情報学)。主著に「新たなアーカイブズ記述の国際標準 Records in Context(RiC)への対応に係る課題の抽出」(『アーカイブズ学研究』27、2017年)など。
担当：第4章

小根山美鈴 おねやまみすず(学習院アーカイブズ・専門嘱託)
2010年学習院大学大学院人文科学研究科アーカイブズ学専攻博士前期課程修了。株式会社出版文化社アーキビスト、東京大学文書館学術支援職員を経て現職。専門はアーカイブズ学。主著に「学生部旧蔵資料、1886-2006」(『東京大学文書館紀要』38、2020年)など。
担当：第8章

宮平さやか　みやだいらさやか(豊島区総務部総務課文書グループ・公文書等専門員)

1982年生まれ。武蔵野美術大学卒業後、編集プロダクションで編集者、美術大学の通信教育課程の助手等を経て、2015年学習院大学大学院人文科学研究科アーカイブズ学専攻博士前期課程に入学。16年戸田市立郷土博物館内アーカイブズセンター学芸員を経て現職。20年新潟市公文書管理条例(仮称)検討委員会委員。

担当：第9章

小川実佳子　おがわみかこ(株式会社ワンビシアーカイブズ)

1994年生まれ。2020年学習院大学大学院人文科学研究科アーカイブズ学専攻博士前期課程修了。専門はアーカイブズ学。

担当：第10章

高科　真紀　たかしなまき(人間文化研究機構総合人間文化研究推進センター・研究員/国立歴史民俗博物館・特任助教)

1985年生まれ。国文学研究資料館機関研究員、日本学術振興会特別研究員DC2などを経て現職。専門は保存科学(資料保存論)、アーカイブズ学。主著に「写真メディアを軸とした沖縄祭祀アーカイブズ―写真家・比嘉康雄資料を事例に―」(『アート・ドキュメンテーション研究』29、2021年)、*Preservation and Conservation of Japanese Archival Documents in the Vatican Library* (青木睦・Núñez Gaitán編、バチカン図書館出版、2019年)など。

担当：第11章

*　　　*　　　*

下重　直樹　しもじゅうなおき(学習院大学・准教授)

1981年生まれ。内閣府大臣官房公文書管理課・専門職、国立公文書館公文書専門官などを経て現職。専門は歴史学(日本近現代史)、アーカイブズ学。主著に『資料　現代日本の公文書管理とアーカイブズ〈第Ⅰ期〉』(柏書房、2021年)、「戦後日本における公文書管理システムの形成」(日本行政学会編『コンプライアンスと公文書管理』ぎょうせい、2020年)など。

担当：序章、第5章、第7章(2節)、終章

湯上　良　ゆがみりょう(昭和女子大学・准教授)

1975年生まれ。国文学研究資料館特任助教、学習院大学助教・客員所員を経て現職。専門は歴史学(西洋史)、アーカイブズ学。博士(史学)。主著に『アーカイブズ学要論』(上代庸平編、尚学社、2014年)、訳書に『禁書―グーテンベルクから百科全書まで―』(2017年)、『アーカイブとは何か―石板からデジタル文書まで、イタリアの文書管理―』(2012年、ともに法政大学出版局)など。

担当：第6章、第7章(1節)

アーキビストとしてはたらく　記録が人と社会をつなぐ

2022年3月25日　第1版第1刷印刷　　2022年4月1日　第1版第1刷発行

編　者　　下重直樹・湯上 良
しもじゅうなおき　ゆがみりょう

発行者　　野澤武史

発行所　　株式会社　山川出版社
〒101-0047　東京都千代田区内神田1-13-13
電話　03(3293)8131(営業)　03(3293)8135(編集)
https://www.yamakawa.co.jp/　　振替　00120-9-43993

印刷所　　株式会社　太平印刷社

製本所　　株式会社　ブロケード

装　幀　　長田年伸